Manual del perfecto idiota latinoamericano

PLAZA JANÉS

MANUAL DEL
PERFECTO

IDIOTA

LATINOAMERICANO

Presentación de
Mario Vargas Llosa

Plinio Apuleyo Mendoza
Carlos Alberto Montaner
Álvaro Vargas Llosa

PLAZA & JANÉS EDITORES, S.A.

Diseño de la portada: Judit Commeleran

Primera edición en esta colección: junio, 1999

© 1996, Plinio Apuleyo Mendoza, Carlos Alberto Montaner
   y Álvaro Vargas Llosa
© de la presente edición: 1999, Plaza & Janés Editores, S. A.
   Travessera de Gràcia, 47-49. 08021 Barcelona

Printed in Spain – Impreso en España

ISBN: 84-01-01145-0
Depósito legal: B. 24.170 - 1999

Fotocomposición: Víctor Igual, S. L.

Impreso en Litografía Rosés, S. A.
Progrés, 54-60. Gavà (Barcelona)

L 01145 A

ÍNDICE

PRESENTACIÓN
El perfecto idiota latinoamericano
Mario Vargas Llosa

Cree que somos pobres porque *ellos* son ricos y viceversa, que la historia es una exitosa conspiración de malos contra buenos en la que *aquéllos* siempre ganan y nosotros siempre perdemos (él está en todos los casos entre las pobres víctimas y los buenos perdedores), no tiene empacho en navegar en el cyberespacio, sentirse *on-line* y (sin advertir la contradicción) abominar del consumismo. Cuando habla de cultura, tremola así: «Lo que sé lo aprendí en la vida, no en los libros, y por eso mi cultura no es libresca sino vital.» ¿Quién es él? Es el idiota latinoamericano.

Tres escritores (latinoamericanos, por supuesto) lo citan, diseccionan, reseñan, biografían e inmortalizan en un libro —*Manual del perfecto idiota latinoamericano*— que está escrito como los buenos matadores torean a los miuras: arrimando mucho el cuerpo y dejando jirones de piel en la faena. Pero la ferocidad de la crítica que lo anima está amortiguada por las carcajadas que salpican cada página y por una despiadada autocrítica que lleva a sus autores a incluir sus propias idioteces en la deliciosa antología de la estupidez que, a modo de índice clausura el libro.

A los tres los conozco muy bien y sus credenciales son las más respetables que puede lucir un escribidor de nuestros días: a Plinio Apuleyo Mendoza los terroristas colombianos vinculados al narcotráfico y a la subversión lo asedian y quieren matarlo hace años por denunciarlos sin tregua en reportajes y artículos;

11

Carlos Alberto Montaner luchó contra Batista, luego contra Castro y hace más de treinta años que lucha desde el exilio por la libertad de Cuba, y Álvaro Vargas Llosa (mi hijo, por si acaso) tiene tres juicios pendientes en el Perú de Fujimori como «traidor a la Patria» por condenar la estúpida guerrita fronteriza peruano-ecuatoriana. Los tres pasaron en algún momento de su juventud por la izquierda (Álvaro dice que no, pero yo descubrí que cuando estaba en Princeton formó parte de un grupo radical que, enfundado en boinas Che Guevara, iba a manifestar contra Reagan a las puertas de la Casa Blanca) y los tres son ahora liberales, en esa variante desembozada y sin complejos que es también la mía, que en algunos terrenos linda con el anarquismo y a la que el personaje de este libro —el idiota de marras— se refiere cuando habla de «ultraliberalismo» o «fundamentalismo liberal».

La idiotez que impregna este manual no es la congénita, esa naturaleza del intelecto, condición del espíritu o estado del ánimo que hechizaba a Flaubert —la *bêtise* de los franceses— y para la cual hemos acuñado en español bellas y misteriosas metáforas, como el anatómico «tonto del culo», en España y, en el Perú, ese procesionario o navegante «huevón a la vela». Esa clase de idiota despierta el afecto y la simpatía, o, a lo peor, la conmiseración, pero no el enojo ni la crítica, y, a veces, hasta una secreta envidia, pues hay en los idiotas de nacimiento, en los espontáneos de la idiotez, algo que se parece a la pureza y a la inocencia, y la sospecha de que en ellos podría emboscarse nada menos que esa cosa terrible llamada por los creyentes santidad. La idiotez que documentan estas páginas es de otra índole. En verdad, ella no es sólo latinoamericana, corre como el azogue y echa raíces en cualquier parte.

Postiza, deliberada y elegida, se adopta conscientemente, por pereza intelectual, modorra ética y oportunismo civil. Ella es ideológica y política, pero, por encima de todo, frívola, pues revela una abdicación de la facultad de pensar por cuenta propia, de cotejar las palabras con los hechos que ellas pretenden describir, de cuestionar la retórica que hace las veces de pensamiento. Ella es la beatería de la moda reinante, el dejarse llevar siempre por la corriente, la religión del estereotipo y el lugar común.

Nadie está exento de sucumbir en algún momento de su vida a este género de idiotez (yo mismo aparezco en la antología con una cita perversa). Ella congrega al cacaseno ontológico, como el funcionario franquista que, en un viaje a Venezuela, definió así al régimen que servía: «¿El franquismo? Un socialismo con libertad», con idioteces transeúntes y casi furtivas, de genialidades literarias que, de pronto, en un arranque de lírica inocencia explican, como Julio Cortázar, que el Gulag fue sólo «un accidente de ruta» del comunismo, o, documentan, con omnisciencia matemática, como García Márquez en su reportaje sobre la guerra de las Malvinas, cuántas castraciones operan por minuto a golpes de cimitarra los feroces *gurkas* británicos en las huestes argentinas. Los contrasentidos de esta estirpe se perdonan con facilidad por ser breves y el aire risueño que despiden; los asfixiantes son los que se enroscan en barrocos tratados teológicos, explicando que la «opción por la pobreza del genuino cristianismo» pasa por la lucha de clases, el centralismo democrático, la guerrilla o el marxismo o en bodrios económicos que, a cañonazos estadísticos y con tablas comparativas de ciencia ficción, demuestran que cada dólar contabilizado como beneficio por una empresa estadounidense o europea consagra el triunfo del modelo Shylock en el intercambio comercial, pues fue amasado con sangre, sudor y lágrimas tercermundistas.

Hay la idiotez sociológica y la de la ciencia histórica; la politológica y la periodística; la católica y la protestante; la de izquierda y la de derecha; la social-demócrata, la democristiana, la revolucionaria, la conservadora y —¡ay!— también la liberal. Todas aparecen aquí, retratadas y maltratadas sin piedad aunque, eso sí, con un humor siempre sabroso y regocijante. Lo que en verdad va diseñando el libro en sus jocosos trece capítulos y su impagable antología es algo que aglutina y explica todas esas aberraciones, equivocaciones, deformaciones y exageraciones delirantes que se hacen pasar (el fenómeno, aunque debilitado, aún coletea) por ideas: el subdesarrollo intelectual.

Es el gran mérito del libro, la seriedad que se agazapa debajo de la vena risueña en que está concebido: mostrar que todas las doctrinas que profusamente tratan de explicar realidades tan dramáticas como la pobreza, los desequilibrios sociales, la explotación, la ineptitud para producir riqueza y crear empleo y los fracasos de las instituciones civiles y la democracia en América Latina se explican, en gran parte, como resultado de una pertinaz y generalizada actitud irresponsable, de jugar al avestruz en lo que respecta a las propias miserias y defectos, negándose a admitirlos —y por lo tanto a corregirlos— y buscándose coartadas y chivos expiatorios (el imperialismo, el neocolonialismo, las trasnacionales, los injustos términos de intercambio, el Pentágono, la CIA, el Fondo Monetario Internacional, el Banco Mundial, etcétera) para sentirse siempre en la cómoda situación de víctimas y, con toda buena conciencia, eternizarse en el error. Sin proponérselo, Mendoza, Montaner y Vargas Llosa parecen haber llegado en sus investigaciones sobre la idiotez intelectual en América Latina a la misma conclusión que el economista norteamericano Lawrence E. Harrison, quien, en un polémico ensayo, aseguró hace algunos años que el subdesarrollo es «una enfermedad mental».

Aquí aparece sobre todo como debilidad y cobardía frente a la realidad real y como una propensión neurótica a eludirla sustituyéndole una realidad ficticia. No es extraño que un continente con estas inclinaciones fuera la tierra propicia del surrealismo, la belleza convulsiva del ensueño y la intuición y la desconfianza hacia lo racional. Y que, al mismo tiempo, proliferaran en ella las satrapías militares y los autoritarismos y fracasaran una y otra vez las tentativas de arraigar esa costumbre de los consensos y las concesiones recíprocas, de la tolerancia y responsabilidad individual que son el sustento de la democracia. Ambas cosas parecen consecuencia de una misma causa: una incapacidad profunda para discriminar entre verdad y mentira, entre realidad y ficción. Ello explica que América Latina haya producido grandes artistas, músicos eximios, poetas y novelistas de excepción; y pensadores tan poco terrestres, doctrinarios tan faltos de hondura y tantos ideólogos en entredicho perpetuo con la objetividad histórica y el pragmatismo. Y, también, la actitud religiosa y beata con que la elite intelectual adoptó el marxismo —ni más ni menos que como había hecho suya la doctrina católica—, ese catecismo del siglo XX, con respuestas prefabricadas para todos los problemas, que eximía de pensar, de cuestionar el entorno y cuestionarse a sí mismo, que disolvía la propia conciencia dentro de los ritornelos y cacofonías del dogma.

El *Manual del perfecto idiota latinoamericano* pertenece a una riquísima tradición, que tuvo sus maestros en un Pascal y un Voltaire, y que, en el mundo contemporáneo, continuaron un Sartre, un Camus y un Revel: la del panfleto. Éste es un texto beligerante y polémico, que carga las tintas y busca la confrontación intelectual, se mueve en el plano de las ideas y no de las anécdotas, usa argumentos, no dicterios ni descalificaciones personales, y contrapesa la ligereza de la expresión, y su virulencia dialéctica, con el rigor de contenido, la seriedad del análisis y la coherencia expositiva. Por eso, aunque lo recorre el humor de arriba abajo, es el libro más serio del mundo y, después de leerlo, igual que en el verso de Vallejo, el lector se queda pensando. Y lo asalta de pronto la tristeza.

¿Seguiremos siempre así, creando con tanta libertad y teorizando tan servilmente? América Latina está cambiando para mejor, no hay duda. Las dictaduras militares han sido reemplazadas por gobiernos civiles en casi todos los países y una cierta resignación con el pragmatismo democrático parece extenderse por doquier, en lugar de las viejas utopías revolucionarias; a tropezones y porrazos, se van aceptando cosas que hace muy poco eran tabú: la internacionalización, los mercados, la privatización de la economía, la necesidad de reducir y disciplinar a los Estados. Pero todo ello como a regañadientes, sin convicción, porque ésa es la moda y no hay otro remedio. Unas reformas hechas con ese desgano, arrastrando los pies y rezongando entre dientes contra ellas, ¿no están condenadas al fracaso? ¿Cómo podrían dar los frutos esperados —modernidad, empleo, imperio de la ley, mejores niveles de vida, derechos humanos, libertad— si no hay, apuntalando esas políticas y perfeccionándolas, una convicción y unas ideas que les den vida y las renueven sin tregua? Porque la paradoja de lo que ocurre en la actualidad en América Latina es que el gobierno de sus sociedades comienza a cambiar, sus economías a reformarse y sus instituciones civiles a nacer o a renacer, mientras su vida intelectual sigue en gran parte estancada, ciega y sorda a los grandes cambios que ha experimentado la historia del mundo, inmutable en su rutina, sus mitos y sus convenciones.

¿La sacudirá este libro? ¿La arrancará de su somnolencia granítica? ¿Abrirán los ojos los idiotas convocados y responderán al desafío de los tres mosqueteros del *Manual* con ideas y argumentos contradictorios? Ojalá. Nada hace tanta falta, para que los cambios en América Latina sean duraderos, como un gran debate que dé fundamento intelectual, sustento de ideas, a ese largo y sacrificado proceso de modernización del que resultan sociedades más libres y más prósperas y una vida cultural con una cuota nula o al menos escasa de idioteces y de idiotas.

París, enero de 1996

MANUAL DEL PERFECTO IDIOTA LATINOAMERICANO

A la memoria de Carlos Rangel
y a Jean François Revel, que a uno
y otro lado del Atlántico han combatido
sin tregua la idiotez política.

I

RETRATO DE FAMILIA

En la formación política del perfecto idiota, además de cálculos y resentimientos, han intervenido los más variados y confusos ingredientes. En primer término, claro está, mucho de la vulgata marxista de sus tiempos universitarios. En esa época, algunos folletos y cartillas de un marxismo elemental le suministraron una explicación fácil y total del mundo y de la historia. Todo quedaba debidamente explicado por la lucha de clases. La historia avanzaba conforme a un libreto previo (esclavismo, feudalismo, capitalismo y socialismo, antesala de una sociedad realmente igualitaria). Los culpables de la pobreza y el atraso de nuestros países eran dos funestos aliados: la burguesía y el imperialismo.

Semejantes nociones del materialismo histórico le servirían de caldo para cocer allí, más tarde, una extraña mezcla de tesis tercermundistas, brotes de nacionalismo y de demagogia populista, y una que otra vehemente referencia al pensamiento, casi siempre caricaturalmente citado, de algún caudillo emblemático de su país, llámese José Martí, Augusto César Sandino, José Carlos Mariátegui, Víctor Raúl Haya de la Torre, Jorge Eliécer Gaitán, Eloy Alfaro, Lázaro Cárdenas, Emiliano Zapata, Juan Domingo Perón, Salvador Allende, cuando no el propio Simón Bolívar o el Che Guevara. Todo ello servido en bullentes cazuelas retóricas. El pensamiento político de nuestro perfecto idiota se parece a esos opulentos pucheros tropicales, donde uno encuentra lo que quiera, desde garbanzos y rodajas de plátano frito hasta plumas de loro.

Si a este personaje pudiéramos tenderlo en el diván de un psicoanalista, descubriríamos en los pliegues más íntimos de su memoria las úlceras de algunos complejos y resentimientos sociales. Como la mayor parte del mundo político e intelectual latinoamericano, el perfecto idiota proviene de modestas clases medias, muy frecuentemente de origen provinciano y de alguna manera venidas a menos. Tal vez tuvo un abuelo próspero que se arruinó, una madre que enviudó temprano, un padre profesional, comerciante o funcionario estrujado por las dificultades cotidianas y añorando mejores tiempos de la familia. El medio de donde proviene está casi siempre marcado por fracturas sociales, propias de un mundo rural desaparecido y mal asentado en las nuevas realidades urbanas.

Sea que hubiese crecido en la capital o en una ciudad de provincia, su casa pudo ser una de esas que los ricos desdeñan cuando ocupan barrios más elegantes y modernos: la modesta quinta de un barrio medio o una de esas viejas casas húmedas y oscuras, con patios y tiestos de flores, tejas y canales herrumbrosos, algún Sagrado Corazón en el fondo de un zaguán y bombillas desnudas en cuartos y corredores, antes de que el tumultuoso desarrollo urbano lo confine en un estrecho apartamento de un edificio multifamiliar. Debieron ser compañeros de su infancia la Emulsión de Scott, el jarabe yodotánico, las novelas radiofónicas, los mambos de Pérez Prado, los tangos y rancheras vengativos, los apuros de fin de mes y parientes siempre temiendo perder su empleo con un cambio de gobierno.

Debajo de esa polvorienta franja social, a la que probablemente hemos pertenecido todos nosotros, estaba el pueblo, esa gran masa anónima y paupérrima llenando calles y plazas de mercado y las iglesias en la Semana Santa. Y encima, siempre arrogantes, los ricos con sus clubes, sus grandes mansiones, sus muchachas de sociedad y sus fiestas exclusivas, viendo con desdén desde la altura de sus buenos apellidos a las gentes de clase media, llamados, según el país, «huachafos», «lobos», «siúticos», o cualquier otro término despectivo.

Desde luego nuestro hombre (o mujer) no adquiere título de idiota por el hecho de ser en el establecimiento social algo así como el jamón del emparedado y de buscar en el marxismo, cuando todavía padece de acné juvenil, una explicación y un desquite. Casi todos los latinoamericanos hemos sufrido el marxismo como un sarampión, de modo que lo alarmante no es tanto haber pasado por esas tonterías como seguir repitiéndolas —o, lo que es peor, creyéndolas— sin haberlas confrontado con la realidad. En otras palabras, lo malo no es haber sido idiota, sino continuar siéndolo.

Con mucha ternura podemos compartir, pues, con nuestro amigo recuerdos y experiencias comunes. Tal vez el haber pertenecido a una célula comunista o a algún grupúsculo de izquierda, haber cantado la *Internacional* o la *Bella Ciao*, arrojado piedras a la policía, puesto letreros en los muros contra el gobierno, repartido hojas y volantes o haber gritado en coro, con otra multitud de idiotas en ciernes, «el pueblo unido jamás será vencido». Los veinte años son nuestra edad de la inocencia.

Lo más probable es que en medio de este sarampión, común a tantos, a nuestro hombre lo haya sorprendido la revolución cubana con las imágenes legendarias de los barbudos entrando en una Habana en delirio. Y ahí tendremos que la idolatría por Castro o por el Che Guevara en él no será efímera sino perenne. Tal idolatría, que a unos cuantos muchachos de su generación los pudo llevar al monte y a la muerte, se volverá en nuestro perfecto idiota un tanto discreta cuando no sea ya un militante de izquierda radical sino el diputado, senador, ex ministro o dirigente de un partido importante de su país. Pese a ello, no dejará de batir la cola alegremente, como un perrito a la vista de un hueso, si encuentra delante suyo, con ocasión de una visita a Cuba, la mano y la presencia barbuda, exuberante y monumental del líder máximo. Y desde luego, idiota perfecto al fin y al cabo, encontrará a los peores desastres provocados por Castro una explicación plausible. Si hay hambre en la isla, será por culpa del cruel bloqueo norteamericano; si hay exiliados, es porque son gusanos incapaces de entender un proceso revolucionario; si hay prostitutas, no es por la penuria que vive la isla, sino por el libre derecho que ahora tienen las cubanas de disponer de su cuerpo como a bien tengan. El idiota, bien es sabido, llega a extremos sublimes de interpretación de los hechos, con tal de no perder el bagaje ideológico que lo acompaña desde su juventud. No tiene otra muda de ropa.

Como nuestro perfecto idiota tampoco tiene un pelo de apóstol, su militancia en los grupúsculos de izquierda no sobrevivirá a sus tiempos de estudiante. Al salir de la universidad e iniciar su carrera política, buscará el amparo confortable de un partido con alguna tradición y opciones de poder, transformando sus veleidades marxistas en una honorable relación con la Internacional Socialista o, si es de estirpe conservadora, con la llamada doctrina social de la Iglesia. Será, para decirlo en sus propios términos, un hombre con conciencia social. La palabra social, por cierto, le fascina. Hablará de política, cambio, plataforma, corriente, reivindicación o impulso social, convencido de que esta palabra santifica todo lo que hace.

Del sarampión ideológico de su juventud le quedarán algunas cosas muy firmes: ciertas impugnaciones y críticas al imperialismo, la plutocracia, las multinacionales, el Fondo Monetario y otros pulpos (pues también del marxismo militante le quedan varias metáforas zoológicas). La burguesía probablemente dejará de ser llamada por él burguesía, para ser designada como oligarquía o identificada con «los ricos» o con el rótulo evangélico de «los poderosos» o «favorecidos por la fortuna». Y, obviamente, serán suyas todas las interpretaciones tercermundistas. Si hay guerrilla en su país, ésta será llamada comprensivamente «la insurgencia armada» y pedirá con ella diálogos patrióticos aunque mate, secuestre, robe, extorsione o torture. El perfecto idiota es también, conforme a la definición de Lenin, un idiota útil.

A los treinta años, nuestro personaje habrá sufrido una prodigiosa transformación. El pálido estudiante de la célula o del grupúsculo medio clandestino tendrá ahora el aspecto robusto y la personalidad frondosa y desenvuelta de un político profesional. Habrá tragado polvo en las carreteras y sudado camisas bajo el sol ardiente de las plazas mientras abraza compadres, estrecha manos, bebe cerveza, pisco, aguardiente, ron, tequila o cualquier otro licor autóctono en las cantinas de los barrios y poblaciones. Sus seguidores lo llamarán jefe. Será un orador copioso y efectista que sufre estremecimientos casi eróticos a la vista de un micrófono. Su éxito residirá esencialmente en su capacidad de explotar demagógicamente los problemas sociales. ¿Acaso no hay desempleo, pobreza, falta de escuelas y hospitales? ¿Acaso no suben los precios como globos mientras los salarios son exiguos salarios de hambre? ¿Y todo esto por qué?, preguntará de pronto contento de oír su voz, difundida por altoparlantes, llenando el ámbito de una plaza. Ustedes lo saben, dirá. Lo sabemos todos. Porque —y aquí le brotarán agresivas las venas del cuello bajo un puño amenazante— la riqueza está mal distribuida, porque los ricos lo tienen todo y los pobres no tienen nada, porque a medida que crecen sus privilegios, crece también el hambre del pueblo. De ahí que sea necesaria una auténtica política social, de ahí que el Estado deba intervenir en defensa de los desheredados, de ahí que todos deban votar por los candidatos que representan, como él, las aspiraciones populares.

De esta manera el perfecto idiota, cuando resuelva hacer carrera política, cosechará votos para hacerse elegir diputado, representante a la Cámara o senador, gobernador o alcalde. Y así, de discurso en discurso, de balcón en balcón, irá vendiendo sin mayor esfuerzo sus ideas populistas. Pues esas ideas gustan, arrancan aplausos. Él hará responsable de la pobreza no sólo a los ricos (que todo lo tienen y nada dan), sino también a los injustos términos de intercambio, a las exigencias del Fondo Monetario Internacional, a las políticas ciegamente aperturistas que nos exponen a competencias ruinosas en los mercados internacionales y a las ideas neoliberales.

Será, además, un verdadero nacionalista. Dirá defender la soberanía nacional contra las conjuras del capital extranjero, de esa gran banca internacional que nos endeuda para luego estrangularnos, dejándonos sin inversión social. Por tal motivo, en vez de entregarle nuestras riquezas naturales a las multinacionales, él reclama el derecho soberano del país de administrar sus propios recursos. ¿Privatizar empresas del Estado? Jamás, gritará nuestro perfecto idiota vibrante de cólera. No se le puede entregar a un puñado de capitalistas privados lo que es patrimonio de todo el pueblo, de la nación entera. Eso jamás, repetirá con la cara más roja que la cresta de un pavo. Y su auditorio entusiasmado dirá también jamás, y todos volverán algo ebrios, excitados y contentos a casa, sin preguntarse cuántas veces han oído lo mismo sin que cambie para nada su condición. En este cuento el único que prospera es el idiota.

Prospera, en efecto. A los cuarenta años, nuestro perfecto idiota, metido en la política, tendrá algún protagonismo dentro de su partido y dispondrá ya, en Secretarías, Gobernaciones, Ministerios o Institutos, de unas buenas parcelas burocráticas. Será algo muy oportuno, pues quizá sus discursos de plaza y balcón hayan comenzado a erosionarse. Lo cierto es que los pobres no habrán dejado de ser pobres, los precios seguirán subiendo y los servicios públicos, educativos, de transporte o sanitarios, serán tan ineficientes como de costumbre. Devaluadas sus propuestas por su inútil reiteración, de ahora en adelante su fuerza electoral deberá depender esencialmente de su capacidad para distribuir puestos públicos, becas, auxilios o subsidios. Nuestro perfecto idiota es necesariamente un clientelista político. Tiene una clientela electoral que ha perdido quizá sus ilusiones en el gran cambio social ofrecido, pero no en la influencia de su jefe y los pequeños beneficios que pueda retirar de ella. Algo es algo, peor es nada.

Naturalmente nuestro hombre no está solo. En su partido (de alto contenido social), en el congreso y en el gobierno, lo acompañan o disputan con él cuotas de poder otros políticos del mismo corte y con una trayectoria parecida a la suya. Y ya que ellos también se acercan a la administración pública como abejas a un plato de miel, poniendo allí sus fichas políticas, muy pronto las entidades oficiales empezarán a padecer de obesidad burocrática, de ineficiencia y laberíntica «tramitología». Dentro de las empresas públicas surgirán voraces burocracias sindicales. Nuestro perfecto idiota, que nunca deja de cazar votos, suele adular a estos sindicalistas concediéndoles cuanto piden a través de ruinosas convenciones colectivas. Es otra expresión de su conciencia social. Finalmente aquélla no es plata suya, sino plata del Estado, y la plata del Estado es de todos; es decir, de nadie.

Con esta clase de manejos, no es de extrañar que las empresas públicas se vuelvan deficitarias y que para pagar sus costosos gastos de funcionamiento se haga necesario aumentar tarifas e impuestos. Es la factura que el idiota hace pagar por sus desvelos sociales. El incremento del gasto público, propio de su Estado benefactor, acarrea con frecuencia un severo déficit fiscal. Y si a algún desventurado se le ocurre pedir que se liquide un monopolio tan costoso y se privatice la empresa de energía eléctrica, los teléfonos, los puertos o los fondos de pensiones, nuestro amigo reaccionará como picado por un alacrán. Será un aliado de la burocracia sindical para denunciar semejante propuesta como una vía hacia el capitalismo salvaje, una maniobra de los neoliberales para desconocer la noble función social del servicio público. De esta manera tomará el partido de un sindicato contra la inmensa, silenciosa y desamparada mayoría de los usuarios.

En apoyo de nuestro político y de sus posiciones estatistas, vendrán otros perfectos idiotas a darle una mano: economistas, catedráticos, columnistas de izquierda, sociólogos, antropólogos, artistas de vanguardia y todos los miembros del variado abanico de grupúsculos de izquierda: marxistas, trostkistas, senderistas, maoístas que han pasado su vida embadurnando paredes con letreros o preparando la lucha armada. Todos se movilizan en favor de los monopolios públicos.

La batalla por lo alto la dan los economistas de esta vasta franja donde la bobería ideológica es reina. Este personaje puede ser un hombre de cuarenta y tantos años, catedrático en alguna universidad, autor de algunos ensayos de teoría política o económica, tal vez con barbas y lentes, tal vez aficionado a morder una pipa y con teorías inspiradas en Keynes y otros mentores de la social democracia, y en el padre Marx siempre presente en alguna parte de su saber y de su corazón. El economista hablará de pronto de estructuralismo, término que dejará seguramente perplejo a nuestro amigo, el político populista, hasta cuando comprenda que el economista de las barbas propone poner a funcionar sin reatos la maquinita de emitir billetes para reactivar la demanda y financiar la inversión social. Será el feliz encuentro de dos perfectos idiotas. En mejor lenguaje, el economista impugnará las recomendaciones del Fondo Monetario presentándolas como una nueva forma repudiable de neocolonialismo. Y sus críticas más feroces serán reservadas para los llamados neoliberales.

Dirá, para júbilo del populista, que el mercado inevitablemente desarrolla iniquidades, que corresponde al Estado corregir los desequilibrios en la distribución del ingreso y que la apertura económica sólo sirve para incrementar ciega y vertiginosamente las importaciones, dejando en abierta desventaja a las industrias manufactureras locales o provocando su ruina con la inevitable secuela del desempleo y el incremento de los problemas sociales.

Claro, ya lo decía yo, diría el político populista, sumamente impresionado por el viso de erudición que da a sus tesis el economista y por los libros bien documentados, publicados por algún fondo editorial universitario, que le envía. Hojeándolos, encontrará cifras, indicativos, citas memorables para demostrar que el mercado no puede anular el papel justiciero del Estado. Tiene razón Alan García —leerá allí— cuando dice que «las leyes de la gravedad no implican que el hombre renuncie a volar». (Y naturalmente los dos perfectos idiotas, unidos en su admiración común ante tan brillante metáfora, olvidarán decirnos cuál fue el resultado concreto obtenido, durante su catastrófico gobierno, por el señor García con tales elucubraciones.)

A los cincuenta años, después de haber sido senador y tal vez ministro, nuestro perfecto idiota empezará a pensar en sus opciones como candidato presidencial. El economista podría ser un magnífico ministro de Hacienda suyo. Tiene a su lado, además, nobles constitucionalistas de su mismo signo, profesores, tratadistas ilustres, perfectamente convencidos de que para resolver los problemas del país (inseguridad, pobreza, caos administrativo, violencia o narcotráfico), lo que se necesita es una profunda reforma constitucional. O una nueva Constitución que consagre al fin nuevos y nobles derechos: el derecho a la vida, a la educación gratuita y obligatoria, a la vivienda digna, al trabajo bien remunerado, a la lactancia, a la intimidad, a la inocencia, a la vejez tranquila, a la dicha eterna. Cuatrocientos o quinientos artículos con un nuevo ordenamiento jurídico y territorial, y el país quedará como nuevo. Nuestro perfecto idiota es también un soñador.

Ciertamente no es un hombre de grandes disciplinas intelectuales, aunque en sus discursos haga frecuentes citas de Neruda, Vallejo o Rubén Darío y use palabras como telúrico, simbiosis, sinergia, programático y coyuntural. Sin embargo, donde mejor resonancia encuentra para sus ideas es en el mundo cultural de la izquierda, compuesto por catedráticos, indigenistas, folkloristas, sociólogos, artistas de vanguardia, autores de piezas y canciones de protesta y películas con mensaje. Con todos ellos se entiende muy bien.

Comparte sus concepciones. ¿Cómo no podría estar de acuerdo con los ensayistas y catedráticos que exaltan los llamados valores autóctonos o telúricos de la cultura nacional y las manifestaciones populares del arte, por oposición a los importadores o cultivadores de un arte foráneo y decadente? Nuestro perfecto idiota considera con todos ellos que deben rescatarse las raíces indígenas de Latinoamérica siguiendo los pasos de un Mariátegui o de un Haya de la Torre, cuyos libros cita. Apoya a quienes denuncian el neocolonialismo cultural y le anteponen creaciones de real contenido social (esta palabra es siempre una cobija mágica) o introducen en el arte pictórico formas y reminiscencias del arte precolombino.

Probablemente nuestro idiota, congresista al fin, ha propuesto (y a veces impuesto) a través de alguna ley, decreto o resolución, la obligación de alternar la música foránea (para él decadente, Beatles incluidos) con la música criolla. De esta manera, habrá enloquecido o habrá estado a punto de enloquecer a sus desventurados compatriotas con cataratas de joropos, bambucos, marineras, huaynos, rancheras o cuecas. También ha exigido cuotas de artistas locales en los espectáculos y ha impugnado la presencia excesiva de técnicos o artistas provenientes del exterior.

Por idéntico escrúpulo nacionalista, incrementará la creación de grupos de artistas populares, dándoles toda suerte de subsidios, sin reparar en su calidad. Se trata de desterrar el funesto elitismo cultural, denominación que en su espíritu puede incluir las óperas de Rossini, los conciertos de Bach, las exposiciones de Pollock o de Andy Warhol, el teatro de Ionesco (o de Molière) o las películas de Bergman, en provecho de representaciones llenas de diatribas político-sociales, de truculento costumbrismo o de deplorables localismos folklóricos.

Paradojas: a nuestro perfecto idiota del mundo cultural no le parece impugnable gestionar y recibir becas o subsidios de funcionarios o universidades norteamericanas, puesto que gracias a ellas puede, desde las entrañas mismas del monstruo imperialista, denunciar en libros, ensayos y conferencias el papel neocolonialista que cumplen no sólo los Chicago Boys o los economistas de Harvard, sino también personajes tales como el pato Donald, el teniente Colombo o Alexis Carrington. En estos casos, el perfecto idiota latinoamericano se convierte en un astuto quintacolumnista que erosiona desde adentro los valores políticos y culturales del imperio.

Nuestro amigo, pues, se mueve en un vasto universo a la vez político, económico y cultural, en el cual cada disciplina acude en apoyo de la otra y la idiotez se propaga prodigiosamente como expresión de una subcultura continental, cerrándonos el camino hacia la modernidad y el desarrollo. Teórico del tercermundismo, el perfecto idiota nos deja en ese Tercer Mundo de pobreza y de atraso con su vasto catálogo de dogmas entregados como verdades. Esas sublimes boberías de libre circulación en América Latina son las que este manual recoge de una vez por todas en las páginas que siguen.

II

EL ÁRBOL GENEALÓGICO

«Los latinoamericanos no estamos satisfechos con lo que somos, pero a la vez no hemos podido ponernos de acuerdo sobre qué somos, ni sobre lo que queremos ser.»
Del buen salvaje al buen revolucionario,
CARLOS RANGEL

Nuestro venerado idiota latinoamericano no es el producto de la generación espontánea, sino la consecuencia de una larga gestación que casi tiene dos siglos de historia. Incluso, es posible afirmar que la existencia del idiota latinoamericano actual sólo ha sido posible por el mantenimiento de un tenso debate intelectual en el que han figurado algunas de las mejores cabezas de América. De ahí, directamente, desciende nuestro idiota.

Todo comenzó en el momento en que las colonias hispanoamericanas rompieron los lazos que las unían a Madrid, a principios del XIX, y en seguida los padres de la patria formularon la inevitable pregunta: ¿por qué a nuestras repúblicas —que casi de inmediato entraron en un período de caos y empobrecimiento— les va peor que a los vecinos norteamericanos de lo que en su momento fueron las Trece Colonias?

En tanto que nuestros compatriotas no adquieran los talentos y las virtudes políticas que distinguen a nuestros hermanos del Norte, los sistemas enteramente populares, lejos de sernos favorables, temo mucho que vengan a ser nuestra ruina. Desgraciadamente, estas cualidades pare-

cen estar muy distantes de nosotros, en el grado que se requiere; y, por el contrario, estamos dominados de los vicios que se contraen bajo la dirección de una nación como la española, que sólo ha sobresalido en fiereza, ambición, venganza y codicia.

SIMÓN BOLÍVAR
«Carta a un caballero que tomaba
gran interés en la causa republicana
en la América del Sur», (1815)

La primera respuesta que afloró en casi todos los rincones del continente, tenía la impronta liberal de entonces. A la América Latina —ya en ese momento, empezó a dejar de llamarse *Hispanoamérica*— le iba mal porque heredaba la tradición española inflexible, oscurantista y dictatorial, agravada por la mala influencia del catolicismo conservador y cómplice de aquellos tiempos revueltos. España era la culpable.

Un notable exponente de esa visión antiespañola fue el chileno Francisco Bilbao, formidable agitador, anticatólico y antidogmático, cuya obra, *Sociabilidad chilena,* mereció la paradójica distinción de ser públicamente quemada por las autoridades civiles y religiosas de un par de países latinoamericanos consagrados a la piromanía ideológica.

Bilbao, como buen liberal y romántico de su época, se fue a París, y allí participó en la estremecedora revolución de 1848. En la Ciudad Luz, como era de esperar, encontró el aprecio y el apoyo de los revolucionarios liberales de entonces. Michelet y Lamennais —como cuenta Zum Felde— lo llamaron «nuestro hijo» y mantuvieron con él una copiosa correspondencia. Naturalmente, Bilbao, una vez en Francia, reforzó su conclusión de que para progresar y prosperar había que desespañolizarse, tesis que recogió en un panfleto entonces leidísimo: *El evangelio americano.*

De vuelta a Chile, en 1850 fundó la Sociedad de la Igualdad, y dio una batalla ejemplar por la abolición de la esclavitud. No obstante, al reencontrarse con América incorporó a su análisis otro elemento un tanto contradictorio que más tarde recogerán Domingo Faustino Sarmiento e incontables ensayistas: «No sólo hay que desespañolizarse; también hay que *desindianizarse*», tesis que el autor de *Facundo* acabó por defender en su último libro: *Conflictos y armonía de las razas en América.*

Como queda dicho, primero en Bilbao y luego en Sarmiento ya aparece fijada la hipótesis republicana sobre nuestro fracaso relativo más manejada en la segunda mitad del XIX: nos va mal porque, tanto por la sangre española, como por la sangre india, y —por supuesto— por la negra, nos llegan el atraso, la incapacidad para vivir libremente y, como alguna vez dijera, desesperado, Francisco de Miranda, «el bochinche». El eterno bochinche latinoamericano a que son tan adictos nuestros inquietos idiotas contemporáneos.

A lo largo de todo el siglo XIX, de una u otra forma, es ésta la etiología que la *clase dirigente* le asigna a nuestros males, y no hay que ser demasiado sagaz para comprender que esa visión llevaba de la mano una comprensible y creciente admiración por el panorama prometedor y diferente que se desarrollaba en la América de origen británico. De ahí que los dos pensadores más importantes de la segunda mitad del siglo XIX, el mencionado Sarmiento y Juan Bautista Alberdi, enriquecieran el juicio de Bilbao con una proposición concreta: imitemos, dentro de nuestras propias peculiaridades, a los anglosajones.

Imitemos su pedagogía, sus estructuras sociales, su modelo económico, su Constitución, y de ese milagro *facsimilar* saldrá una América Latina vigorosa e inderrotable.

Se imita a aquel en cuya superioridad o cuyo prestigio se cree. Es así como la visión de una América deslatinizada por propia voluntad, sin la extorsión de la conquista, y renegada luego a imagen y semejanza del arquetipo del Norte, flota ya, en los sueños de muchos sinceros interesados por nuestro porvenir, inspira la fruición con que ellos formulan a cada paso los más sugestivos paralelos, y se manifiesta por constantes propósitos de innovación y de reforma. Tenemos nuestra nordomanía. Es necesario oponerle los límites que la razón y el sentimiento señalan de consuno.

JOSÉ ENRIQUE RODÓ, *Ariel* (1900)

Sólo que a fines de siglo esta fe en el progreso norteamericano, esta confianza en el pragmatismo y este deslumbramiento por los éxitos materiales, comenzaron a resquebrajarse, precisamente en la patria de Alberdi y de Sarmiento, cuando en 1897 Paul Groussac, prior de la intelectualidad rioplatense de entonces, publicó un libro de viaje, *Del Plata al Niágara,* en el que ya planteaba de modo tajante el enfrentamiento espiritual entre una América materialista anglosajona, y otra hispana cargada por el peso ético y estético de la espiritualidad latina.

Groussac no era un afrancesado, sino un francés en toda la regla. Un francés aventurero que llegó a Buenos Aires a los dieciocho años, sin hablar una palabra de español, mas consiguió dominar el castellano con tal asombrosa perfección que se convirtió en el gran dispensador de honores intelectuales de la época. Llegó a ser director de la Biblioteca Nacional de Buenos Aires —se decía, exageradamente, que había leído todos los libros que en ella había— y desde su puesto ejerció un inmenso magisterio crítico en los países del Cono Sur.

Es más que probable que el uruguayo José Enrique Rodó haya leído los papeles de Groussac antes de publicar, en 1900, el que sería el más leído e influyente ensayo político de la primera mitad del siglo XX: *Ariel.* Un breve libro, escrito con la prosa almibarada del modernismo —Rodó «se cogía la prosa con papel de china», aseguró alguna vez Blanco Fombona— y bajo la clarísima influencia de Renan, concretamente, de *Calibán,* drama en el que el francés, autor de la famosa *Vida de Jesús,* utiliza los mismos símbolos que Shakespeare empleó en *La tempestad,* y de los que luego se sirvió Rodó.

¿Qué significó, en todo caso, el famoso opúsculo de Rodó? En esencia, tres cosas: la superioridad natural de la cultura humanista latina frente al pragmatismo positivista anglosajón; el fin de la influencia positivista comtiana en América Latina, y el rechazo implícito al antiespañolismo, de Sarmiento y Alberdi. Para Rodó, como para la generación arielista que le seguiría, y en la que hasta Rubén Darío, mareado de cisnes y de alcoholes milita entusiasmado con sus poemas antiimperialistas, no hay que rechazar la herencia de España, sino asumirla como parte de un legado latino —Francia, Italia, España— que enaltece a los hispanoamericanos.

El *arielismo,* como es evidente, significó una bifurcación importante en el viejo debate encaminado a encontrar el origen de las desventuras latinoamericanas, derivación surgida exactamente en el momento preciso para apoderarse de la imaginación de numerosos políticos y escritores de la época, dado que dos años antes, en 1898, el continente de habla castellana había visto la guerra hispano-cubano-americana con una mezcla de admiración, estupor y prevención. En pocas semanas, Estados Unidos había destruido la flota española, ocupaba Cuba, Puerto Rico y las Filipinas, humillando a España y liquidando casi totalmente su viejo imperio colonial de cuatro siglos.

Estados Unidos, ante la mirada nerviosa de América Latina, ya no sólo era un modelo social arquetípico, sino había pasado a ser un activo poder internacional que competía con los ingleses en los mercados económicos y con todas las potencias europeas en el campo militar. Estados Unidos había dejado de ser la admirada república para convertirse en otro imperio.

Los primeros conquistadores, de mentalidad primaria, se anexaban los habitantes en calidad de esclavos. Los que vinieron después se anexaron los territorios sin los habitantes. Los Estados Unidos, como ya hemos insinuado en precedentes capítulos, han inaugurado el sistema de anexarse las riquezas sin los habitantes y sin los territorios, desdeñando las apariencias para llegar al hueso de la dominación sin el peso muerto de extensiones que administrar y muchedumbres que dirigir.

MANUEL UGARTE, *La nueva Roma* (1915)

Armado con esta visión geopolítica y filosófica, comenzó a proliferar en nuestro continente una criatura muy eficaz y extraordinariamente popular, a la que hoy llamaríamos *analista político*: el ardiente antiimperialista. De esta especie, sin duda, el más destacado representante fue el argentino Manuel Ugarte, un buen periodista de prosa rápida, orador capaz de exacerbar a las masas y panfletista siempre, que se desgañitó inútilmente tratando de explicar que él no era antiamericano sino antiimperialista. Su obra —suma y compendio de artículos, charlas y conferencias, distribuida en diversos volúmenes— tuvo un gran impacto continental, especialmente en Centroamérica, el Caribe y México, traspatio de los yanquis, convirtiéndose acaso en el primer «progresista» profesional de América Latina.

Curiosamente, la idea básica de Ugarte, y la tarea que a sí mismo se había asignado, más que progresistas eran de raigambre conservadora y de inspiración españolista. Ugarte veía en el *antipanamericanismo* —el imperialismo de entonces era el *panamericanismo* fomentado por Washington— un valladar que le pondría dique a las apetencias imperiales norteamericanas, de la misma manera que 400 años antes la Corona española colocaba en el «antemural de las Indias» la delicada responsabilidad de impedir la penetración protestante anglosajona en la América hispana.

Aquel rancio argumento, empaquetado como algo novedoso, sin embargo, había experimentado un reciente *revival* poco antes de la aparición de *Ariel* y del arielismo. En efecto, en 1898, antes (y durante) la guerra entre Washington y Madrid, no faltaron voces españolas que pusieron al día el viejo razonamiento geopolítico de Carlos V y Felipe II: la guerra entre España y Estados Unidos —como en su momento la batalla librada contra los turcos en Lepanto— serviría para impedir, con el sacrificio de España, que la decadente Europa cayera presa de las ágiles garras de la nueva potencia imperial surgida al otro lado del Atlántico.

Ugarte, como era predecible dada su enorme influencia, procreó una buena cantidad de discípulos, incluido el pintoresco colombiano Vargas Vila, o el no menos extravagante peruano José Santos Chocano, pero donde su prédica dio mejores frutos fue en La Habana, ciudad en la que un sereno pensador, sobrio y serio, don Enrique José Varona, en 1906 publicó un ensayo titulado *El imperialismo a la luz de la sociología*. Varona, hombre respetable donde los hubiera, planteó por primera vez en el continente la hipótesis de que la creciente influencia norteamericana era la consecuencia del capitalismo en fase de expansión, un impetuoso movimiento de bancos e industrias norteamericanas que se derramaba en cascada, encontrando su terreno más fértil en la debilidad desguarnecida de América Latina. Para Varona, escéptico, positivista, y por lo tanto hospitalario con ciertos mecanismos deterministas que explicaban la historia, el fenómeno imperialista norteamericano (Cuba estaba intervenida por Washington en el momento de la aparición de su folleto) era una consecuencia de la pujanza económica de los vecinos. El capitalismo, sencillamente, era así. Se desbordaba.

En virtud de que la inmensa mayoría de los pueblos y ciudades mexicanos no son más dueños que del terreno que pisan, sin poder mejorar en nada su condición social ni poder dedicarse a la industria o a la agricultura, por estar monopolizados en unas cuantas manos, las sierras, montes y aguas; por esta causa se expropiará, previa indemnización de la tercera parte de esos monopolios, a los poderosos propietarios de ellos, a fin de que los pueblos y ciudadanos de

México obtengan ejidos y colonias, y se mejore en todo y para todos la falta de prosperidad y bienestar de los mexicanos.

EMILIANO ZAPATA, *Plan de Ayala* (1911)

El discurso incendiario de Ugarte y las reflexiones de Varona fueron el preludio de un aparato conceptual mucho más elaborado que discurrió en dos vertientes que durarían hasta nuestros días incrustadas en la percepción de los activistas políticos. La primera corriente fue el nacionalismo agrarista surgido a partir de la revolución mexicana de 1910; y la segunda, la aparición del marxismo como influencia muy directa en nuestros pensadores más destacados, presente desde el momento mismo del triunfo de la revolución rusa de 1917.

De la revolución mexicana quedaron la mitología ranchera de Pancho Villa, más tarareada que respetada, y la también sugerente reivindicación agrarista cuajada en torno a la figura borrosa y muy utilizada de Emiliano Zapata. Quedó, asimismo, la *Constitución de Querétaro* de 1917, con su fractura del orden liberal creado por Juárez en el siglo anterior, y el surgimiento del compromiso formal por parte de un estado que desde ese momento se responsabilizaba con la tarea de importar la felicidad y la prosperidad entre todos los ciudadanos mediante la justa redistribución de la riqueza.

Del período de exaltación marxista y de esperanza en el experimento bolchevique, el más ilustre de los representantes fue, sin duda el médico José Ingenieros (1877-1925). Ingenieros, argentino y siquiatra —dos palabras que con el tiempo casi se convertirían en sinónimas—, nunca militó en el Partido Comunista, pero dio inicio voluntaria y expresamente a la sinuosa tradición del *fellow-traveller* intelectual latinoamericano. Nunca fue miembro de partido comunista alguno, pero apoyaba todas sus causas con la pericia de un francotirador certero y fatal.

Los libros de Ingenieros, bien razonados pero escritos en una prosa desdichada, durante la primera mitad del siglo estuvieron en los anaqueles de casi toda la *intelligentsia* latinoamericana. *El hombre mediocre, Las fuerzas morales*, o *Hacia una moral sin dogmas*, se leían tanto en Buenos Aires como en Quito o Santo Domingo. Sus actividades como conferencista y polemista, su penetrante sentido del humor, y su irreverente corbata roja, no muy lejana del paraguas carmín que entonces blandía en España el improbable «anarquista» Azorín, lo convirtieron no sólo en el vértice del debate, sino que lo dotaron de un cierto airecillo de *dandismo* socialista tan atractivo que aún hoy suele verse su huella trivial en algunos intelectuales latinoamericanos más enamorados del gesto que de la sustancia.

En esta época, con la aparición de una ideología nueva que traduce los intereses y las aspiraciones de la masa —la cual adquiere gradualmente conciencia y espíritu de clase—, surge una corriente o una tendencia nacional que se siente solidaria con la suerte del indio. Para esta corriente la solución del problema del indio es la base de un programa de renovación o reconstrucción peruana. El problema del indio cesa de ser, como en la época del diálogo de liberales y conservadores, un tema adjetivo secundario. Pasa a representar el Tema capital.

JOSÉ CARLOS MARIÁTEGUI, *Regionalismo
y centralismo. Siete ensayos de interpretación
de la realidad peruana* (1928)

Tras el magisterio de Ingenieros, la respuesta a nuestra sempiterna y acuciante indagación —«¿por qué nos va tan mal a los latinoamericanos?»— se desplazó de Buenos Aires a Lima, y allí dos importantes pensadores le dieron su particular interpretación.

Curiosamente, estos dos pensadores, ambos peruanos, José Carlos Mariátegui y Víctor Raúl Haya de la Torre, iban a encarnar, cada uno de ellos, las dos tendencias políticas que ya se apuntaban en el horizonte: de un lado, el marxismo de los bolcheviques rusos, y del otro, el nacionalismo estatizante de los mexicanos.

José Carlos Mariátegui (1895-1930) tuvo una vida corta y desgraciada. Prácticamente no conoció a su padre, y una lesión en la pierna, que lo dejó cojo desde niño, se convirtió más tarde en una amputación en toda regla, desgracia que amargó severamente los últimos años de su breve existencia.

Fue un estudiante pobre y brillante, buen escritor casi desde la adolescencia —formada por los frailes—, y quizá su único período de felicidad fue el que alcanzara durante los cuatro años que pasó en Europa, paradójica y un tanto oportunistamente becado por su enemigo, el dictador Augusto B. Leguía.

En 1928 Mariátegui escribió un libro titulado *Siete ensayos de interpretación de la realidad peruana* que continuó fecundando durante varias décadas a la promiscua musa de los idiotas latinoamericanos. La obra es una mezcla de indigenismo y socialismo, aunque no están exoneradas ciertas manifestaciones racistas antichinas y antinegras, como en su momento señalara el brillante ensayista Eugenio Chang-Rodríguez.

Para Mariátegui el problema indio, más que un

problema racial, ya dentro de un análisis de inspiración marxista, era un conflicto que remitía a la posesión de la tierra. El *gamonalismo* latifundista era responsable del atraso y la servidumbre espantosa de los indios, pero ahí no terminaban los problemas del agro peruano: también pesaba como una lápida la subordinación de los productores locales a las necesidades extranjeras. En Perú sólo se sembraba lo que otros comían en el exterior.

Probablemente, muchas de estas ideas —las buenas y las malas— en realidad pertenecían a Víctor Raúl Haya de la Torre, ya que la primera militancia de Mariátegui fue junto a su compatriota y fundador del APRA. Pero ambos, al poco tiempo de entrar en contacto, empezaron a desplazarse hacia posiciones divergentes. En 1929, en medio del fallido intento de crear en Lima un partido de corte marxista —el Partido Socialista del Perú—, Mariátegui planteó un programa mínimo de seis puntos que luego, con diversos matices, veremos reproducido una y otra vez en prácticamente todos los países del continente:

1) Reforma agraria y expropiación forzosa de los latifundios.
2) Confiscación de las empresas extranjeras y de las más importantes industrias en poder de la burguesía.
3) Desconocimiento y denuncia de la deuda externa.
4) Creación de milicias obrero-campesinas que sustituyan a los correspondientes ejércitos al servicio de la burguesía.
5) Jornada laboral de 8 horas.
6) Creación de soviets en municipios controlados por organizaciones obrero-campesinas.

No obstante su radicalismo, este esfuerzo marxista de Mariátegui no recibió el apoyo de la URSS, fundamentalmente por razones de índole ideológica. El escritor peruano quería construir un partido interclasista, una alianza obrero-campesina-intelectual, parecida a la que en el siglo anterior el viejo patriarca anarquista, Manuel González Prada, había propuesto a sus compatriotas, mientras Moscú sólo confiaba en la labor de las vanguardias obreras, tal y como Lenin las definía.

En tanto que el sistema capitalista impere en el mundo, los pueblos de Indoamérica, como todos los económicamente retrasados, tienen que recibir capitales extranjeros y tratar con ellos. Ya queda bien aclarado en estas páginas que el APRA se sitúa en el plano realista de nuestra época y de nuestra ubicación en la historia y la geografía de la humanidad. Nuestro Tiempo y nuestro Espacio económicos nos señalan una posición y un camino: mientras el capitalismo subsista como sistema dominante en los países más avanzados, tendremos que tratar con el capitalismo.

VÍCTOR RAÚL HAYA DE LA TORRE,
El *antiimperialismo y el APRA* (1928)

Víctor Raúl Haya de la Torre (1895-1981), nacido el mismo año que Mariátegui, pero no en Lima, sino en Trujillo, fue un líder nato, capaz de inspirar la adhesión de prácticamente todos los sectores que constituían el arco social del país. Blanco y de la aristocracia empobrecida, no asustaba demasiado a la oligarquía peruana, pero, misteriosamente, también lograba conectar con las clases bajas, con los cholos y los indios, de una manera que tal vez ningún político antes que él consiguiera hacerlo en su país.

Hay dos biografías paralelas de Haya de la Torre que se trenzan de una manera inseparable. Por un lado está la historia de sus luchas políticas, de sus largos exilios, de sus fracasos, de sus prisiones y, por el otro, el notable recuento de su formación intelectual. A Haya de la Torre, muy joven, le llega de lleno la influencia del comunismo y de la revolución rusa de 1917, pero, al mismo tiempo, otras amistades y otras lecturas de carácter filosófico y político lo hicieron alejarse del comunismo y lo acercaron a posiciones que hoy llamaríamos *socialdemócratas,* aunque él interpretaba esas ideas de otra manera lateralmente distinta, en la que no se excluía un cierto deslumbramiento por la estética fascista: los desfiles con antorchas, la presencia destacada en el partido de matones («búfalos»), que cultivaban lo que los falangistas españoles llamaban «la dialéctica de los puños y las pistolas».

Haya vivió exiliado durante las dictaduras de Leguía, de Sánchez Cerro, y luego en la época de Odría, pero no perdió el tiempo en sus larguísimos períodos de residencia en el exterior o de asilo en la legación colombiana en Lima: su impresionante nómina de amigos y conocidos incluye a personas tan distintas y distantes como Romain Rolland, Anatolio Lunasharki, Salvador de Madariaga, Toynbee o Einstein. Además del español, que escribía con elegancia, dominó varias lenguas —el inglés, el alemán, el italiano, el francés— considerándose a sí mismo, tal vez con cierta razón, el pensador original que había conseguido, desde el marxismo, superar la doctrina y plantear una nueva interpretación de la realidad latinoamericana.

A esta conclusión llegó Haya de la Torre con una tesis política a la que llamó *Espacio-Tiempo-Histo-*

ria, cruce de Marx con Einstein, pero en la que no falta la previa reflexión de Trotsky sobre Rusia. En efecto, a principios de siglo, Trotsky, ante la notable diversidad de grados de civilización que se podía encontrar en Rusia —desde la muy refinada San Petersburgo, hasta aldeas asiáticas que apenas rebasaban el paleolítico—, concluyó que en el mismo espacio ruso convivían diferentes «tiempos históricos».

Haya de la Torre llegó al mismo criterio con relación a los incas de la sierra, en contraste con la Lima costeña, blanca o chola, pero muy europea. En el mismo espacio nacional peruano convivían dos tiempos históricos, de donde dedujo que las teorías marxistas no podían aplicarse por igual a estas dos realidades tan diferentes.

A partir de este punto Haya de la Torre alega que ha superado a Marx, y encuentra en la dialéctica hegeliana de las negaciones una apoyatura para su aseveración. Si Marx negó a Hegel, y Hegel a Kant, mediante la teoría del *Espacio-Tiempo-Historia,* a la que se le añadía la *relatividad* de Einstein aplicada a la política, el marxismo habría sido superado por el *aprismo,* sometiéndolo al mismo método de análisis dialéctico preconizado por el autor del *Manifiesto Comunista.*

¿Cómo Haya integraba a Einstein en este curioso *potpourri* filosófico? Sencillo: si el físico alemán había puesto fin a la noción del universo newtoniano, regido por leyes inmutables y predecibles, añadiendo una cuarta dimensión a la percepción de la realidad, este elemento de indeterminación e irregularidad que se introducía en la materia también afectaba a la política. ¿Cómo hablar de leyes que gobiernan la historia, la política o la economía, cuando ni siquiera la

49

física moderna podía acogerse a este carácter rígido y mecanicista?

A partir de su ruptura teórica con el marxismo, Haya de la Torre, ya desde los años veinte, tuvo un fortísimo encontronazo con Moscú, circunstancia que lo convertiría en la *bestia parda* favorita de la izquierda marxista más obediente del Kremlin. Pero, además de sus herejías teóricas, el pensador y político peruano propuso otras interpretaciones de las relaciones internacionales y de la economía que sirvieron de base a todo el pensamiento socialdemócrata de lo que luego se llamaría la *izquierda democrática latinoamericana.*

La más importante de sus proposiciones fue la siguiente: si en Europa el imperialismo era la última fase del capitalismo, en América Latina, como revelaba el análisis *Espacio-Tiempo-Historia,* era la primera. Había que pasar por una fase de construcción del capitalismo antes de pensar en demolerlo. Había que desarrollar a América Latina con la complicidad del imperialismo y por el mismo procedimiento con que se habían desarrollado los Estados Unidos.

Sin embargo, esta fase capitalista sería provisional, y estaría caracterizada por impecables formas democráticas de gobierno, aunque se orientaría por cinco inexorables planteamientos radicales expresados por el APRA (Alianza Popular Revolucionaria Americana) en su Manifiesto de 1924:

1) Acción contra todos los imperios.
2) Unidad política de América Latina.
3) Nacionalización de tierras e industrias.
4) Solidaridad con todos los pueblos y clases oprimidas.
5) Interamericanización del Canal de Panamá.

La manía de interamericanizar el Canal de Panamá —que ocupó buena parte de la acción exterior del APRA— iba pareja con otras curiosas y un tanto atrabiliarias urgencias políticas como, por ejemplo, nacionalizar inmediatamente el oro y el *vanadio*. En todo caso, Haya, que nunca llegó al poder en Perú, y al que su muerte, piadosamente, le impidió ver el desastre provocado por su discípulo Alan García, el único presidente aprista pasado por la casa de Pizarro, fue el más fecundo de los líderes políticos de la izquierda democrática latinoamericana, y el APRA —su creación personal—, el único partido que llegó a tener repercusiones e imitadores en todo el continente. Hubo apristas desde Argentina hasta México, pero con especial profusión en Centroamérica y el Caribe. Todavía, increíblemente, los hay.

Paul Groussac o Rodó podían hacer florituras con el elogio del espiritualismo latinoamericano, o Haya podía soñar con nacionalizaciones, y pensar que el Estado tenía una responsabilidad importante en el desarrollo de la economía, como dijo muchas veces, pero después del hundimiento práctico y constante de todas estas especulaciones en medio mundo, sólo la idiotez más contumaz puede continuar repitiendo lo que la realidad se ha ocupado de desacreditar sin la menor misericordia.

III

LA BIBLIA DEL IDIOTA

«En los últimos años he leído pocas cosas
que me hayan conmovido tanto.»
HEINRICH BÖLL, discurso en Colonia, 1976

En el último cuarto de siglo el idiota latinoamericano ha contado con la notable ventaja de tener a su
disposición una especie de texto sagrado, una biblia
en la que se recogen casi todas las tonterías que circulan en la atmósfera cultural de eso a lo que los brasileros llaman «la izquierda festiva».

Naturalmente, nos referimos a *Las venas abiertas de América Latina,* libro escrito por el uruguayo
Eduardo Galeano a fines de 1970, cuya primera edición en castellano apareció en 1971. Veintitrés años
más tarde —octubre de 1994— la editorial Siglo XXI
de España publicaba la sexagésima séptima edición,
éxito que demuestra fehacientemente tanto la impresionante densidad de las tribus latinoamericanas
clasificables cono idiotas, como la extensión de este
fenómeno fuera de las fronteras de esta cultura.

En efecto: de esas sesenta y siete ediciones una
buena parte son traducciones a otras lenguas, y hay
bastantes posibilidades de que la idea de América
Latina grabada en las cabecitas de muchos jóvenes latinoamericanistas formados en Estados Unidos, Francia o Italia (no digamos Rusia o Cuba) haya
sido modelada por la lectura de esta pintoresca obra
ayuna de orden, concierto y sentido común.

¿Por qué? ¿Qué hay en este libro que miles de personas compran, muchas leen y un buen por ciento adopta como diagnóstico y modelo de análisis? Muy sencillo: Galeano —quien en lo personal nos merece todo el respeto del mundo—, en una prosa rápida, lírica a veces, casi siempre efectiva, sintetiza, digiere, amalgama y mezcla a André Gunder Frank, Ernest Mandel, Marx, Paul Baran, Jorge Abelardo Ramos, al Raúl Prebisch anterior al arrepentimiento y *mea culpa,* a Guevara, Castro y algún otro insigne «pensador» de inteligencia áspera y razonamiento delirante. Por eso su obra se ha convertido en la biblia de la izquierda. Ahí está todo, vehementemente escrito, y si se le da una interpretación lineal, fundamentalista, si se cree y suscribe lo que ahí se dice, hay que salir a empuñar el fusil o —los más pesimistas— la soga para ahorcarse inmediatamente.

Pero ¿qué dice, a fin de cuentas, el señor Galeano en los papeles tremendos que ha escrito? Acerquémonos a la *Introducción,* dramáticamente subtitulada «ciento veinte millones de niños en el centro de la tormenta», y aclaremos, de paso, que todas las citas que siguen son extraídas de la mencionada edición sexagésima séptima, impresa en España en 1994 por Siglo XXI para uso y disfrute de los peninsulares. Gente —por cierto— que sale bastante mal parada en la obra. Cosas del *historimasoquismo,* como le gusta decir a Jiménez Losantos.

Es América Latina la región de las venas abiertas. Desde el descubrimiento hasta nuestros días todo se ha trasmutado siempre en capital europeo, o más tarde norteamericano, y como tal se ha acumulado y se acumula en los lejanos centros de poder. (p. 2)

Aunque la introducción no comienza con esa frase, sino con otra que luego citaremos, vale la pena acercarnos primero a ese párrafo porque en esta metáfora hemofílica que le da título al libro hay una sólida pista que nos conduce exactamente al sitio donde se origina la distorsión analítica del señor Galeano: se trata de un caso de antropomorfismo histórico-económico. El autor se imagina que la América Latina es un cuerpo inerte, desmayado entre el Atlántico y el Pacífico, cuyas vísceras y órganos vitales son sus sierras feraces y sus reservas mineras, mientras Europa (primero) y Estados Unidos (después) son unos vampiros que le chupan la sangre. Naturalmente, a partir de esta espeluznante premisa antropomórfica no es difícil deducir el destino zoológico que nos espera a lo largo del libro: rapaces águilas americanas ferozmente carroñeras, pulpos multinaciones que acaparan nuestras riquezas, o ratas imperialistas cómplices de cualquier inmundicia.

Esa arcaica visión mitológica —Europa, una doncella raptada a lomo de un toro, los Titanes sosteniendo al mundo, Rómulo y Remo alimentados por una loba maternal y pacífica—, realmente pertenece al universo de la poesía o de la fábula, pero nada tiene que ver con el fenómeno del subdesarrollo, aunque es justo aclarar que Galeano no es el primer escritor contemporáneo que se ha permitido esas licencias poéticas. Un notable ensayista estadounidense, que bastante hizo a mediados de siglo para sostener vivos y coleando a los idiotas latinoamericanos de entonces, alguna vez escribió que Cuba —la de Castro— era como un gran falo a punto de penetrar en la vulva norteamericana. La vulva, claro, era el golfo de México, y no faltó quien opinara que en ese lenguaje

más freudiano que obsceno yacía una valiente denuncia antiimperialista. Algo de esta índole ocurre
con *Las venas abiertas de América Latina*. La incon-
tenible hemorragia del título comienza por arrastrar
la sobriedad que el tema requiere. Veremos cómo se
coagula este desafortunado espasmo literario.

La división internacional del trabajo consiste en que
unos países se especializan en ganar y otros en perder. (p.1)

Así, con esa frase rotunda, comienza el libro. Para
su autor, como para los corsarios de los siglos XVI y
XVII, la riqueza es un cofre que navega bajo una bandera extraña, y todo lo que hay que hacer es abordar
la nave enemiga y arrebatárselo. La idea tan elemental y simple, tan evidente, de que la riqueza moderna
sólo se crea en la buena gestión de las actividades em-
presariales no le ha pasado por la mente.

Lamentablemente, son muchos los idiotas latinoamericanos que comparten esta visión de suma-cero.
Lo que unos tienen —suponen—, siempre se lo han
quitado a otros. No importa que la experiencia de-
muestre que lo que a todos conviene no es tener un
vecino pobre y desesperanzado, sino todo lo contrario, porque del volumen de las transacciones comerciales y de la armonía internacional van a depender,
no sólo nuestra propia salud económica, sino de la de
nuestro vecino.

Es curioso que Galeano no haya observado el
caso norteamericano con menos prejuicios ideológicos. ¿Con qué vecino son mejores las relaciones, con
el Canadá rico y estable o con México? ¿Cuál es la
frontera conflictiva para Estados Unidos, la que tiene al sur o la que tiene al norte? Y si el vil designio

norteamericano es mantener a los otros países especializados en «perder», ¿por qué se une a México y Canadá en el Tratado de Libre Comercio con el declarado propósito de que las tres naciones se beneficien?

Cualquier observador objetivo que se sitúe en 1945, año en que termina la Segunda Guerra Mundial y Estados Unidos es, con mucho, la nación más poderosa de la tierra, puede comprobar cómo, mientras aumenta paulatinamente la riqueza global norteamericana, disminuye su poderío relativo, porque otros treinta países ascienden vertiginosamente por la escala económica. Nadie se especializa en perder. Todos (los que hacen bien su trabajo) se especializan en ganar. En 1945, de cada dólar que se exportaba en el mundo, cincuenta centavos eran norteamericanos; en 1995, de cada dólar que se exporta sólo veinte centavos corresponden a Estados Unidos. Pero eso no quiere decir que algún chupóptero se ha instalado en una desprotegida arteria gringa y lo desangra, puesto que los estadounidenses son cada vez más prósperos, sino que ha habido una expansión de la producción y del comercio internacional que nos ha beneficiado a todos y ha reducido (saludablemente) la importancia relativa de Estados Unidos.

La región (América Latina) sigue trabajando de sirvienta. Continúa existiendo al servicio de las necesidades ajenas como fuente y reserva del petróleo y el hierro, el cobre y las carnes, las frutas y el café, las materias primas y los alimentos con destino a los países ricos, que ganan consumiéndolos mucho más de lo que América Latina gana produciéndolos. (p. 1)

Este delicioso párrafo contiene dos de los disparates preferidos por el paladar del idiota latinoame-

ricano, aunque hay que reconocer que el primero
—«nos roban nuestras riquezas naturales»— es mucho más popular que el segundo: los países ricos «ganan» más consumiendo que América Latina vendiendo. Y como la segunda parte de la proposición luego se reitera y explica, concretémonos ahora en la primera.

Vamos a ver: supongamos que los evangelios del señor Galeano se convierten en política oficial de América Latina y se cierran las exportaciones del petróleo mexicano o venezolano, los argentinos dejan de vender en el exterior carnes y trigo, los chilenos atesoran celosamente su cobre, los bolivianos su estaño, y colombianos, brasileros y ticos se niegan a negociar su café, mientras Ecuador y Honduras hacen lo mismo con el banano. ¿Qué sucede? Al resto del mundo, desde luego, muy poco, porque toda América Latina apenas realiza el ocho por ciento de las transacciones internacionales, pero para los países al sur del Río Grande la situación se tornaría gravísima. Millones de personas quedarían sin empleo, desaparecería casi totalmente la capacidad de importación de esas naciones y, al margen de la parálisis de los sistemas de salud por falta de medicinas, se produciría una terrible hambruna por la escasez de alimentos para los animales, fertilizantes para la tierra o repuestos para las máquinas de labranza.

Incluso, si el señor Galeano o los idiotas que comparten su análisis fueran consecuentes con el antropomorfismo que sustentan, bien pudieran llegar a la conclusión inversa: dado que América Latina importa más de lo que exporta, es el resto del planeta el que tiene su sistema circulatorio a merced del aguijón sanguinolento de los hispanoamericanos. De manera que sería posible montar un libro contravenoso en el que apasionadamente se acusara a los latinoamericanos de robarles las computadoras y los aviones a los gringos, los televisores y los automóviles a los japoneses, los productos químicos y las maquinarias a los alemanes y así hasta el infinito. Sólo que ese libro sería tan absolutamente necio como el que contradice.

Son mucho más altos los impuestos que cobran los compradores que los precios que reciben los vendedores. (p.1)

Pero si el anterior razonamiento de Galeano es risible, este que le sigue pudiera figurar en la más exigente antología de los grandes disparates económicos.

Según Galeano y las huestes de idiotas latinoamericanos que se apuntan a sus teorías, los países ricos «ganan consumiéndolos (los productos latinoamericanos) mucho más de lo que América Latina produciéndolos». ¿Cómo realizan ese prodigio? Muy fácil: gravan a sus consumidores con impuestos que aparentemente enriquecen a la nación.

Evidentemente, aquí estamos ante dos ignorancias que se superponen —seamos antropomórficos— y procrean una tercera. Por un lado, Galeano no es capaz de entender que si los latinoamericanos no exportan y obtienen divisas a duras penas podrán importar. Por otro, no se da cuenta de que los impuestos que pagan los consumidores de esos productos no constituyen una creación de riqueza, sino una simple transferencia de riqueza del bolsillo privado a la tesorería general del sector público, donde lo más probable es que una buena parte sea malbaratada, como suele ocurrir con los gastos del Estado.

Pero donde Galeano y sus seguidores demuestran una total ignorancia de los más elementales mecanismos económicos es cuando no sólo les suponen a esos impuestos un papel «enriquecedor» para el Estado que los asigna, sino cuando ni siquiera son capaces de descubrir que la función de esos gravámenes no es otra que disuadir las importaciones. Es decir, constituyen un claro intento de disminuir el flujo de sangre que sale de las venas de América Latina, porque, aunque el idiota latinoamericano no sea capaz de advertirlo, nuestra tragedia no es la hemofilia de las naciones desarrolladas sino la hemofobia. No tenemos suficientes cosas que vender en el exterior. No producimos lo que debiéramos en las cantidades que sería deseable.

Hablar de precios justos en la actualidad [Galeano, con el propósito de criticarlo, cita a Lovey T. Oliver, coordinador de la Alianza para el Progreso en 1968] *es un concepto medieval. Estamos en plena época de la libre comercialización.* [Y de ahí concluye Galeano que:] *cuanta más libertad se otorga a los negocios, más cárceles se hace necesario construir para quienes padecen los negocios. (p.1)*

Aquí está —en efecto— la teoría del *precio justo* y el horror al mercado. Para Galeano, las transacciones económicas no deberían estar sujetas al libre juego de la oferta y la demanda, sino a la asignación de valores *justos* a los bienes y servicios; es decir, los precios deben ser determinados por arcangélicos funcionarios ejemplarmente dedicados a estos menesteres. Y supongo que el modelo que Galeano tiene en mente es el de la era soviética, cuando el Comité Estatal de Precios radicado en Moscú contaba con una batería de abrumados burócratas, perfectamente diplomados por altos centros universitarios, que asignaban anualmente unos quince millones de precios, decidiendo, con total precisión, el valor de una cebolla colocada en Vladivostok, de la antena de un *sputnik* en el espacio, o de la junta del desagüe de un inodoro instalado en una aldea de los Urales, práctica que explica el desbarajuste en que culminó aquel experimento, como muy bien vaticinara Ludwig von Mises en un libro —*Socialismo*— gloriosa e inútilmente publicado en 1926.

Es una lástima que nadie le haya aclarado al señor Galeano o a la idiotizada muchedumbre que sigue estos argumentos, que el mercado y sus precios regulados por ofertas y demandas no son una trampa para desvalijar a nadie, sino un parco sistema de señales (el único que existe), concebido para que los procesos productivos puedan contar con una lógica íntima capaz de guiar racionalmente a quienes llevan a cabo la delicada tarea de estimar los costos, fijar los precios de venta, obtener beneficios, ahorrar, invertir, y perpetuar el ciclo productivo de manera cautelosa y trabajosamente ascendente.

¿No se da cuenta el idiota latinoamericano de que Rusia y el bloque del Este se fueron empobreciendo en la medida en que se empantanaban en el caos financiero provocado por las crecientes distorsiones de precios arbitrariamente dispuestos por burócratas *justos*, que con cada decisión iban confundiendo cada vez más al aparato productivo hasta el punto en que el costo real de las cosas y los servicios tenían poca o ninguna relación con los precios que por ellos se pagaban?

Pero volvamos al esquema de razonamiento primario de Galeano y aceptemos, para entendernos, que a los colombianos hay que pagarles un precio *justo* por su café, a los chilenos por su cobre, a los venezolanos por su petróleo y a los uruguayos por su lana de oveja. ¿No pedirían entonces los norteamericanos un precio *justo* por su penicilina o por sus aviones? ¿Cuál es el precio *justo* de una perforadora capaz de extraer petróleo o de unos «chips» que han costado cientos de millones de dólares en investigación y desarrollo? Y si después de llegar a un acuerdo planetario para que todas las mercancías tuvieran su precio *justo*, de pronto una epidemia terrible eliminara todo el café del planeta, con la excepción del que se cultiva en Colombia, y comenzara la pugna mundial por adquirirlo, ¿debería Colombia mantener el precio *justo* y racionar entre sus clientes la producción, sin beneficiarse de la coyuntura? ¿Qué hizo Cuba, en la década de los setenta, cuando realizaba el ochenta por ciento de sus transacciones con el Bloque del Este, a precios *justos* (es decir, fijados por el Comité de Ayuda Mutua Económica —CAME—), pero de pronto vio cómo el azúcar pasaba de 10 a 65 centavos la libra? ¿Mantuvo sus exportaciones de dulce a precios *justos* o se benefició de la escasez cobrando lo que el mercado le permitía cobrar?

Es tan infantil, o tan idiota, pedir precios justos como quejarse de la libertad económica para producir y consumir. El mercado, con sus ganadores y perdedores —es importante que esto se entienda—, es la única justicia económica posible. Todo lo demás, como dicen los argentinos, es verso. Pura cháchara de la izquierda ignorante.

Nuestros sistemas de inquisidores y verdugos no sólo funcionan para el mercado externo dominante; proporcio-

nan también caudalosos manantiales de ganancias que flu-
yen de los empréstitos y las inversiones extranjeras en los
mercados internos dominados. (p. 2)

Es muy probable que el señor Galeano nunca se
haya puesto a pensar cuál es el origen de los empréstitos. Quizá no sepa que se trata de riqueza acumu-
lada, ahorrada en otras latitudes por el incesante
trabajo de millones de personas que produjeron más
de lo que gastaron y, consecuentemente, desean que
su esfuerzo sea compensado con beneficios.

¿Para qué un ejecutivo de la Fiat, un tendero de
Berna o un obrero calificado de la Mercedes Benz van
a comprar acciones de la General Motors o a depositar sus ahorros en un banco internacional? ¿Para
aumentar la felicidad de un pobre niño boliviano
—capítulo que pertenece al respetable ámbito de la
caridad, pero no al de las inversiones—, o para obtener un rédito por su capital? ¿De qué manual pa-
leocristiano se ha sacado el idiota latinoamericano
que obtener utilidades por el capital que se invierte
es algo éticamente condenable y económicamente no-
civo?

Una mirada un poco más seria a este asunto demuestra que el noventa por ciento de las inversiones
que se realizan en el mundo se hace entre naciones
desarrolladas, porque ese «caudaloso manantial» de
ganancias que aparentemente fluye del país receptor
de la inversión al país inversionista es mucho más
rentable, seguro y predecible entre naciones prósperas, con sistemas jurídicos confiables, y en las cuales
las sociedades son hospitalarias con el dinero ajeno.
¿Se han dado cuenta Galeano y sus acólitos que las
naciones más pobres de la tierra son aquellas que

apenas comercian con el resto del mundo y en las que casi nadie quiere invertir?

En Estados Unidos —por ejemplo— los sindicatos (que no creen en las supercherías de los sistemas venosos abiertos) piden, claman por que los japoneses construyan ahí sus Toyotas y Hondas y no en el archipiélago asiático. Francia y España —por citar otro caso— se disputaron ferozmente la creación de un parque de diversiones que la firma Disney quería instalar en Europa, dado que esa «vil penetración cultural» —como la pudiera llamar Ariel Dorfman, aquel escritor delirante que acusó al pato Donald de ser un instrumento del imperialismo— probablemente le atraería una buena cantidad de turistas. El parque —por cierto— acabó en el vecindario de París, no sin cierta suicida satisfacción por parte de los no menos idiotas españoles de la aturullada izquierda peninsular.

El modo de producción y la estructura de clases de cada lugar han sido sucesivamente determinados desde fuera, por su incorporación al engranaje universal del capitalismo. (p. 2) ... A cada cual se le ha asignado una función, siempre en beneficio del desarrollo de la metrópoli extranjera de turno, y se ha hecho infinita la cadena de las dependencias sucesivas, que tienen mucho más de dos eslabones, y que por cierto, también comprenden dentro de América Latina la opresión de los países pequeños por sus vecinos mayores y, fronteras adentro de cada país, la explotación que las grandes ciudades y los puertos ejercen sobre sus fuentes interiores de víveres y mano de obra. (p. 3)

El acabóse. Para Galeano, de acuerdo con su evangelio vivo, las relaciones económicas de los seres humanos funcionan como una especie de *matriushka* dialéctica e implacable, esas muñecas rusas que guardan dentro de cada imagen otra más pequeña, y otra, y otra, hasta acabar en una diminuta e indefensa figurita de apenas algunos centímetros de tamaño.

Pero vale la pena detenernos en el principio de la desquiciada frase, porque ahí está el pecado original del antropomorfismo. Dice Galeano que el «modo de producción y la estructura de clases de cada lugar han sido *determinados* desde fuera». En esa palabra —*determinados*— ya hay toda una teoría conspirativa de la historia. A Galeano no se le puede ocurrir que la integración de América Latina en la economía mundial no ha sido determinada por nadie, sino que ha ocurrido, como le ha ocurrido a Estados Unidos o a Canadá, por la naturaleza misma de las cosas y de la historia, sin que nadie —ni persona, ni país, ni grupo de naciones— se dedique a planearlas. ¿Qué nación o qué personas le asignaron a Singapur, a partir de 1959, el papel de emporio económico asiático especializado en alta tecnología de bienes y servicios? O —por la otra punta— ¿qué taimado grupo de naciones condujo a Nigeria y Venezuela, dos países dotados de inmensos recursos naturales, a la desastrosa situación en la que hoy se encuentran? Sin embargo, ¿qué mano extraña y bondadosa colocó a los argentinos del primer cuarto del siglo XX entre los más prósperos ciudadanos del planeta? Pero como a Galeano le gustan los determinismos económicos, acerquémonos al propio Estados Unidos y preguntemos qué poder tremendo desplazó el centro de gravitación económico de la costa atlántica al Pacífico, y hoy lo traslada perceptiblemente hacia el sur. ¿Hay también una invisible mano que mueve los hilos del propio corazón del imperialismo?

¿Se puede decir, en serio, tras la experiencia de los últimos siglos, que la explotación de las colonias por las voraces metrópolis explica el subdesarrollo de unas a expensas de las otras? ¿Cuál es el lugar actual de España o Portugal, dos de los más tenaces poderes imperiales del mundo moderno? Al despuntar el siglo, más cerca que hoy la etapa colonial, ¿no eran más ricas Buenos Aires y São Paulo que Madrid y Lisboa? ¿No les ha ido a España y a Portugal mucho mejor sin colonias que con ellas? ¿No le fue mucho mejor a Escandinavia sin colonias que a Rusia o a Turquía con las suyas? ¿Se explica la riqueza de la pequeña Holanda por las islas que dominaba en el Caribe o en Asia? Más riqueza tiene la pequeña Suiza sin haber conquistado jamás un palmo de territorio ajeno. Y el caso de Inglaterra, reina de los siete mares en los siglos XVIII y XIX, ¿no fue ahí —suponen los Galeanos de este mundo—, sobre las espaldas de *gurkas* y culíes, donde se fundó el poderío económico británico? Por supuesto que no. Alemania, que apenas tuvo colonias —y las que tuvo le costaron mucho más de lo que le proporcionaron— cuando comenzaba el siglo XX, precisamente en el cenit de la era victoriana, tenía un poder económico mayor que el inglés.

Es cierto, sin embargo, que América Latina —como corresponde a una región de cultura esencialmente europea— forma parte de un intrincado mundo capitalista al que le afecta la depresión norteamericana de 1929, el descubrimiento de la penicilina o el «efecto tequila» del descalabro mexicano, pero esa circunstancia opera en todas direcciones y sólo los bosquimanos del Amazonas o del Congo pueden sustraerse a sus efectos. ¿O qué cree Galeano que le sucedió al Primer Mundo cuando en 1973 los productores de petróleo multiplicaron varias veces el precio del crudo?

Por supuesto que los latinoamericanos formamos parte (y desgraciadamente no muy importante) del engranaje capitalista mundial. Pero, si en lugar de quejarse de algo tan inevitable como conveniente, el idiota latinoamericano se dedicara a estudiar cómo algunas naciones antes paupérrimas se han situado en el pelotón de avanzada, observaría que nadie les ha impedido a Japón, a Corea del Sur o a Taiwan convertirse en emporios económicos. Incluso, cuando algún país latinoamericano, como Chile, ha dado un paso adelante, acercándose a la denominación de «tigre», esa clasificación, lejos de cerrarle la puerta del comercio, ha servido para que lo inviten a formar parte del Tratado de Libre Comercio (TLC) mientras las inversiones fluyen incesantemente al «país de la loca geografía».

La lluvia que irriga a los centros del poder imperialista ahoga los vastos suburbios del sistema. Del mismo modo, y simétricamente, el bienestar de nuestras clases dominantes —dominantes hacia dentro, dominadas desde fuera— es la maldición de nuestras multitudes condenadas a una vida de bestia de carga. (p. 4)

Quienes opinan una atrocidad de este calibre no son capaces de entender que el concepto clase no existe, y que una sociedad se compone de millones de personas cuyo acceso a los bienes y servicios disponibles no se escalona en compartimientos estancos, sino en gradaciones casi imperceptibles y móviles que hacen imposible trazar la raya de esa supuesta justicia ideal que persiguen nuestros incansables idiotas.

Tomemos a Uruguay, el país del señor Galeano,

una de las naciones latinoamericanas en que la riqueza está menos mal repartida. Pero en Uruguay, claro, también hay ricos y pobres. Y pensemos, efectivamente, que el uruguayo rico que tiene mansión y yate en Punta del Este, ha despojado a sus conciudadanos de la riqueza que ostenta, dado que son muy pocos los que pueden exhibir bienes de esa naturaleza. Una vez hecho este rencoroso cálculo, pasemos a otro escalón y veremos que sólo un porcentaje pequeño de uruguayos posee casa propia o —incluso— automóvil, de donde podemos deducir lo mismo: el bienestar de los propietarios de casas o el de los *autohabientes* descansa en la incomodidad de los que carecen de estos bienes.

Pero ¿hasta dónde puede llegar esta cadena de verdugos y víctimas? Hasta el infinito: hay uruguayos con aire acondicionado, lavadora y teléfono. ¿Les han robado a otros uruguayos más pobres estas comodidades propias de los grupos medios? Los hay que de la modernidad sólo poseen la luz eléctrica, en contraste con algún vecino que se alumbra con *kerosene,* camino que nos conduciría a afirmar que el uruguayo que no tiene zapatos ha sido vampirizado por un vecino, casi tan pobre como él, pero que ha conseguido interponer una suela entre la planta del pie y las piedras de la calle.

¿Se ha puesto a pensar el señor Galeano a quién le roba él su relativa comodidad de intelectual bien situado, frecuente pasajero trasatlántico? Porque si ese nivel de vida muelle y agradable es más alto que el promedio del de sus compatriotas, su propia lógica debería llevarlo a pensar que está hurtándole a alguien lo que disfruta y no le pertenece, actitud impropia de un honrado revolucionario permanentemente insurgido contra los abusos de este crudelísimo mundo nuestro.

La fuerza del conjunto del sistema imperialista descansa en la necesaria desigualdad de las partes que lo forman, y esa desigualdad asume magnitudes cada vez más dramáticas. (p. 4)

Ésas son paparruchas difundidas por el pomposo nombre de la *Teoría de la dependencia*. Había —en estas elucubraciones— dos capitalismos. Uno periférico, pobre y explotado, y otro central, rico y explotador. Uno se alimentaba del otro. Tonterías: es probable que el señor Galeano confunda lo que él llama la «necesaria desigualdad de las partes» con lo que cualquier observador mejor enterado calificaría de «ventajas comparativas». Ventajas que determinan lo que las naciones pueden o no pueden producir exitosa y competitivamente.

En realidad —salvo factores domésticos de tipo cultural— nada ni nadie impidió que México y no Japón se hubiera convertido en fabricante de tele/radiorreceptores, despojando a los norteamericanos del control casi total que tenían de ese rubro a principios de los años cincuenta. Ni nada ni nadie hoy obstaculiza a los muy cultos argentinos para impedirles que se dediquen a la extraordinariamente productiva creación de programas de *software*, industria en la que los estadounidenses se llevan la palma.

No se trata —como cree Galeano— de que las naciones depredadoras se aprovechan de la debilidad de sus vecinas para saquearlas, sino de que explotan al máximo sus propias ventajas comparativas para ofrecer al mercado los mejores bienes y servicios al mejor precio posible. España —por ejemplo— «vende» su territorio soleado, sus playas, su vieja arquitectura morisca, su románico, sus maravillosos pueblos pescadores o las pinturas de sus museos. Por mil razones —casi todas de índole cultural— los españoles no pueden fabricar a precios competitivos maquinarias de precisión, como los suizos o los alemanes, pero la experiencia y el tanteo y el error los han llevado a convertirse en los mejores anfitriones de Europa: ¿qué hay de malo en ello?

Por definición, prácticamente casi toda comunidad vigente puede encontrar su nicho de supervivencia, pues, de lo contrario, no existiría. ¿Qué país de América —descontando Canadá y Estados Unidos— tiene el mayor nivel de vida y el más alto ingreso del Nuevo Mundo? Bahamas: unos islotes de arena y palma dejados por la mano de Dios en el Caribe, poblados por doscientas mil personas de piel negra que reciben cada año varios millones de visitantes. ¿De qué vivía la diminuta Granada antes de que los revolucionarios quisieran emular a la vecina Cuba? Del turismo, de una Escuela de Medicina y de la exportación de nuez moscada.

Si algo demuestra la experiencia práctica del siglo XX es que no hay una sola nación, por pequeña, frágil, distante y huérfana de recursos naturales que sea, que no pueda sobrevivir y prosperar si sabe utilizar inteligentemente sus ventajas comparativas.

¿Cómo los neozelandeses, colocados en las antípodas del mundo, separados en dos islas, y con una población de apenas tres millones de bucólicos sobrevivientes, tienen un nivel de desarrollo económico europeo? Porque, en lugar de leer a Galeano, se dedican a criar y vender la lana de sesenta millones de ovejas, exportan flores y frutas, y —de unos años a esta parte— brindan a los viajeros una buena oferta de turismo ecológico.

Si el «imperialismo» explotara las desigualdades en lugar de todos beneficiarse de las mutuas ventajas comparativas, ¿por qué esos canallas no impidieron que los productores chilenos, cuando descubrieron un nicho en el consumo americano para su vino, sus espárragos y otros vegetales, no les cerraron los mercados con el propósito de ahogarlos?

Si el «mercado» internacional es cosa de gigantes que acogotan a los débiles ¿por qué Israel, Andorra, Mónaco, Liechtenstein, Taiwan, Singapur, Hong Kong, Luxemburgo, Suiza, Curazao, Gran Caimán o Dinamarca están entre las naciones más ricas (y más pequeñas) del mundo? Más aún: dentro de la propia América Latina, ¿por qué Uruguay es más rica que Paraguay? ¿Porque los uruguayos les impiden a los paraguayos desarrollarse? ¿Por qué Costa Rica es más próspera que Nicaragua o que Honduras? ¿Porque los ticos ejercen el maléfico imperialismo o porque hacen ciertas cosas mejor que sus vecinos centroamericanos?

El ingreso promedio de un ciudadano norteamericano es siete veces mayor que el de un latinoamericano y aumenta a un ritmo diez veces más intenso. Y los promedios engañan (...) seis millones de latinoamericanos acaparan, según Naciones Unidas, el mismo ingreso que ciento cuarenta millones de personas ubicadas en la base de la pirámide social. (p. 4)

Lo que Galeano no es capaz de comprender —y demos sus cifras por ciertas— es que ese norteamericano promedio también crea siete veces más riqueza que su vecino del sur, pues —de lo contrario— no podría gastar lo que no tiene.

El consumo (querido idiota) es una consecuencia

de la producción. Y la razón por la que un pobre indio del altiplano andino consume cincuenta veces menos que un capataz de Detroit está relacionada con los bienes o servicios que uno y otro crean en sus respectivos mundos. Y por la misma regla, esos supuestos seis millones de latinoamericanos —entre los que seguramente se incluye el propio ensayista uruguayo— que acaparan el ingreso de ciento cuarenta millones de coterráneos, en gran medida han conseguido sus ingresos a base de producir tanto y tan bien como se produce en otras latitudes más desarrolladas.

No obstante, al margen de esa obvia evidencia, hay un par de importantes detalles que los idiotas latinoamericanos suelen ignorar en sus análisis. El primero es que si las naciones más desarrolladas no importaran cantidades ingentes de minerales, combustibles o alimentos, la situación en el Tercer Mundo sería mucho más grave, como han podido comprobar los pobres exportadores de azúcar o banano cuando la Unión Europea ha restringido las importaciones. Asimismo, si los latinoamericanos quieren seguir disfrutando de aparatos estereofónicos, buenos equipos de investigación médica o el último remedio contra las cardiopatías, es aconsejable que el Primer Mundo no entre en crisis, dado que una buena parte de nuestro confort de ahí nos viene.

Por último, sería conveniente que el señor Galeano y sus adeptos advirtieran que es totalmente absurdo comparar el nivel de consumo entre naciones que no tienen el mismo ritmo de aumento de la producción y —mucho menos— de la productividad. Si el campesino de las montañas hondureñas hoy vive sin luz eléctrica o sin agua corriente, como vivían los habitantes de California en 1890, la «culpa» de que hoy los californianos vivan infinitamente mejor que los campesinos hondureños de nuestros días no hay que achacársela a nadie, y mucho menos deducirla de las comparaciones estadísticas.

Si hoy Bolivia o Perú están atrasadas con relación a Inglaterra o Francia, más atrasadas relativamente de lo que estaban en el pasado, es porque no han sabido, podido o querido comportarse social y laboralmente como las naciones lanzadas hacia la modernidad y el progreso.

¿Cómo puede un agricultor ecuatoriano esperar la misma remuneración por su trabajo que un agricultor norteamericano, cuando la productividad del estadounidense es cien veces la suya? En Estados Unidos menos del tres por ciento de la población se dedica a la agricultura, alimenta a 260 millones de personas, y produce excedentes que luego exporta. Por eso los agricultores gringos ganan más. Básicamente por eso.

Tampoco es válido el manido razonamiento de que la pobreza latinoamericana se debe al encarecimiento de los instrumentos de producción, falacia que suele ilustrarse con el número de sacos de café o manos de bananas que hoy se necesitan pare comprar un tractor, en contraste con los que se necesitaban hace veinte años. La verdad es que hoy a un agricultor moderno —americano, francés u holandés— le cuesta muchas menos horas de trabajo adquirir el tractor porque su productividad ha aumentado extraordinariamente. Los insumos, medidos en horas de trabajo, hoy son más baratos que ayer. Ésa es la clave.

En 1868 —y el ejemplo se ha recordado mil veces— Japón era un reino medieval, una teocracia huraña y aislada, recién visitada por Occidente en 1853 por medio del comodoro Perry, un país que no había conocido ni la primera ni la segunda revolución industrial. En 1905 —sin embargo— ya era un poder económico capaz de derrotar a Rusia en una guerra y de competir en el mercado internacional con diversos productos.

Es un craso error de Galeano: la única forma válida para admitir estas comparaciones entre niveles de consumo sería cuando se colocaran en liza naciones que intentaran seriamente dar el salto adelante y alguien o algo se lo impidiera, pero ese atropello no se ha visto jamás en el mundo contemporáneo. Ni cuando Turquía lo intentó, después de la Primera Guerra Mundial, ni cuando Japón, Corea del Sur, Taiwan, Singapur o Indonesia se han propuesto lo mismo en la segunda mitad del siglo XX.

¿Resultado? Seguramente el japonés medio, o el singapurense medio consumen infinitamente más que su coetáneo latinoamericano, pero eso sólo quiere decir que consumen más porque producen más. Fenómeno que resulta inexplicable que no le quepa en la cabeza al idiota latinoamericano. ¿Será que la tiene demasiado atestada con las monstruosidades que siguen?

La población de América Latina crece como ninguna otra, en medio siglo se triplicará con creces. Cada minuto muere un niño de enfermedades o de hambre, pero en el año 2000 habrá 650 millones de latinoamericanos. (p. 5)

A continuación de este párrafo, totalmente errado en la predicción demográfica (en el 2000 la población latinoamericana será un treinta por ciento menor de lo que asegura Galeano), sigue una descripción sombría, pero no muy equivocada, de los pavorosos niveles de pobreza de la región, la miseria de sus *favelas* y los horrores innegables del analfabetismo, el desempleo y las enfermedades.

Hasta ahí el cuadro es veraz. No hay demasiado que objetar. ¿Quién puede dudar de la existencia en América Latina de muchedumbres famélicas? El problema comienza cuando Galeano intenta descubrir las causas de esta situación y escribe:

> *Hasta la industrialización dependiente y tardía, que cómodamente coexiste con el latifundio y las estructuras de desigualdad, contribuye a sembrar la desocupación en vez de ayudar a resolverla; (...) Nuevas fábricas se instalan en los polos privilegiados de desarrollo —São Paulo, Buenos Aires, la Ciudad de México— pero menos mano de obra se necesita cada vez. (p. 6)*

De manera que la solución para América Latina no está en industrializarse, dado que Galeano —como aquellos sindicalistas primitivos del XIX que pretendían destruir los telares y máquinas eléctricas bajo la suposición de que con estos artefactos perderían el empleo— supone que esto es perjudicial.

Es interesante especular sobre qué hubiera ocurrido con Corea del Sur o Taiwan si el señor Galeano, con esas ideas en la cabeza, hubiera sido nombrado ministro de Economía en estos países. Al fin y al cabo, a principios de la década de los cincuenta tanto Taiwan como Corea del Sur —que acababa de pasar por una espantosa guerra— eran dos naciones paupérrimas, sin otra producción sustancial que la agrícola —y aun ésa muy deficitaria—, sepultadas bajo el peso de la miseria, el analfabetismo y las condiciones de vida infrahumanas.

Pero donde los razonamientos de Galeano —y me temo que de los idiotas latinoamericanos a los que, con cierta melancolía, va dedicado este libro— alcanzan el nivel de la paranoia y la irracionalidad más absolutas es en el tema del control de la natalidad. De acuerdo con *Las venas abiertas de América Latina* la alta tasa de crecimiento de esta región del mundo no es alarmante porque:

> *En la mayor parte de los países latinoamericanos, la gente no sobra: falta. Brasil tiene 38 veces menos habitantes por kilómetro cuadrado que Bélgica; Paraguay, 49 veces menos que Inglaterra: Perú, 32 veces menos que Japón. (p. 9)*

Es como si Galeano y sus huestes no pudieran darse cuenta de que la necesidad de controlar los índices de natalidad no depende del territorio disponible sino de la cantidad de bienes y servicios que genera la comunidad que se analiza y las posibilidades que posee de absorber razonablemente bien a su población.

¿De qué le sirve a una pobre mujer habitante de una favela en Río o en La Paz, saber que el séptimo hijo que le va a nacer —al que difícilmente le podrá dar de comer y mucho menos podrá educar— vivirá (si vive) en un país infinitamente menos poblado que Holanda?

Si hay un daño objetivo que se le puede infligir a los pobres de cualquier parte del mundo es inducirlos a que tengan hijos irresponsablemente, pero cuando esa receta se convierte en un juicio y perjuicio monstruosos, es cuando se afirma que las intenciones reales de los planes de control de la natalidad local o internacionalmente financiados responden a una ofensiva universal que:

Se propone justificar la muy desigual distribución de la renta entre los países y entre las clases sociales, convencer a los pobres de que la pobreza es el resultado de los hijos que no se evitan y poner un dique al avance de la furia de las masas en movimiento y rebelión. (p. 9)

Porque, y aquí viene una de las frases más increíblemente bobas de todo un libro que se ha ganado, muy justamente, su carácter de biblia del idiota latinoamericano:

En América Latina resulta más higiénico y eficaz matar a los guerrilleros en los úteros que en las sierras o en las calles. (p. 9)

De manera que los pérfidos poderes imperiales, con Wall Street y la CIA a la cabeza, asociados con la burguesía cómplice y corrupta, distribuyen condones para impedir el definitivo trallazo revolucionario. Lucha final que Galeano otea en el ambiente y cuyo paradigma y modelo encarna Castro, puesto que:

El águila de bronce del Maine, derribada el día de la victoria de la revolución cubana, yace ahora abandonada, con las alas rotas, bajo un portal del barrio viejo de La Habana. Desde Cuba en adelante, también otros países han iniciado por distintas vías y con distintos medios la experiencia del cambio: la perpetuación del actual orden de cosas es la perpetuación del crimen. (p. 11)

Supongo que el lector, tras ese elocuente párrafo, con el que Galeano prácticamente culmina el prólogo a su libro y declara su amor por la dictadura cubana, puede llegar a dos conclusiones interesantes. La primera, dentro de su fundamental irracionalidad, es que no le falta coherencia al discurso de Galeano. Si hay unos malvados poderes capitalistas empeñados en saquear a los latinoamericanos con la compra de nuestros productos o con la asignación cruel de créditos y préstamos usureros, a lo que se añaden las nefastas inversiones explotadoras y el genocidio herodiano de nuestros revolucionarios nonatos, lo razonable es apearnos en cualquier esquina de ese mundo cruel y tomar el camino opuesto: la gloriosa senda cubana.

El problema —y aquí viene la segunda conclusión— es que Cuba, tras la desaparición del Bloque del Este, da muestras desesperadas de querer abrirse las venas para que el capitalismo le succione la sangre, mientras afronta su crisis final con medidas de *ajuste* calcadas del recetario del FMI. La Isla —en efecto— está pidiendo a gritos préstamos e inversiones exteriores para crear *joint ventures* en los que se despoja a los trabajadores del noventa y cinco por ciento de su paga, mediante el cínico expediente de cobrarle en dólares los salarios al socio extranjero, para pagarles a los obreros en pesos inservibles y devaluados que se cambian en el mercado negro a cuarenta por uno. Esa Cuba que Galeano pone como ejemplo llora y presiona desde todas las tribunas a Estados Unidos para que levante su prohibición de comerciar —el maldito embargo— y regrese a explotar a los pobres cubanos, como es su cruel tradición. Y mientras hace esto, contradiciendo el recetario de Galeano, la Isla mantiene, a base de abortos masivos, la tasa de natalidad más baja del Continente, y la más alta de suicidios, pese a que es catorce veces más grande que la vecina Puerto Rico y proporcionalmente mucho más despoblada.

Por último, ese paraíso propuesto por Galeano

como modelo —del que todo el que puede escapa a bordo de cualquier cosa capaz de flotar o volar— de un tiempo a esta parte ya no exhibe como atracción su gallardo perfil de combatiente heroico, sino las sudorosas y trajinadas nalgas de las pobres mulatas de Tropicana, y la promesa de que ahí —en esa pobre isla— se puede comprar sexo de cualquier clase con un puñado de dólares. A veces basta con un plato de comida. Menos, mucho menos de lo que cuesta en una librería el libro del señor Galeano.

IV

SOMOS POBRES:
LA CULPA ES DE ELLOS

El subdesarrollo de los países pobres es el producto his-
tórico del enriquecimiento de otros. En última instancia,
nuestra pobreza se debe a la explotación de que somos vícti-
mas por parte de los países ricos del planeta.

Como ilustra esta frase, que podría pronunciar
nuestro idiota, la culpa de lo que nos pasa no es nunca nuestra. Siempre hay alguien —una empresa, un
país, una persona— responsable de nuestra suerte.
Nos encanta ser ineptos con buena conciencia. Nos
da placer morboso creernos víctimas de algún despojo. Practicamos un masoquismo imaginario, una fantasía del sufrimiento. No porque la pobreza latinoamericana sea irreal —bastante real es ella para los
pueblos jóvenes de Lima, las favelas de Río o los ca-
seríos de Oaxaca— sino porque nos encanta culpar a
algún malvado de nuestras carencias. Mr. Smith,
ejecutivo de una fábrica de bombillos de Wisconsin,
es un canalla que nos hunde en el hambre, un ban-
dolero responsable de que el per cápita de Honduras
sean mil miserables dólares anuales (eso sí, nuestras
cifras macroeconómicas están bien contaditas en dólares, no faltaba más). Mrs. Wayne, una corredora de
bienes raíces en Miami, es una amante de lo ajeno,
capaz de las peores inquinas, como la de tener a doce
millones de peruanos sin un empleo formal. Mr. But-
terfly, un fabricante de microprocesadores de Nueva
York, vive atormentado pensando que Hades lo espe-

ra en el más allá, pues debe su imperio de varios miles de millones de dólares a los Tratados de Guadalupe-Hidalgo que en 1848 hurtaron a México más de la mitad de su territorio para entregárselo a Estados Unidos.

Si este onanismo del sufrimiento fuera autóctono, quizá sería hasta simpático, un elemento entre otros de nuestro folclore político. Pero resulta que es importado de Europa, concretamente de una corriente de pensamiento que buscó, a comienzos de siglo, justificar el fracaso de la predicción marxista revolucionaria en los países ricos con el argumento de que el capitalismo seguía con vida por obra del imperialismo. Esta deslumbrante reflexión cobró más fuerza aun con los independentismos de la posguerra, cuando todas las colonias liberadas de sus amos creyeron necesario odiar la riqueza de los ricos para sentirse más independientes. Figuras por otra parte respetables como el pandit Nehru o Nasser, y luego algunos distinguidos gorilas que se apoderaron de ciertos gobiernos africanos, expandieron *urbi et orbe* el culto contra los ricos. América Latina, siempre tan original, hizo suya esta prédica y la metió hasta en los resquicios más hondos de la academia, la política, las comunicaciones y la economía. Hicimos nuestro aporte a las esotéricas teorías de la dependencia, y figuras como Raúl Prebisch y Henrique Cardoso les dieron respetabilidad intelectual.

Para empezar, el pobre Marx debe de haber dado brincos en la tumba con estas teorías. Él nunca sostuvo semejante tesis. Más bien, elogió el colonialismo como una forma de acelerar en los países subdesarrollados el advenimiento del capitalismo, que era el indispensable paso previo del comunismo. Pocos hombres han cantado con tanto ímpetu las glorias modernizadoras del capitalismo como Marx (y eso que no alcanzó a ver a Napoleón en un CD-ROM o a enviarle un fax a su amigo Engels). Jamás se le habría ocurrido pensar al padre intelectual del culto contra los ricos que la pobreza de América Latina era directamente proporcional a, y causada por, la riqueza norteamericana o europea.

A esta ideología nadie la bautizó tan bien como el venezolano Carlos Rangel: tercermundismo. Y nadie como el francés Jean-François Revel ha definido su finalidad: «el objetivo del tercermundismo es acusar y si fuera posible destruir las sociedades desarrolladas, no desarrollar las atrasadas».

La simple lógica ya sería suficiente criterio para invalidar la afirmación de que nuestra pobreza es la riqueza de los ricos, pues es evidente que si la riqueza es una creación y no algo ya existente, la prosperidad de un país no es producto del hurto de una riqueza instalada en otro lugar. Si los servicios, que constituyen las tres cuartas partes de la economía norteamericana de hoy, no usan materias primas latinoamericanas ni de ninguna otra parte, ¿cómo podrían, sin que medie el birlibirloque, ser el resultado de un saqueo de nuestros recursos naturales? Si los seis billones (*trillions*, en inglés) de dólares anuales que produce la economía de Estados Unidos son ocho veces lo que producen, combinadas, las tres mayores economías latinoamericanas (los «gigantes» Brasil, México y Argentina), para que la premisa fuera cierta habría que demostrar que alguna vez esas tres economías juntas, por ejemplo, produjeron ocho veces más de lo que producen hoy en día, y que, sumadas, alcanzaban una cifra parecida a los seis billones de dólares. Si escarbamos un poquito en el pretérito, veremos que seis billones de dólares es una noción tan extraña para nuestras economías actuales o pasadas como puede serlo la soledad para un chino o para un esquimal el infierno...

Podría siempre alegarse, claro, que no es justo hacer esta comparación porque no es que Estados Unidos haya robado exactamente todo lo que produce, sino que se embolsilló los recursos esenciales y luego construyó sobre ellos una riqueza propia. Si se alegara esto, automáticamente quedaría invalidada toda la premisa de que nuestra pobreza se debe a la explotación de que somos víctimas, ya que ella descansa enteramente sobre la idea de que la riqueza no se hace sino que se reparte, pues ya existe. Si no existe, se crea, y si se crea, la riqueza de ningún país es esencialmente la pobreza de otro. Incluso los peores coloniajes desde el Renacimiento hasta nuestros días han transferido al país-víctima instrumentos —conocimientos, técnicas— que le han permitido algún desarrollo (por lo menos económico, ya que no político e intelectual). ¿Qué sería hoy la economía latinoamericana comparada con la de los países prósperos si ella no hubiese tenido contacto con la economía de los caras-pálidas? Cuesta trabajo creer que la producción combinada de México, Brasil y Argentina sería hoy sólo ocho veces menor que la de Estados Unidos. Los peruanos a lo mejor seguirían frotándose las manos frente a las virtudes agrícolas de los andenes serranos, notables inventos para la época precolombina pero no exactamente precursoras de, por ejemplo, la máquina de vapor o el motor de combustión (para hablar de inventos capitalistas bastante anticuados).

¿Significa esto que no hubo despojos en la era colonial ni injusticias imperialistas en la republicana? Sí, las hubo, pero esos hechos tienen tan poca relación con nuestra condición actual de países subdesarrollados como la que tienen nuestros intelectuales con el sentido común. Seguíamos siendo, como región, mucho más prósperos que Estados Unidos cuando nuestros criollos, enfrentados a ejércitos reales llenos de indios, cortaron amarras con la metrópolis, es decir después de producidos todos los despojos de la era colonial. Por lo demás, España malgastó el oro que se llevó consigo en inútiles guerras europeas en vez de usarlo productivamente, por lo que no podemos, si queremos evitar volver al *kindergarten*, achacar su relativa prosperidad actual a semejante factor. Algún contable peruano, con paciencia patriótica, ha calculado lo que en términos actuales sumaría todo el despojo aurífero colonial (la oportunidad de esta operación no pudo ser mejor: la Exposición de Sevilla en 1992). España y Portugal, poderes coloniales por excelencia, están entre los países menos ricos de la Unión Europea, mientras que Alemania, el gran motor de ese continente, no fue una potencia colonial (por lo demás, empezó su desarrollo a comienzos de este siglo, y desde entonces hasta la fecha aventuras colonialistas como la de Hitler le trajeron, en lo económico, muchos más perjuicios que beneficios). El colonialismo practicado por la URSS no logró desarrollar a ningún país y por eso la economía cubana, privada ya de la teta soviética —un subsidio de más de cinco mil millones de dólares al año—, pide de rodillas que le traigan divisas de fuera, iniciando un culto místico de dimensiones escalofriantes al Diosdólar encabezado por el propio comandante Castro.

Cuando se habla de la responsabilidad del colonialismo y la explotación de países débiles por parte de países fuertes se suele hablar de siglos más o menos recientes. Es una trampa conveniente. Contar sólo a partir de la era moderna a la hora de tratar de establecer relaciones de causa y efecto entre la riqueza de los colonizadores y la pobreza de los colonizados es desconocer que el colonialismo es una práctica tan antigua como la humanidad. Que se sepa, en la antigüedad o en la Edad Media ninguna región del mundo cuyo pueblo conquistó a otro logró un desarrollo comparable al capitalismo.

Entre los países más sorprendentes por su desarrollo en los últimos tiempos hay algunos que no tenían recursos naturales importantes cuando alzaron vuelo ni conquistaron a nadie. Corea del Sur, al final de la guerra coreana, quedó despojada de toda industria, pues ésta estaba en el norte. Singapur no tenía recursos naturales y carecía de tierra cultivable. Ambos —se está volviendo aburrido citar a los dragones a cada rato, pero qué remedio— han logrado en pocas décadas un despegue económico que no han conseguido países latinoamericanos mucho más ricos en materias primas. Los países de la Comunidad de Estados Independientes (antigua Unión Soviética) tienen, en cambio, todos los recursos naturales del mundo y se ahogan todavía en el subdesarrollo.

Durante los primeros treinta años de este siglo Argentina era una potencia mundial en materia económica, mucho más aventajada que buena parte de los países europeos que hoy la superan, y en los sesenta años que median entre entonces y hoy no puede sostenerse sin vergüenza que Argentina haya sido víctima de colonialismos y explotaciones significativas. La historia reciente de América Latina está llena de revoluciones justicieras, como la mexicana, la del Movimiento Nacional Revolucionario en Bolivia, la de Juan Velasco en Perú y la de Fidel Castro en Cuba, todas las cuales insurgieron contra el entreguismo y el imperialismo económico. Al final del proceso, ninguno de los cuatro países estaba mejor que cuando empezó (en el caso de México puede decirse que sólo mejoró relativamente cuando la Revolución, dúctil como la plastilina, mudó convenientemente sus principios y se volvió entreguista...).

Al no ser la riqueza un recurso o una renta eterna, de nada serviría que repartiésemos la prosperidad de Estados Unidos entre todos los latinoamericanos. Ella se evaporaría inmediatamente, pues la simple transferencia de esa prosperidad no habría resuelto el problema esencial: cómo crearla todo el tiempo. Si los habitantes de América Latina se quedaran con la renta per cápita de Estados Unidos, a cada uno le correspondería, por tener nosotros poco menos del doble de habitantes que ellos, alrededor de diez mil dólares anuales. Si los latinoamericanos nos apropiáramos esa renta todos los años, al cabo de un lustro estaríamos en una situación no mucho mejor a la actual, pues dicho dinero no habría creado ni empresas ni los puestos de trabajo necesarios (descartando que se hubiese invertido pues ello desmentiría el axioma de que la riqueza no se crea sino que se roba). No habríamos dejado atrás el subdesarrollo. A nuestros vecinos del norte, mientras tanto, les quedarían dos opciones a lo largo de esos cinco años: ponderar las virtudes de la autofagia o —perspectiva menos indigesta— ponerse a trabajar para duplicar la renta de tal modo que, despojados de la renta ac-

87

tual de veintiún mil dólares anuales, volviesen a disfrutar de una renta similar a la actual.

Las empresas transnacionales saquean nuestras riquezas y constituyen una nueva forma de colonialismo.

Uno se pregunta por qué para saquear nuestras riquezas las potencias como Estados Unidos, Europa y Japón utilizan un mecanismo tan extraño como el de las transnacionales y no una fórmula más expeditiva, como un ejército. Es un misterio la razón por la que estos ladrones de riqueza ajena gastan dinero en hacer estudios, construir plantas, trasladar maquinaria, tecnología y gerentes, promover productos, distribuir mercancía y emplear trabajadores, para no hablar de las coimas de rigor, indispensable elemento de los costos operativos. Es aún más extraño el hecho de que en tantos de estos casos las buenas utilidades muchas veces sirven para hacer que estos enemigos de nuestra prosperidad gasten más dinero en ampliar su producción. ¿Por qué no evitar toda esta onerosa pantomima y enviar de una vez a la soldadesca para cargar, a punta de carajos, con nuestra cornucopia?

Por una sencilla razón: porque una corporación transnacional no es un Estado sino una empresa, totalmente incapaz de usar la fuerza física contra ningún país. Aunque en el pasado meterse con una empresa transnacional estadounidense en América Latina podía traer represalias militares, hace ya varias décadas que no es así. Las empresas vienen cuando se les permite venir, se van cuando se las obliga a irse. Lo raro es que sigan viniendo a nuestros países pese a haber sido tantas veces en el pasado reciente obligadas por nuestros gobiernos a liar bártulos. Con curiosa testarudez el capital extranjero vuelve allí donde ha recibido las peores zancadillas. Le gusta que lo azoten. Es más masoquista que los héroes del Marqués de Sade.

Claro, una empresa transnacional no es un fondo de caridad. No regala dinero a un país en el que invierte, precisamente porque eso es lo que hace: invertir, actividad que no puede desligarse del objetivo, perfectamente respetable, de conseguir beneficios. Si la General Motors o la Coca-Cola se dedicaran a montar toda la costosa cadena de producción antes señalada y no quisieran un centavo de utilidad por ello, habría que perderles el respeto *ipso facto*. Si ellas se dedicaran a la filantropía, desaparecerían en muy poco tiempo.

Lo que hacen, más bien, es buscar ganancias. El mundo se mueve en función de la expectativa de obtener beneficios. Todo el andamiaje moderno reposa sobre esa columna. Hasta la ingeniería genética y la biotecnología, que son en última instancia nada menos que experimentos manipuladores de los genes humanos y animales, sólo pueden a la larga dar los resultados médicos deseados si las compañías que invierten fortunas en la investigación científica creen que podrán obtener ganancias (es por eso que existe hoy algo tan controvertido como patentes de genes humanos). A lo mejor algún día la ingeniería genética producirá un intelectual latinoamericano capaz de entender que la búsqueda del beneficio es sana y moral.

A nosotros nos conviene —y esto está al alcance del más oligofrénico patriota— que esas empresas instaladas en nuestros países obtengan beneficios. Es más: conviene que ganen miles de millones, y, si fuera posible, también billones de dólares. Ellas traen dinero, tecnología y trabajo, y todo el beneficio que obtengan vendrá de haber logrado dar salida a los bienes y servicios que produzcan. Si esos bienes los venden internamente, el mercado local habrá crecido. Si se exportan, el país habrá logrado una salida para productos locales que de otra forma no habría conseguido, beneficiándose con la decisión que tomará la empresa de mantener e incluso expandir sus inversiones en el país donde ha instalado sus negocios. Para cualquier bípedo en uso de razón todo esto debería ser más fácil de digerir que la lechuga.

Las grandes fabricantes de autos, por ejemplo, han anunciado que quieren que Brasil sea algo así como la segunda capital de su industria en el hemisferio occidental para fines de este siglo. ¿Qué significa? Significa, exactamente, que quieren duplicar la producción de automóviles, lo que requerirá, de parte de estos monstruos multinacionales, una inversión total de doce mil millones de dólares. La Volkswagen, Satán del volante, hambreadora de nuestros pueblos, piraña de nuestro oro, meterá en aquel desdichado país —horror de horrores— 2.500 millones de dólares antes de fin de milenio para aumentar a un millón el número de vehículos que produce. La Ford, Moloc en cuyo altar sacrificamos a nuestros niños, ha anunciado, por su parte, otros 2.500 millones de dólares de inversión. Y así sucesivamente. La General Motors, empresa que sin duda nació para dragar nuestra dignidad y despojarla de sustancia, nos odia tanto que emplea a cien mil personas en México, Colombia, Chile, Venezuela y Brasil. La francesa Carrefour, verdadero Napoleón imperial del capital extranjero, nos inflige veintiún mil empleos en Argentina y Brasil, que son menos de la mitad de los que nos impone, despiadadamente, la Volkswagen en Argentina, Brasil y México.

Hasta 1989 había lo que llamábamos «fuga de capitales» en América Latina. Hechas las sumas y las restas, el dinero que sacaban nuestros capitalistas era mayor que los dólares que venían de fuera para ser invertidos en América Latina. En ese año, precisamente, la «fuga» —qué manía de usar palabrejas sacadas del vocabulario policial para hablar de economía— sumó unos 28.000 millones de dólares. La situación de hoy, un lustro más tarde, es la contraria. En 1994 alrededor de 50.000 millones de dólares vinieron a América Latina empaquetados con un lacito del que colgaba una tarjeta con el nombre de «capital extranjero». Por tanto, el «saqueo» es reciente. Jamás en la historia republicana de América hubo semejantes cataratas de capital extranjero. Y eso que 1994 supuso una caída de alrededor del treinta por ciento en materia de inversión extranjera con respecto al año anterior, dadas las veleidades políticas mexicanas, efecto que redujo aún más la cifra en 1995. Estos altibajos inversionistas muestran, por lo demás, que nada garantiza el interés del dinero de los forasteros por nuestros mercados. Los dineros, como las chicas coquetas, se hacen rogar.

Resulta que un vistazo rápido a las quinientas empresas más grandes de América Latina constata —¡oh! ¡oh!— que mucho menos de la mitad de ellas son extranjeras. En 1993 sólo 151 de esas 500 eran extranjeras, lo que significa que 349 de las más grandes empresas de América Latina eran —son— eso que nuestros patriotas llaman «nacionales». En esta era de apertura al capital extranjero, de entreguismo e imperialismo generalizado, resulta que todavía ni la mitad de las empresas que más dinero mueven son provenientes de las costas del enemigo, sino nuestras. ¿Qué quiere decir esto? Primero, que si alguien saquea nuestras riquezas, los principales saqueadores no son las multinacionales extranjeras. Segundo, que al abrirse una economía al capital extranjero también se beneficia, siempre y cuando haya unas condiciones mínimamente atractivas, la inversión local, en un juego de poleas que va sacando del pozo al conjunto del país. No interesa si la empresa es nacional o extranjera: el movimiento general de la economía empuja hacia adelante al país en el que el conjunto de esas compañías, nacionales y extranjeras, opera. Tercero, que nuestro problema es todavía —a pesar de todo— cómo conseguir que más capital extranjero venga para acá, en vez de irse, como se sigue yendo, a otras partes (Asia, por ejemplo). Si a alguien podemos acusar de imperialismo económico es a las propias empresas latinoamericanas que están inundando países de la mismísima Latinoamérica. Un verdadero alud de inversiones de capitales latinoamericanos está recorriendo los diversos países entre Río Grande y Magallanes. Esto es lo que permite que los chilenos manejen fondos de pensiones privados en el Perú, por ejemplo. O que Embotelladora Andina de Chile haya comprado la embotelladora de la Coca-Cola en Río de Janeiro. O que Televisa haya adquirido una estación de televisión en Santiago. Ya no podemos acusar a los países desarrollados de monopolizar la inversión extranjera: nosotros mismos nos hemos vuelto compulsivos inversionistas extranjeros en la América Latina.

Hace unos cinco años nuestro problema no era

el capital extranjero sino la falta de capital extranjero. Hoy, hay que lamentar que no haya 100.000 o 200.000 millones de dólares de inversión extranjera. Nuestro problema no es que el quince por ciento del total de las inversiones japonesas en el exterior venga a América Latina, sino que sólo el quince por ciento, y no el cuarenta o cincuenta por ciento, tenga ese destino. A comienzos de los noventa, un quince por ciento de las inversiones extranjeras de capitales españoles *hacía las Américas*. Lo que debería enfadarnos de la madre patria es que las inversiones no fueran mayores.

Mucho del capital extranjero va a las bolsas de valores y sale pitando en cuanto una crisis le pone los pelos de punta (como la devaluación del peso mexicano a principios de 1995 con su consiguiente «efecto tequila» en países como Argentina, o, ese mismo año, la guerrita entre Perú y Ecuador). Significa que esos dólares aún no tienen en nosotros suficiente confianza, que todavía están metiendo en nuestras aguas sólo la puntita del pie. Al ser esto así, ¿cómo denunciar un expolio? El problema, más bien, es que esas inversiones no se quedan. ¿Que muchos dólares son especulativos? Sí, pero son dólares. Ellos hacen respirar nuestra economía y proveen de fondos a nuestras empresas. De paso, sus efectos macroeconómicos no son poca cosa: compensan en muchos casos nuestras deficitarias balanzas comerciales, ayudando a evitar devaluaciones masivas que podrían disparar la inflación. Y, por último, contagian confianza a otros forasteros con bolsillos llenos.

La inversión extranjera no ha sacado por sí sola a ningún país de la miseria. Mientras no se desarrolle un mercado nacional fuerte, con ahorro e inversión doméstica, dentro de una cultura de libertad, ello no será posible. Pero la inversión extranjera, en este mundo de competencia frenética y de geografías universales, es una de las formas de enganchar con la modernidad. Los progresistas de este mundo quisieran regresarnos a las comunidades autárquicas del Medievo. El progresismo es ciencia ficción hecha política: turismo hacia el pasado.

Nuestra pobreza está estrechamente relacionada con el progresivo deterioro de los términos de intercambio. Es profundamente injusto que tengamos que vender a bajo precio nuestras materias primas y comprar a alto precio los productos industriales y los bienes de equipo fabricados por los países ricos. Es necesario crear un nuevo orden económico más equitativo.

Es injusto también que el cielo se vea azul y que las iguanas sean bichos feos. La diferencia es que las injusticias naturales como éstas no tienen remedio. Sí lo tienen las humanas, a condición de no poner «cara de yo no fui» a cada torpeza cometida por nuestros dirigentes. Ahora resulta que el comercio, en América Latina, es una expresión del vasallaje al que, casi dos siglos después de la independencia, estamos sometidos con respecto a las grandes potencias. Olvidamos que hacia fines del siglo pasado —1880, por ejemplo—, muchas décadas después de la Doctrina Monroe, América Latina tenía una participación en el comercio mundial parecida a la de Estados Unidos. Hasta 1929, muchos años después de algunos merodeos militares norteamericanos por nuestras tierras y de dictada la Enmienda Platt —limitación a la soberanía cubana impuesta por el Congreso norteamericano en 1901—, la cuota de exportación de nuestros países era un diez por ciento del total mundial, cifra nada desdeñable para naciones esclavizadas por la potencia emergente del Norte y por las tradicionales de allende el Atlántico. En esas épocas en que nuestra vulnerabilidad militar y política era bastante mayor frente a las grandes potencias, nuestra capacidad de exportar era, comparativamente hablando, más grande que la actual. El mundo necesitaba nuestros bienes y, en el tráfico comercial del planeta, contábamos para algo. Los beneficios económicos que obteníamos de esas ventas eran considerables porque, al estar altamente valorados nuestros productos a ojos de quienes los compraban, la demanda —y por ende los precios— eran respetables. ¿Qué culpa tienen los países ricos de que desde entonces los productos de la América Latina hayan dejado de ser tan apreciados como lo eran en la primera mitad de este siglo? ¿Qué culpa tiene el imperialismo económico de que en el mercado planetario los productos que ofrecemos tengan menor interés del que tenían, a medida que las necesidades de los compradores cambiaban? ¿O la dignidad de América Latina pasa por condicionar desde el viejo mundo el paladar del resto de la humanidad?

En la inmediata posguerra, cuando nació ese organismo con nombre de felino ampliamente citado, y hoy reemplazado por otro, que se llamaba GATT, el grueso del comercio mundial eran las materias primas, de las cuales teníamos bastantes, y manufacturas, que por alguna razón no nos daba la gana producir. Hoy, eso ha cambiado violentamente, a medida que los servicios han hecho su entrada huracanada en nuestras vidas. Ellos ya constituyen la cuarta parte del comercio de todo el mundo y muy pronto constituirán la tercera. En países como Estados Unidos, por ejemplo, los servicios ya copan tres cuartas partes de la economía, lo que deja en ridículo cualquier afirmación de que la prosperidad norteamericana está en relación con los términos del intercambio con América Latina. En un mundo donde gobiernan los servicios nuestros productos dejan de ser atractivos cada segundo que pasa. Nuestro lamento, pues, no debe ser que nos compran barato y nos venden caro sino que, si seguimos con mentalidad de holgazanes exportando esencialmente aquellas cosas que la naturaleza pone generosamente en nuestras manos, podríamos llegar a ser totalmente prescindibles como oferentes de bienes en el mercado internacional. La amenaza, estimables idiotas, no es el vasallaje sino la insignificancia.

Debemos dar gracias al cielo porque este tránsito de la economía industrial a la de servicios haya sido relativamente reciente. Ello hizo que durante algunas décadas nuestros productos tradicionales pudieran todavía excitar algunos paladares pudientes, permitiéndonos jugar nuestro pequeño rol en el crecimiento mundial del comercio de la posguerra (el comercio creció diez veces en todo el mundo desde la creación del GATT). El intercambio ha sido uno de los factores responsables de que, entre 1960 y 1982, el ingreso per cápita de los latinoamericanos subiera ciento sesenta y dos por ciento. Si la economía de los servicios hubiera hecho su fantasmagórica aparición algunas décadas antes, probablemente estas cifras, que sin duda no han resuelto nuestra pobreza, serían muy inferiores en lo que respecta a esta región del hemisferio occidental. Lo que sorprende es que regiones donde las materias primas y los productos sempiternos todavía dominan las exportaciones, como Centroamérica, generen por ese lado el equivalente a 7.000 millones de dólares anuales. Liliputienses en comparación con las exportaciones de pequeños gigantes asiáticos con superficies geográficas más pequeñas y menos recursos vomitados por la tierra, estas cifras son altas si se tiene en cuenta lo poco que cuentan realmente en la economía de nuestro tiempo aquellos productos que las hacen posible. Lo que no es serio es pretender, a las puertas del siglo XXI, ser alguien en el mundo con un plátano en la mano y un grano de café en la otra.

Salvo casos muy excepcionales en los que uno de los interlocutores comerciales apuntó el cañón de un revólver a la cabeza del otro, las miserias o fortunas de nuestros países en materia de exportación han dependido esencialmente de nuestra capacidad para producir aquello que otros querían comprar. Es más: en muchos casos la «coacción» la hemos ejercido nosotros contra los países ricos, amurallando nuestras economías dentro de verdaderas ciudadelas arancelarias. Mientras que sus mercados estaban semiabiertos, nosotros cerrábamos los nuestros. Eso permitió, por ejemplo, que en 1990 tuviéramos un superávit comercial de 26.000 millones de dólares en toda la región, es decir una ventaja abismal de las ganancias por exportaciones sobre los egresos por las importaciones. Nadie mandó cañoneras para abrir nuestras paredes de cemento arancelario y evidentemente tampoco se tomaron las represalias con las que hoy, por ejemplo, Washington ataca al Japón en venganza por su déficit comercial. Ni las economías poderosas estaban suficientemente abiertas antes ni lo están ahora, pero en el intercambio comercial no hubo uso de fuerza colonialista, pues América Latina pudo impedir el ingreso de muchas exportaciones de los ricos y hacer que sus propias exportaciones, incluso en una economía internacional que dependía menos de las materias primas, le trajeran algunos miles de millones de dólares.

Veamos por un momento qué ocurre en el intercambio comercial entre nosotros y los odiados Estados Unidos. En 1991, cuando empiezan a abrirse las economías de los países latinoamericanos audazmente a las importaciones —eso que el idiota llama «desarme arancelario»—, nuestras vidas se llenan de esos bienes de consumo de los poderosos que tanto sueño nos quitan. Resulta, sin embargo, que Estados Unidos también recibe muchos productos nuestros. El resultado: ese año América Latina exporta a Estados Unidos por un monto total de 73.000 millones de dólares, mientras que importa por un monto total de 70.000 millones de dólares. ¿Dónde está el imperialismo comercial? ¿Dónde los «injustos términos de intercambio»? Comercialmente hablando, desde 1991 hasta ahora América Latina le saca un provecho comercial al mercado norteamericano similar al que Estados Unidos le saca al mercado latinoamericano. La mitad de las exportaciones latinoamericanas van hacia Estados Unidos. Si ese país quisiera prescindir de nuestras exportaciones podría hacerlo sin demasiado trauma. El efecto para nosotros sería devastador, pues no hemos desarrollado mercados nacionales capaces de sostener el crecimiento de aquellos productos que hoy tienen salida por el tubo de las exportaciones (por insuficientes que éstas sean en comparación con el ideal o con otras regiones del mundo). Cada vez que una regulación norteamericana le pone una zancadilla a la importación de un producto latinoamericano —las flores colombianas, por ejemplo—, damos alaridos de urracas. Denunciamos los términos de intercambio, pero cuando ese intercambio se ve amenazado nos entra una crisis de histeria. ¿En qué quedamos? ¿Queremos que nos compren nuestros productos o no? Es verdad que desde 1991 Estados Unidos exporta más a América Latina que al Japón. Pero es porque nosotros queremos que sea así, no porque nos hayan puesto una pistola en la sien. Finalmente, los beneficiados de estas importaciones somos nosotros, que adquirimos bienes de consumo a precios más baratos y en muchos casos de mejor calidad. Y Estados Unidos no es, por supuesto, el único país poderoso que nos compra productos y que, a través de ese comercio, desliza dólares hacia nuestras economías. En 1991 nuestras exportaciones a España, país importante de la Unión Europea, subieron un veinte por ciento, mientras que nuestros mercados sólo reciben cuatro por ciento del total de las exportaciones españolas. ¿Quién «explota» a quién? Si no exportásemos a Estados Unidos y España las cantidades que acaban de mencionarse, seríamos mucho más pobres de lo que somos.

Una curiosa tara de nuestros politólogos y economistas les ha impedido ver que la respuesta al deterioro de la importancia de las materias primas es diversificar la economía, ponerse a producir cosas más a tono con una realidad que ha vuelto nuestros productos tradicionales tan obsoletos como los razonamientos de quienes creen que sus bajos precios resultan de una conspiración planetaria. Que esto es posible lo están demostrando países como México. En 1994, el cincuenta y ocho por ciento de las exportaciones mexicanas fueron productos metálicos, maquinarias, piezas de recambio industriales y para automóviles y equipos electrónicos. La empresa petrolera estatal, Pemex, sólo aporta hoy el doce por ciento del total de las exportaciones mexicanas, cuando hace apenas diez años el petróleo constituía el ochenta por ciento de las exportaciones de ese país. En semejante contexto, ¿quién se atreve a pronunciar, sin que se le trabe la lengua, que el problema de México es la venta de materias primas baratas y la compra de manufacturas caras?

De las diez empresas de Latinoamérica con mayores ventas en 1993, sólo cuatro, es decir menos de la mitad, venden materias primas. El resto tiene que ver con la industria automotriz, el comercio, las telecomunicaciones y la electricidad. En 1994, la primera empresa latinoamericana en ventas no fue una empresa dedicada a las materias primas sino a las telecomunicaciones. La economía latinoamericana, a pesar de ser todavía muy dependiente de las materias primas, se está diversificando. En la medida en que lo hace, supera el problema, no derivado de un complot sino de una realidad mundial cambiante, del deterioro de la materia prima con seductor de mercados.

¿Significa esto que debemos echar las materias primas al océano? No, significa que no debemos depender de ellas. Saquémosles, mientras las tenemos, todo el provecho que podamos. En muchos de nuestros países la incompetencia nos ha impedido hacer un uso suficientemente provechoso de esas materias primas. ¿Cuánto petróleo y cuánto oro están aún por descubrir? Probablemente, mucho. Si hubiéramos esperado menos tiempo para traer inversionistas dispuestos a correr con el riesgo de la explotación tendríamos más petróleo que vender. A este paso uno llega a la conclusión de que el intercambio de materias primas por manufacturas es tan injusto que, encima, necesitamos inversores imperialistas para sacar nuestras materias primas de donde la naturaleza las enterró... Panamá está explorando con ahínco su subsuelo en busca de oro y cobre. La minería constituye hoy el cinco por ciento de su economía y sus autoridades creen que tiene capacidad como para que esa cifra llegue al quince por ciento en el año 2005. ¿Quién es responsable de que hoy la minería sólo signifique el cinco y no el quince por ciento de la economía panameña? Nuestros ilustrados intelectuales y políticos dirán, sin duda: las transnacionales que no ofrecieron a tiempo sus servicios para venir a encontrar el oro y el cobre...

Hay materias primas latinoamericanas que, más que explotadas, son explotadoras de los ricos. El petróleo, por ejemplo, ha sido a lo largo de muchas décadas, un bien muy preciado que se hallaba en grandes volúmenes en algunos países de América Latina. Esos países, junto con otros cuantos, forman parte de un cartel internacional llamado OPEP (Organización de Países Exportadores de Petróleo) que un buen día, en 1973, decidió subir astronómicamente sus precios y poner de rodillas a los poderosos cuyas industrias necesitaban esta fuente de energía. Un país como Venezuela ha sido tan explotado en los precios de su materia prima petrolífera que entre los años setenta y los años noventa recibió la «insignificante» cifra de ¡doscientos cincuenta mil millones de dólares! ¿Qué hizo con ese dinero? Lo que hizo es mucho más responsable de la pobreza venezolana que los precios que pagó el mundo por el petróleo de la Venezuela saudita durante esos veinte años.

Otra manera de escapar a las garras de la civilización imperialista es que los países latinoamericanos comercien entre ellos mismos. En 1994, por ejemplo, casi la tercera parte de las exportaciones argentinas fueron a parar en Brasil, su socio de ese mercado común con aire a mala palabra: Mercosur. Una tercera parte de los productos farmacéuticos que se compran en Brasil, por un monto de cinco mil millones de dólares (ya se sabe que en Brasil la farmacia es casi tan popular como la iglesia), son fabricados por compañías de América Latina. Varios países de la región han puesto en marcha un vasto proyecto de interconexión para el intercambio de gas natural, red que valdrá muchos miles de millones de dólares en cuanto sea realidad. ¿Alguien está amenazando con invadir territorios al sur de Río Grande por todo esto? ¿Alguien está decretando *manu militari* los precios de estos intercambios desde Tokio, Berlín o Washington?

Tan libre es América Latina de impedir la entrada de productos provenientes de las costas infames de la prosperidad que ya está empezando, una vez más, a hacerlo. El proceso, lento pero amenazante, viene dictado por la idea falaz de que buena parte de nuestra incapacidad para crear rápidamente economías locales prósperas es el ingreso demasiado voluminoso de importaciones que generan desequilibrios comerciales. México, tras la crisis financiera de enero de 1995, subió aranceles de inmediato. Argentina, afectada por el «tequilazo», hizo lo propio y su gobierno propuso que los países del Mercosur subieran los aranceles de los productos que vienen de fuera del perímetro de esa asociación de países. Muchas trabas pone todavía América Latina —sin que nadie se lo impida— al comercio exterior, incluso en aquellos lugares donde los aranceles han bajado, pues muchas regulaciones abiertas o embozadas encarecen los precios de los productos que ingresan (para no hablar de los propios aranceles, que, a pesar de ser más bajos que antaño, siguen siendo un castigo al consumidor). La psicosis creada por la devaluación traumática del peso mexicano ha puesto a los déficit comerciales de muchos de los países latinoamericanos en el primer lugar de la lista de enemigos. Pero hay un ligero problema: la crisis mexicana no fue creada por ese déficit. Más bien, por la combinación de la desconfianza política fruto del sistema allí imperante y la caprichosa fijación del peso mexicano a niveles que ya no estaban justificados por la realidad del mercado. Los déficit comerciales no son, de por sí, una mala cosa. Significan que se importa más de lo que se exporta, y las importaciones benefician a los consumidores. Los déficit pueden presionar a las monedas si no hay otras fuentes de ingresos de dólares que compensen los efectos de los desequilibrios comerciales sobre las balanzas de pagos. En ese caso, si se quiere evitar males mayores, lo mejor es dejar que la moneda refleje el precio real. Para equilibrar la balanza comercial la solución no es castigar a los consumidores sino exportar más.

Si algún reproche se puede hacer a los países ricos no es que nos imponen injustos términos de intercambio. Más bien, que todavía no abren sus economías bastante, que aún ponen diques al ingreso de muchos de nuestros productos. A los 24 países más ricos del mundo, por ejemplo, les cuesta doscientos cincuenta mil millones de dólares al año proteger a sus agricultores de la competencia. Este tipo de burrada es la que debería ser denunciada sin cesar por nuestros charlatanes políticos. El daño que hacen los ricos a los pobres, en el panorama de la economía mundial, es que no se atreven a dejarnos competir dentro de sus mercados en igualdad de condiciones. Lo demás —términos de intercambio como precios de materias primas de ida y manufacturas de venida— pertenece a la genialidad de nuestros idiotas y al paleolítico ideológico en el que aún viven.

Nuestra pobreza terminará cuando hayamos puesto fin a las diferencias económicas que caracterizan a nuestras sociedades.

Lo único que tiene algún sentido en este axioma es que en nuestros países hay pobreza y diferencias económicas. No existe una sola sociedad sin diferencias económicas, y mucho menos en los países que han hecho suyas las políticas de igualdad predicadas por los marxistas. Tenemos sociedades muy pobres. No son las más pobres del mundo, desde luego. Nuestro ingreso por habitante es cinco veces mayor que el de los pobladores de Asia meridional y seis veces mayor que el de los bípedos del África negra. Aun así, una mitad de nuestros habitantes están sumergidos bajo eso que la jerga económica, apelando a la geometría para referirse a los asuntos de estómago, llama la «línea de la pobreza». Tampoco es falso que hay desigualdades económicas. No es difícil, en las calles de Lima o de Río de Janeiro, cruzar, en el recorrido de unos pocos metros, de la opulencia a la indigencia. Hay ciudades latinoamericanas que son verdaderos monumentos al contraste económico.

Aquí terminan las neuronas del que pronunció la memorable frase que preside estas líneas. En cuanto al resto, la lógica es apabullante: no habrá pobreza cuando no haya diferencias... ¿Significa esto que cuando todos sean pobres no habrá pobreza? Porque todos los gobiernos que se han propuesto eliminar la pobreza a través del método de eliminar las diferencias han conseguido, efectivamente, reducir mucho las diferencias, pero no porque todos se hayan vuelto ricos sino porque casi todos se han vuelto pobres. No se han vuelto *todos* pobres, por supuesto, porque la casta de poder que dirige estas políticas socialistas siempre se vuelve rica ella misma. En América Latina podemos dictar cátedra a este respecto. En la memoria reciente está, por ejemplo, la experiencia sandinista de Nicaragua. Los muchachos de verde olivo que se propusieron obliterar la pobreza acabando, para lograr semejante propósito, con las diferencias, ¿qué consiguieron? Una caída del salario general del noventa por ciento. Los autores de esta proeza, no faltaba más, se salvaron de la sociedad sin clases: todos echaron mano a opulentas propiedades y amasaron envidiables patrimonios. El ingenio popular bautizó el saqueo con este nombre irónico: «la piñata». En el Perú, Alan García se propuso hacer algo parecido. El resultado: mientras los patrimonios de los gobernantes se inflaron en las cuentas de los paraísos fiscales del mundo entero, el dinero de los peruanos se hizo polvo. Así, quien tenía cien intis al comienzo del gobierno de Alan García en el banco, tenía apenas dos intis al finalizar su mandato. La Bolivia de Siles Suazo, menos rapaz que la sandinista o la de García en el Perú, convirtió la actividad bancaria en un circo: para sacar pequeñas sumas de dinero del banco había que presentarse en las dependencias financieras con sacos de papas, pues era imposible cargar en las manos y los bolsillos todos los billetes necesarios para gastos de poca monta. La lista es aún más grande pero ésta basta para demostrar que la historia reciente de América Latina ha comprobado al detalle lo que puede lograr un gobierno que se propone quebrar el espinazo a los ricos para enderezar el de los pobres.

Para empezar, el rico en nuestros países es el gobierno o, más exactamente, el Estado. Mientras más ricos nuestros gobiernos, mayor la incapacidad para crear sociedades donde la riqueza se extienda a muchos ciudadanos. Se registran casos fabulosos como el de la riqueza conseguida por el petróleo venezolano: doscientos cincuenta mil millones de dólares en veinte años. Eso sí que es riqueza. Ninguna empresa privada latinoamericana ha generado semejante fortuna en la historia republicana. ¿Qué fue de este chorro de prosperidad controlado por un gobierno que decía actuar en beneficio de los pobres? Hay más casos: la Cuba de la justicia social, cuyo gobierno se propuso desterrar la miseria de una vez por todas de la isla caribeña, expropiando a los ricos para vengar a los pobres, recibió un subsidio soviético de gobierno a gobierno a lo largo de tres décadas por un total de cien mil millones de dólares. En Cuba, por tanto, el rico ha sido el gobierno. ¿Han visto los cubanos mejorar sus condiciones de vida gracias a estos dineros que su gobierno recibió en nombre de ellos? La ineptitud revolucionaria ha hecho que incluso la riqueza de los ricos gobernantes se reduzca tanto que sólo la camarilla más íntima del poder puede ostentar fortuna monetaria. En Brasil, la mayor empresa no es privada sino pública, como no podía ser de otra manera en la tierra donde Getulio Vargas infundió la idea de que el gobierno era el motor de la riqueza. ¿Están los sertones o los famélicos niños de las favelas de Río al tanto de los dineros que genera para ellos Petrobrás? ¿Cuánto del volumen que representan las 147 empresas públicas brasileñas les es accesible? En el México de la revolución que acabó con el entreguismo de Porfirio Díaz, la empresa petrolera, la principal del país, tiene un patrimonio neto de treinta y cinco mil millones de dólares y unas utilidades anuales de casi mil millones de dólares. ¿Han visto los mexicanos de Chiapas un ápice de ese tesoro?

El más rico de todos, el gobierno, dedica sus dineros a todo menos a los pobres (salvo en épocas electorales). Los dedica a pagar clientelas políticas, a inflar las cuentas de la corrupción, a financiar inflación y a gastos estúpidos como armamento. El Tercer Mundo —concepto más propio de Steven Spielberg que de la realidad política y económica mundial— gasta en armamento cuatro veces toda la inversión extranjera en América Latina. De ese gasto un importante porcentaje sale de las haciendas públicas de nuestra región. Los gobiernos que se dicen defensores de los pobres se hacen ricos y gastan aquello que no roban en cosas que no redundan jamás en beneficio de los pobres. Una cantidad pequeña de esos dineros va dirigida a ellos, a veces, en forma de asistencialismo y subsidio. La inflación que resulta del gasto público siempre neutraliza los beneficios, porque los fondos no son de proveniencia divina o mágica.

Los ejemplos de políticas defensoras de los pobres en América Latina no son suficientes todavía para impedir que la travesura socialista cunda por el continente. Un país cuya democracia es un ejemplo para las Américas —Costa Rica— está viendo a mediados de los noventa cómo su gobierno socialdemócrata ha aumentado el gasto público en dieciocho por ciento. El resultado: inflación y estancamiento económico. Una política cargada de buenas intenciones —ayudar a los desamparados— está logrando exactamente lo contrario: hacer que los pobres sean más pobres. Como siempre en un clima de esta índole, el mejor defendido contra la crisis económica atizada por un gobierno amigo que se dice socio de los pobres es el rico.

La experiencia enseña que lo mejor para ayudar a los pobres es no tratar de defenderlos. Ninguna tara genética impide que nuestros pobres dejen de serlo. Es más: cuando los latinoamericanos han tenido oportunidad de crear riqueza dentro de unas sociedades donde ello estaba permitido, lo han hecho. En varios países —México, República Dominicana, el Perú, El Salvador, por nombrar sólo algunos— una fuente esencial de divisas son las remesas de los parientes de los pobres que viven en el extranjero. La mayoría de esos parientes no salieron a buscarse la vida cargando chequeras en los bolsillos. En poco tiempo consiguieron abrirse camino en el extranjero, algunos muy exitosamente, otros menos exitosamente, pero con suficiente fortuna como para dar una mano a los que quedaron atrás. El ejemplo latinoamericano más notable de exilio exitoso es el de los cubanos. Después de algunos años de destierro, los cubanos de Estados Unidos —unos dos millones, contando a la segunda generación— producen treinta mil millones de dólares en bienes y servicios, mientras que los diez millones de cubanos que están dentro de la Isla producen al año sólo una tercera parte de este monto. ¿Hay defectos biológicos en los cubanos de la Isla que les impiden generar tanta riqueza como la que generan los que están fuera? ¿Algún defecto craneano? A menos que algún frenólogo pruebe lo contrario, no hay ninguna diferencia entre el cráneo de los de adentro y el cráneo de los de afuera. Hay, sencillamente, un clima institucional distinto.

Empieza a cundir cierto entusiasmo por la excitación de nuestras bolsas de valores y la mejora de nuestras cifras macroeconómicas. América Latina, en embargo, está lejos de romper la camisa de fuerza de la pobreza, entre otras cosas porque aún no invierte ni ahorra lo suficiente. En 1993 la inversión en estas tierras infelices sumó un dieciocho por ciento del PIB. En los países asiáticos «en vías de desarrollo» —otra perla del arcano idioma que hablan los burócratas de la economía internacional— la cifra es treinta por ciento. No es la primera vez en la historia de este siglo que nuestras economías crecen. Ya lo hicieron antes, y no por ello la pobreza menguó significativamente. Entre 1935 y 1953, por ejemplo, crecimos un respetable cuatro y medio por ciento, y entre 1945 y 1955 un cinco por ciento. Nada de ello significó el acceso de los pobres a la aventura de la creación de riqueza ni la implantación de instituciones libres que cautelaran los derechos de propiedad y la santidad de los contratos, o redujeran los costos de hacer empresa y facilitaran la competencia y la eliminación de privilegios monopólicos, indispensables factores de una economía de mercado.

Cuando en nuestros países haya un clima institucional propicio para la empresa, seductor de las inversiones, estimulante para el ahorro, donde el éxito no sea el de quienes merodean como moscas en torno al gobierno para conseguir monopolios (la mayoría de las privatizaciones latinoamericanas son concesiones monopólicas con previo pago de coimas), los pobres irán dejando de ser pobres. Eso no significa que los ricos dejarán de ser ricos. En una sociedad libre la riqueza no se mide en términos relativos sino absolutos, y no colectivos sino individuales. De nada serviría distribuir entre los pobres, en cada uno de nuestros países, el patrimonio de los ricos. Las sumas que le tocarían a cada uno serían pequeñas y, por supuesto, no garantizarían una subsistencia futura, pues el reparto habría dado cuenta definitiva del patrimonio existente. Si en México repartiésemos los doce mil millones de dólares de patrimonio que se le calculan a Telmex, la empresa de telecomunicaciones, entre los noventa millones de mexicanos, a cada uno le correspondería la monumental cifra de... ¡133 dólares! A los mexicanos les conviene más que la mencionada empresa siga empleando a sesenta y tres mil personas y generando jugosas utilidades de tres mil millones de dólares al año, lo que la mantendrá en constante actividad y expansión.

La cultura de la envidia cree que quitándoles sus yates a los señores Azcárraga (México) y Cisneros (Venezuela), o sus jets a los grupos Bunge y Born (Argentina), Bradesco (Brasil) y Luksic (Chile), América Latina sería un mundo más justo. A lo mejor los peces de las aguas en las que navegan Azcárraga y Cisneros, o las nubes que surcan los aviones de Lázaro de Mello Brandao o de Octavio Caraballo apreciarían un poco menos de intromisión de estos forasteros. A lo mejor nuestros idiotas dormirían más a gusto y se frotarían las manos y una exultante sensación de desquite les pondría la adrenalina en marcha, pero de esto no puede caber la menor duda: la pobreza de América Latina no se vería aliviada un ápice. La filosofía del revanchismo económico —eso que Von Mises llamó «el complejo de Fourier»— debe más al resentimiento con la condición propia que a la idea de que la justicia es una ley natural de consolación implacablemente dirigida contra los ricos en beneficio de los que no lo son. No hay duda de que nuestros ricos, con pocas excepciones, son más bien incultos y ostentosos, vulgares y prepotentes. ¿Y qué? La justicia social no es un código de conducta, un internado británico con matronas que dan palmas en la mano a los que se portan mal. Es un sistema, una suma de instituciones surgidas de la cultura de la libertad. Mientras no exista esa cultura entre nosotros, será un club de socios exclusivos. Pero para abrir las puertas de ese club no hace falta cerrar el club sino cambiar las reglas del juego.

Lo extraño del capitalismo es que en las desigualdades radica la clave de su éxito, aquello que lo hace de lejos el mejor sistema económico. Mejor: más justo, más equitativo. ¿Qué incentivo puede tener un cubano para producir más si sabe que nunca podrá tener derecho a la propiedad privada de los medios de producción ni al usufructo de su esfuerzo, que será eternamente oveja de un rebaño indiferenciable detrás de un jerifalte despótico? Si el incentivo de la desigualdad desaparece, desaparece también el producto total, la riqueza en su conjunto, y lo que queda para distribuir es por tanto más exiguo.

La clave del capitalismo está en que el capital

crezca por encima del crecimiento de la población. Con el tiempo, lo que parecía un lujo de pocos se vuelve de uso masivo. ¿Cuántos dominicanos que se consideran pobres tienen hoy una radio e incluso un televisor? Para un pobre de la Edad Media esa radio y ese televisor eran un lujo inconcebible, pues ni siquiera los había inventado la humanidad. El capitalismo masifica, tarde o temprano, los objetos que en un principio ostentan los ricos. Eso no es consuelo para paliar los terribles efectos de la pobreza: es simplemente una demostración de que el capitalismo más restringido, al enriquecer a los menos, enriquece también, aunque sea muy levemente, a los más. El capitalismo más libre, aquel que se produce bajo el imperio de una ley igual para todos, hace esto mismo multiplicado por cien.

Ese capitalismo libre es el que no acepta la existencia de oligarquías cobijadas por el poder. Aunque la palabra «oligarquía» tiene lugar de privilegio en el diccionario del perfecto idiota latinoamericano, no es una invención suya sino un término que viene de la antigüedad, ya los filósofos griegos lo usaron. Sí, hay oligarquías en América Latina. Ya no son las oligarquías de los terratenientes y los hacendados de antaño. Más bien oligarquías de grupos que han prosperado al amparo de la protección del poder, en la industria y el comercio. Para acabar con esas oligarquías no hay que acabar con sus manifestaciones exteriores —con su dinero— sino con el sistema que las hizo posibles. Si, enfrentados a la mayoría de edad y emancipados de la tutela estatal, esos grupos siguen engordando las chequeras... ¡que vivan los ricos!

Nuestra pobreza también tiene otra explicación: la deuda externa que estrangula las economías de países latinoamericanos en beneficio de los intereses usurarios de la gran banca internacional.

La deuda externa importa un comino. La mejor demostración de que la deuda externa no tiene la menor importancia es que hoy nadie que tenga un mínimo de cacumen al hablar de economía se ocupa de ella, a pesar de que el monto regional de esa deuda es mayor que el de años recientes, cuando la milonga política continental no tenía más tema que ése: unos quinientos cincuenta mil millones de dólares. Hasta hace poco nada erotizaba tanto a nuestros políticos, nada llenaba de tantas babas pavlovianas las fauces de nuestros intelectuales como la deuda externa.

La deuda no es otra cosa que el resultado de la mendicidad latinoamericana ante bancos y gobiernos extranjeros a partir de los años sesenta y, con una intensidad poco coherente con nuestro tradicional culto a la «dignidad», a lo largo de los setenta. La deuda total de América Latina pasó de veintinueve mil millones de dólares en 1969 a cuatrocientos cincuenta mil millones en 1991, a medida que desde México hasta la Patagonia el hemisferio se volvía un zoológico de elefantes blancos que no entrañaron ningún beneficio a los ciudadanos en cuyo nombre se emprendieron las faraónicas obras públicas. Los bancos, cuya existencia se justificaba a través de los intereses que cobran a quienes les prestan dinero, y desbordados de dólares que querían colocar donde pudieran, aceitaron gozosamente nuestra maquinaria pública. ¿Puede culparse a los bancos de habernos dado los recursos que nuestra mano suplicante pedía? Imaginemos

113

que la comunidad internacional no nos hubiera otorgado los préstamos. ¿Qué se hubiera dicho entonces? En vez de «banca usurera» se hubiera hablado de «banca racista», o «banca tacaña», o «banca hambreadora». La banca sólo dio lo que le pidieron, no lo que cañoneras imperialistas obligaron a nuestros gobiernos a aceptar. A la distancia, sin embargo, no hay duda de que América Latina se habría ahorrado mucho estatismo si el mundo hubiera sido menos aquiescente con nuestra voracidad prestataria. El gran deudor latinoamericano no es el empresario privado sino el gobierno. No hay, en América Latina, ningún caso en que menos de la mitad de la deuda externa sea del Estado.

¿Que los intereses eran altos? Los intereses son como la marea o los ascensores: a veces suben, a veces bajan. Si se pactan deudas con intereses que no son fijos, nadie puede fusilar al banquero que sube los intereses un buen día porque el mercado así lo determina y que, por consiguiente, cobra a los deudores un precio más alto del original. Cuando a comienzos de los ochenta Estados Unidos, que había decidido combatir la inflación, subió sus tasas de interés, ello afectó a América Latina. ¿Fue la decisión de combatir la inflación tomada por la administración Reagan una conspiración maquiavélica para que, de carambola, la deuda de los países latinoamericanos se viera más abultada de lo que ya estaba? Lo real-maravilloso de América Latina es que hay una legión de seres capaces de creer en esto.

Si fue así, el imperialismo recibió su merecido. En 1982 un memorándum salía de México rumbo a Washington con un mensaje sencillo: no podemos seguir pagando la deuda. Lo que vino después ya se sabe: un cataclismo financiero. En el escueto párrafo de un trozo de papel oficial quedó para siempre vengada la sufrida historia de América Latina. La consecuencia no fue un castigo medieval para el prestatario que se declaró incapaz de seguir pagando, sino la crisis general del sistema financiero mundial. Y ésta es otra de las características del soporífero asunto de la deuda externa latinoamericana: que los países pueden dejar de pagar cuando les dé la gana sin que ninguna represalia importante se cierna sobre ellos, salvo dificultades para nuevos préstamos (¡No faltaba más!). De los primeros diez bancos norteamericanos, nueve estuvieron a punto de caer en la insolvencia gracias al ucase mexicano y nadie tomó represalias contra el catalizador de la crisis. La deuda, pues, se reveló como un arma de doble filo: por un lado, amenaza a la economía latinoamericana, pues la obliga a destinar recursos hacia los prestamistas; por el otro, tiene en suspenso a los acreedores, parte de cuya solvencia depende de la ficción de que la deuda algún día se pagará del todo. En materia de deuda, la regla de oro es no declarar nunca que no se pagará aunque se deje de hacerlo. El mundo de las finanzas internacionales es un trabalenguas: la banca mundial es un club de bobos que le prestan a uno para que uno les pague deudas pendientes y en el futuro le vuelven a uno a prestar para que uno pague la deuda que contrajo para pagar la anterior.

La deuda de América Latina viene acompañada de un seguro de impunidad contra los países de la región. Cada vez que se acumulan los atrasos, especialmente ahora que hay crecimiento económico, los bancos muestran tolerancia. Entre 1991 y 1992 se acumularon veinticinco mil millones de dólares de atrasos. ¿Alguien recuerda que un solo banco o gobierno haya chistado por ello? Al contrario, mientras esto ocurría, Estados Unidos condonaba más del noventa por ciento de la deuda bilateral de Guyana, Honduras y Nicaragua, setenta por ciento de la de Haití y Bolivia, veinticinco por ciento de la de Jamaica y cuatro por ciento de la de Chile.

En cuanto a la deuda comercial, con un poquito de imaginación —la premisa es optimista— y algo de espíritu lúdico se puede modelar la estructura de dicha deuda como la arcilla. El primer país que puso a funcionar los sesos fue Bolivia, que en 1987, habiendo reducido la inflación, pidió dinero para comprar toda su deuda comercial al once por ciento del valor. Así, sin alharaca ni soflamas guturales, como por arte de prestidigitación, redujo el monto de su deuda de mil quinientos millones de dólares a doscientos cincuenta y nueve millones. Luego vino México, ya bajo el embrujo del plan Brady. En febrero de 1990, sin demasiado tesón persuasivo, convenció a los buenotes banqueros comerciales de que convirtieran la deuda en bonos vendibles y con garantía. ¿Dónde estaba el truco? Muy fácil: esos bonos estaban al sesenta y cinco por ciento del valor de los papeles de la deuda. A otro grupo de banqueros los convenció de cambiar la deuda por bonos garantizados con un rendimiento de seis y medio por ciento. De un porrazo, con números en vez de insultos, México dio un sablazo certero a lo que debía. Desde entonces, buena parte de los países latinoamericanos han «reestructurado» sus deudas —palabreja que simplemente significa que los tiranos de la banca mundial perdonan un porcentaje gigantesco de sus deudas a estos países a cambio de que la deuda restante siga siendo pagada a plazos mutuamente convenidos, lo que, en un contexto de políticas económicas mínimamente sensatas, no es complicado. En 1994, por ejemplo, Brasil rehízo su cronograma y su estructura de pagos por cincuenta y dos mil millones de dólares, logrando que cuatro mil millones de dólares de capital y cuatro mil millones de intereses se fuesen al baúl del olvido. Recientemente, Ecuador, pobre víctima de la usura universal, logró, mediante el expediente de reconversión de la deuda y el simple intercambio de sonrisas con sus acreedores, una reducción de cuarenta y cinco por ciento del capital de la deuda. En el primer cuarto de 1995, Panamá estaba a punto de conseguir un acuerdo semejante. Reducir la deuda con los bancos comerciales resulta más fácil que birlarle la billetera al desprevenido turista que pone los pies en el aeropuerto Jorge Chávez.

La deuda es tan poco importante como tema de discusión entre la comunidad internacional y América Latina que los papeles de esa deuda se están revalorizando en el mercado secundario. Esto, en castellano, significa simplemente que el mundo cree que la buena marcha macroeconómica de los países latinoamericanos permite confiar en que seguirán haciéndose en el futuro los pagos parciales, pues los países tendrán solvencia para ello. Por lo demás, la novedad hoy está en que mucha de la deuda fresca es de empresas privadas que ofrecen acciones o bonos en las bolsas internacionales. El mundo vuelve a aceptar la ficción de que la deuda se pagará alguna vez. Y ya se sabe: como el mundo financiero es un universo de expectativas tanto o más que de realidades, la clave no está en que se pague sino en que se crea que se va a pagar, en la simple ilusión de que

117

ello es posible. Sólo hace falta, en el caso de la deuda comercial, sentarse a meterle el dedo en la boca al acreedor de marras, y, en el de la deuda de gobierno a gobierno, estrechar la mano a una serie de burócratas reunidos bajo el nombre aristocrático del Club de París, cosa que varios países ya han hecho.

Si la deuda externa de América Latina estrangulara las economías del continente, no sería posible para muchos de estos países tener reservas de miles de millones de dólares, como hoy las tienen, ni, por supuesto, atraer esos capitales con nombre de ave —los capitales golondrina— que vienen a las bolsas latinoamericanas a ganar estupendos y veloces beneficios en acciones de empresas nacionales cuyo rendimiento vomita semejantes réditos.

No hay duda de que el pago de la deuda es una carga. Para Bolivia significa destinar un poco más del veinte por ciento de los dólares que consigue con sus exportaciones. Para Brasil el veintiséis por ciento. Nada de esto es grato. Pero, inevitable consecuencia de la irresponsabilidad de nuestros gobiernos, esos pagos se pueden escalonar de acuerdo con las posibilidades de cada país. Por lo demás, una relación normal con la comunidad financiera permite que un país como México consiga, a comienzos de 1995, una astronómica ayuda internacional para rescatarlo de su propia ineptitud, y que Argentina, previendo el «efecto tequila», se proteja con créditos venidos del imperialismo.

Durante algunos años la deuda externa fue la gran excusa, el lavado de conciencia perfecto para la culpa latinoamericana. El expediente era tan atractivo que nuestros políticos —Fidel Castro, Alan García— juraban en público que no pagarían y por lo bajo seguían pagando. Alan García, príncipe de la demagogia, volvió famoso el estribillo del «diez por ciento» (en referencia a que no pagaría más del diez por ciento del monto total de los ingresos por exportaciones) y acabó pagando más que su predecesor, Belaunde Terry, quien nunca objetó en público sus obligaciones con la banca y sin embargo redujo sustancialmente los pagos. Fidel Castro, por su parte, veterano adalid de las causas antioccidentales, intentó formar el club de deudores, suerte de sindicato de insolventes, para enfrentarse a los poderosos y renunciar a pagar. Poco después se supo que era uno de los más puntuales pagadores de su deuda con la banca capitalista, por lo menos hasta 1986, fecha en que se declaró en bancarrota y dejó de cumplir con sus obligaciones. Habría que sugerir a los banqueros que traten de identificar, en la fauna política del continente, a aquellos especímenes que más braman contra la banca usurera y contra la deuda externa, pues ésos serán sin la menor duda sus más ejemplares clientes.

Las exigencias del Fondo Monetario Internacional están sumiendo a nuestros pueblos en la pobreza.

La *fonditis* es, como el Ebola, un virus que causa hemorragia y diarrea. La hemorragia y la diarrea que causa la *fonditis,* menos indignas que las causadas por el otro, son verbales. Este particular virus ataca el cerebro. Sus víctimas, que se cuentan por miles en tierras de América Latina, producen torrentes de palabras día y noche, vociferando contra el enemigo común de las naciones latinoamericanas y del subdesarrollo en general, al que identifican bajo la forma del Fondo Monetario Internacional. Pierden muchas horas de sueño, echan espuma por las narices y humo por las orejas, obsesionados con esa criatura que viviría sólo para quitarle de los labios el último mendrugo de pan al enclenque muchacho de los barrios marginales. Marchas, manifiestos, proclamas, golpes de Estado, contragolpes... ¡cuántas jeremiadas políticas han rendido el homenaje del odio al Fondo Monetario Internacional! Para los «progresistas», esta institución se convirtió, en los ochenta, en lo que fue la United Fruit un par de décadas antes: el buque insignia del imperialismo. No sólo la pobreza: también los terremotos, las inundaciones, los ciclones, son hijos de la premeditación fondomonetarista, una conspiración glacial y perfecta del gerente general de dicha institución. ¿A alguna desgracia es ajeno el FMI? Quizás a alguna derrota sudamericana en una final de la Copa Mundial de Fútbol. Pero no podría uno poner las manos en el fuego.

Este monstruo devorador de países pobres, ¿qué es exactamente? ¿Un ejército? ¿Un extraterrestre? ¿Un íncubo? ¿De dónde sale su capacidad para infligir hambre, enfermedad y desamparo a los miserables de las Américas? En realidad es bastante triste comprobar lo que el Fondo Monetario es realmente. Lejos de la magnífica mitología que se ha tejido a su alrededor, se trata simplemente de una institución financiera creada en la incertidumbre de la inmediata segunda posguerra, durante los acuerdos de Bretton Woods, cuando el mundo se arrancaba los pelos tratando de resolver el problema de ayudarse a sí mismo a salir del pozo económico en que tanta desgracia bélica lo había sumido. La idea era que este organismo funcionara como un canal de los fondos recibidos hacia un destino determinado según las necesidades monetarias. Con el tiempo, el FMI fue dedicando el grueso de sus dineros a países hoy conocidos como subdesarrollados —fondos que no salían del magín de algún voluntarista filantrópico sino de los gigantes económicos—. América Latina se convirtió en una de las zonas en las que el FMI intentaría aliviar los problemas de financiamiento de algunos gobiernos.

¿Estaban los gobiernos obligados a aceptar al FMI? No. ¿Impedir el ingreso de las tropas fondomonetaristas a nuestros países era tarea imposible y heroica? Tan imposible y tan heroica que bastaba con no hacer nada. No había más que no solicitar ayuda y, si ésta era ofrecida, darle el portazo en la nariz. De hecho, muchos de nuestros gobiernos lo hicieron. Es más: algunos firmaban cartas de intención con este organismo y luego se sentaban en lo acordado.

Ciertos gobiernos han acudido al Fondo Monetario. Al hacerlo, el FMI pone algunas condiciones —en verdad negociadas con el país solicitante— de política macroeconómica. Esta dinámica —yo te doy pero me gustaría que adoptes determinadas medidas para que esta ayuda tenga sentido— es el resultado de una decisión tomada por los países donantes: que el FMI condicione la mano que les da a ciertos gobiernos a un poco de rigor en la administración de la hacienda pública. Nadie tiene una pistola en la sien para aceptar las condiciones. Lo que tampoco se tiene es el derecho de apropiarse de fondos ajenos, y esto suelen olvidarlo nuestros patriotas que braman contra el frío —y por lo demás bastante carente de *sex-appeal*— señor Camdessus, gerente general del FMI. Nuestros ladridos contra el Fondo son simplemente porque esta institución no regala los dólares (que ni siquiera son suyos).

El no aceptar al Fondo Monetario como interlocutor en muchos casos ha enemistado al país desafiante con el resto de las instituciones financieras y con algunos de los principales gobiernos donantes de ayuda extranjera. ¿Tiene esto algo de anormal? Los gobiernos y los bancos, que no están forzados por ninguna ley natural o humana a ejercer el asistencialismo y mucho menos la caridad, prefieren algún tipo de garantía, sobre todo después de los efectos cataclísmicos de la crisis de la deuda a comienzos de los ochenta. Por tanto, aunque siempre está en manos del país decidir si quiere o no contar con el empujoncito fondomonetarista para salir del marasmo, puede pagar las consecuencias de incumplir acuerdos con el Fondo en la medida en que encuentra oídos un poco más cerrados en otros organismos financieros. Alan García, en el Perú, lo comprobó (y no fue el único).

¿Es el Fondo Monetario Internacional la solución de América Latina? Quien crea esto merece un lugar de privilegio en el escalafón de los idiotas. Un simple mecanismo para desahogar las cuentas del Estado, a cambio del cual se pide un poco de restricción en los gastos fiscales para contener la inflación, no va a crear sociedades pujantes donde la riqueza florezca como la primavera. Es más: adoptar ciertas medidas de disciplina fiscal sin abrir y desregular las economías trasnochadas es lo que ha contribuido tanto a asociar al liberalismo con el Fondo Monetario Internacional en estos últimos años y, de paso, a establecer la ecuación según la cual, a más FMI, más pobreza. Gracias a todo esto la historia del Fondo Monetario Internacional es la historia de cómo el hombre más gris —su gerente general— se ha convertido también en el más odiado.

El Fondo Monetario no es la receta de la prosperidad ni el pasaporte al éxito. Atribuirle estas falsas características es una manera de ahondar el odio contra el organismo, pues nunca una política macroeconómica ligada a las matemáticas fiscales del FMI será suficiente para resolver el asunto de la pobreza. Esas soluciones no están en los maletines de los estirados y encorbatados funcionarios del FMI, que no habían nacido cuando hacía rato que existían las razones de nuestro fracaso republicano. Sólo pueden hacer el milagro las instituciones del país en cuestión.

Nuestros países nunca serán libres mientras Estados Unidos tenga participación en nuestras economías.

Los peruanos llaman amor serrano a esa relación tortuosa entre marido y mujer en la que, a más golpes, más se quiere a la pareja. La mayor prueba de amor es una bofetada, una llave de yudo o un cabezazo. Nada es más excitante, sentimental o carnalmente, que la paliza. Entre los latinoamericanos y Estados Unidos hay amor serrano. Como vimos anteriormente, nadie definió mejor que el uruguayo José Enrique Rodó la relación entre América Latina y Estados Unidos vista desde la primera: *nordomanía*. Se refería a la fascinación enfermiza por todo lo norteamericano. Fascinación a un tiempo sana y envidiosa, tan beata en el fondo como biliosa en la forma. Todos tenemos un gringo dentro y todos queremos a un gringo cogido por el pescuezo. A lo largo de este siglo, los latinoamericanos nos hemos definido siempre de cara a Estados Unidos. No son carcajadas sino admiración lo que Fidel Castro causa cuando, sin que le tiemble la barba, denuncia bombardeos de microbios provenientes de laboratorios norteamericanos destinados contra su país —el último fue el que, según el comandante, provocó la epidemia de neuritis óptica en la isla—. Todos tenemos a un yanqui al acecho debajo de la cama. Echados en el diván, lo que aflora desde el subconsciente, antes que las íntimas vergüenzas del pasado, es una estrellada banderita roja, blanca y azul.

Las peores maldades yanquis han sido, por supuesto, militares. Lo único que nuestros patriotas olvidan añadir es que las torpezas y derrotas del intervencionismo estadounidense han sido probablemente más significativas que sus victorias. Nunca pudo derrumbar a Fidel Castro o al sandinismo, tuvo que soportar a Perón y hubieron de pasar tres años de crímenes de Cedras, François y Constant para que finalmente las tropas desembarcaran en Haití, verdadera potencia nuclear del hemisferio, y enfrentaran allí los peligros de una resistencia robusta y altamente sofisticada para poner al presidente Aristide en la silla del poder. También se atribuye a Estados Unidos perversiones económicas. Somos una colonia económica de Estados Unidos, pontifican —desde las universidades norteamericanas donde dictan cátedra o desde centros de estudios financiados por fundaciones gringas— nuestros redentores patrios. El vasallaje infligido por los norteamericanos sobre los latinos del hemisferio, se asegura, es la causa profunda de nuestra incapacidad para acceder a la civilización. Creemos ser los esclavos y las putas del imperio.

Un rápido vistazo a la pedestre verdad conjura —lamentablemente— esta estupenda fantasía. Para empezar, medio siglo de antiyanquismo nos ha salido muy rentable. Odiar a Estados Unidos es el mejor negocio del mundo. Los réditos: la asistencia económica y militar de Estados Unidos a los países latinoamericanos —hija directa del amor serrano—, suma, entre 1946 y 1990, 32.600 millones de dólares. El Salvador, Honduras, Jamaica, Colombia, Perú y Panamá han recibido cada uno miles de millones de dólares en calidad ¿de préstamo? No: de regalo. A cada misil retórico salido de nuestros arsenales intelectuales ha correspondido un misil crematístico lanzado desde la otra ribera. Ningún país en la historia ha premiado tanto como Estados Unidos a los intelectuales, los políticos y los países que lo han odiado. El antiimperialismo es la manera más rentable, en política, de hacer el amor.

¿Cuánto mete este país las narices en nuestras economías? Decir que mucho es eso que los gringos llaman *wishful thinking*. La verdad es que tenemos bastante menos incidencia en Washington de la que creemos. La única importancia ha sido geopolítica en los dos momentos de la historia republicana de América Latina en que nuestras tierras se encontraron en medio del fuego cruzado por eso que llaman «zonas de influencia». La primera vez fue en el siglo pasado, en los alrededores de la época de la independencia, cuando Estados Unidos disputó a las potencias europeas su ingerencia política en estas costas. No les disputó ni siquiera la económica, ya que no estaba en condiciones de hacerlo: hasta la Primera Guerra Mundial, es decir un siglo después de la Doctrina Monroe, Inglaterra invirtió más que Estados Unidos en América Latina. La segunda vez fue, por supuesto, en tiempos de la guerra fría, cuando el comunismo estableció varias cabezas de playa en el continente. Pero tampoco en ese momento tuvo Estados Unidos un interés económico aplastante al sur de sus fronteras. Su prioridad era geopolítica, no económica. Las cifras chillan más fuerte que las cuerdas vocales del antiyanquismo criollo: en los años cincuenta la inversión norteamericana en estas tierras sumaba apenas cuatro mil millones de dólares; en los sesenta, once mil millones. Cifras microscópicas para el mundo moderno. En tiempos más recientes, lo único claro es que Estados Unidos se desinteresó bastante de América Latina (y de todo el mundo subdesarrollado). En todos estos años, sólo el cinco por ciento de sus inversiones se han hecho en el exterior y sólo el siete por ciento de sus productos se han exportado. El sesenta por ciento de las inversiones estadounidenses han ido a países desarrollados, no al sur del Río Grande. La esclavización aristotélica a la que nos habrían sometido las transnacionales norteamericanas no cuadra mucho con el simple hecho de que, hasta ayer, las ventas y las inversiones de Estados Unidos han sido diez veces mayores en su propio territorio que en todo el Tercer Mundo junto.

Estas cifras empezarán a variar lentamente en la medida en que la apertura económica que se da en las zonas tradicionalmente bárbaras del universo haga atractivo, en vista de los bajos costos y el crecimiento de los mercados de esos países, un mayor desplazamiento de los gigantes corporativos hacia otras tierras. América Latina es ya, poco a poco, uno de esos polos de atracción. Pero el fenómeno es tan reciente —y aún tan poco determinante en el rendimiento del conjunto de nuestras economías— que dictaminar la ausencia de libertad en nuestras tierras en función del colonialismo económico norteamericano es, en términos políticos, una de las formas más dolorosas de amor no correspondido.

¿Qué importancia pueden tener nuestros países para esos monstruos imperialistas si la General Motors, la Ford, Exxon, Wal-Mart, ATT, Mobil y la IBM tienen, cada una, más ventas anuales que todos los países latinoamericanos a excepción de Brasil, México y Argentina? ¿Qué afán el nuestro de creernos imprescindibles en los planes estratégicos del imperialismo económico, cuando las ventas de la General Motors son tres veces todo lo que produce el Perú? Precisamente porque la General Motors está obsesivamente orientada al mercado norteamericano, sus ventas cayeron fuertemente en 1994. Si dicha empresa tuviera su radio de ventas un poco más orientado hacia los beneficios del imperialismo sería menos vulnerable al encogimiento de sus ventas dentro del mismo Estados Unidos cuando ellas se producen.

A mediados de los noventa la presencia norteamericana en nuestra economía ha empezado a crecer, como ha crecido la de otros países exportadores de capitales. Esto es una gran cosa. Primero, porque los dineros y la tecnología de los fuertes están ayudando a dar dinamismo a nuestros adormecidos mercados. Segundo, porque al haber competencia entre los poderosos por nuestros mercados, los beneficiarios son nuestros consumidores. Tercero, porque por fin nuestros quejumbrosos antiimperialistas empezarán a tener algo de razón. Aunque alguna vez el imperialismo económico —la United Fruit y su respaldo militar en Guatemala en 1954, por ejemplo— estuvo en condiciones de funcionar como miniestado dentro de territorio centroamericano, hay más ejemplos de gobiernos que han expropiado a los imperialistas o echado de sus países a los intrusos que venían ingenuamente a invertir en ellos que de acciones militares norteamericanas dirigidas a respaldar la posición dominante de alguna transnacional de América Latina. Habría que añadir también que nunca una expropiación o una prohibición dirigida contra un inversionista norteamericano fueron por sí solas motivo para poner en marcha a los *marines*. ¿Qué mejor prueba de esto que la revolución cubana, que expropió a decenas de ciudadanos y empresas norteamericanas? Y el ulular perenne de Fidel Castro en favor del levantamiento del embargo norteamericano, ¿no es el mejor ejemplo de que el imperialismo económico es una fantasía? ¿Cómo se compadece la denuncia contra el imperialismo económico con la eterna súplica de que la economía de Estados Unidos deje de *ignorar* —eso es lo que significa realmente embargo— a este país caribeño?

V

EL REMEDIO QUE MATA

El Estado representa el bien común frente a los intereses privados que sólo buscan su propio enriquecimiento.

¡Qué bien suena esta afirmación! El perfecto idiota latinoamericano la propaga en foros y balcones suscitando inmediatos aplausos. Y realmente, a primera vista, parece un concepto plausible. Le permite, además, al idiota latinoamericano presentarse como un hombre de avanzada, haciendo suya una idea cara al populismo de este continente: si la pobreza es el resultado de un inicuo despojo perpetrado por los ricos; si los pobres son cada vez más pobres porque los ricos son cada vez más ricos; si la prosperidad de éstos tiene como precio el infortunio de los primeros, nada más natural que el Estado cumpla el papel justiciero de defender los intereses de la inmensa mayoría de los desposeídos frente a la inaudita voracidad de unos cuantos capitalistas. A fuerza de repetir esta aseveración, que vibra como una meridiana verdad en el aire febril de las plazas públicas, el perfecto idiota termina creyéndosela. Si la dijese sin considerarla cierta, sería un cínico o un oportunista, y no simplemente un idiota refutado contundentemente por la experiencia concreta.

Toda la historia de este siglo, en efecto, confirma a este respecto un par de verdades. En vez de corregir desigualdades, el Estado las intensifica ciegamente. Cuanto más espacio confisca a la sociedad civil, más crece la desigualdad, la corrupción, el despilfarro, el clientelismo político, las prebendas de unos pocos a costa de los gobernados, la extorsión al ciudadano a base de altas tributaciones, tarifas costosas, pésimos servicios y, como consecuencia de todo lo anterior, la desconfianza de este mismo ciudadano hacia las instituciones que teóricamente lo representan. Es ésta una realidad palpable en la mayor parte de nuestros países.

Si el idiota repite un postulado desmentido por los hechos, es sólo porque está embrujado por una superstición ideológica. Los males del Estado son para él sólo coyunturales: se remediarían poniendo aquí y allá funcionarios honestos y eficientes. No es un problema estructural. El Estado debe hacer esto o lo otro, repite a cada paso utilizando generosamente ese verbo, el verbo deber, con lo cual expresa sólo un postulado, una quimera, quizás una alegre utopía. El perfecto idiota no acaba de medir toda la distancia que existe entre el verbo deber y el verbo ser, la misma que media entre el ser y el parecer. Nos pinta al Estado como un Robin Hood, pero no lo es. Lo que le quita a los ricos se lo guarda y lo que le quita a los pobres, también.

Sus beneficiarios son pocos: una oligarquía de empresarios sobreprotegidos de toda competencia, que debe su fortuna a mercados cautivos, a barreras aduaneras, a licencias otorgadas por el burócrata, a leyes que lo favorecen; una oligarquía de políticos clientelistas para quienes el Estado cumple el mismo papel que la ubre de la vaca para el ternero; una oligarquía sindical ligada a las empresas estatales, generalmente monopólicas, que le conceden ruinosas y leoninas convenciones colectivas; y, obviamente, una enredadera de burócratas crecida a la sombra de este corrupto estado benefactor.

Sólo una elaboración puramente ideológica le permite al perfecto idiota presentar como Robin Hood al ogro filantrópico de Octavio Paz. Lo obtiene levantando edificaciones teóricas sin someterlas a prueba. El idiota es un utópico integral. No lo desalientan las refutaciones infligidas por la realidad, pues la utopía es una bacteria resistente. Un ejemplo: el socialismo. Durante un siglo, o más, en virtud de puras elucubraciones ideológicas, el socialismo resultó dueño del porvenir. Decía tener a su favor los vientos de la historia. El capitalismo, en cambio, parecía condenado a una muerte ineluctable. Pues bien, la realidad, era otra: las economías capitalistas muchas veces mostraron su capacidad de recuperación, y las economías socialistas, su flagrante tendencia al estancamiento y a la recesión. No obstante, a espaldas de esta evidencia, el socialismo continuó cosechando victorias culturales e ideológicas y el capitalismo, vituperios. ¡Cuántos intelectuales, para no ser juzgados como reaccionarios e ignorantes del proceso histórico, se sumaron a esta corriente! Sólo admitieron el fracaso del comunismo cuando lo vieron reducido a escombros en la antigua Unión Soviética y en sus satélites. La explicación de este extraño fenómeno también la da Jean François Revel. Reside en «la capacidad de proyectar sobre la realidad construcciones mentales que pueden resistir mucho tiempo a la evidencia, permanecer ciegas ante las catástrofes que ellas mismas provocan y que sólo terminan por disiparse bajo la convergencia de la quiebra objetiva y la usura subjetiva». Esta última, representada en el dogma teórico, suele sobrevivir largo tiempo a la primera.

Hoy, el propio idiota latinoamericano sabe que no hay país próspero sin desarrollo de sus mercados.

Hoy no sólo los países capitalistas fomentan las inversiones y la empresa privada, sino también los países de Europa Oriental y aun los países todavía considerados comunistas como China o Cuba, torciéndole el pescuezo al viejo dogma marxista que identificaba la empresa privada con la explotación del hombre por el hombre.

De los desmentidos dados por la realidad a las especulaciones ideológicas y retóricas de nuestro perfecto idiota, tenemos los latinoamericanos un ejemplo aún más próximo: el agotamiento y fracaso del modelo cepalino basado en la teoría de la dependencia. Según dicha teoría, típica expresión de las concepciones tercermundistas, los países ricos se las habrían arreglado para dejarnos en el subdesarrollo acentuando el carácter dependiente de nuestras economías y sometiéndonos a injustos «términos de intercambio». De semejante fábula surgió una política económica llamada del desarrollo hacia adentro, o de sustitución de importaciones, que exigía un Estado altamente dirigista y regulador para júbilo de nuestro idiota.

Barreras aduaneras, licencias previas de importación y exportación, control de precios y de cambios, subsidios, toda clase de trámites, papeleos y regulaciones contribuyeron en América Latina al crecimiento del Estado ampliando de manera tentacular, asfixiante, sus funciones y atribuciones. ¿Con qué resultado? ¿Nos abrió realmente el camino hacia el desarrollo y la modernidad? Todo lo contrario. La «tramitología», en vez de estimular la producción y favorecer la creación de riqueza, la desalentó. Al dar al funcionario un poder omnímodo sobre el empresario, generó un delictuoso tráfico de influencias y al final del camino, sea para obtener prebendas —las típicas prebendas del mercantilismo, origen de riqueza mal habida—, o para obviar un laberinto de trabas, floreció la corrupción. El protagonista de este modelo no es el mercado ni su ley la limpia competencia, sino el Estado, pues todo converge en los centros neurálgicos donde es el burócrata y no el empresario quien toma las decisiones.

El Estado interventor y regulador, supuesto corrector de desigualdades económicas y sociales, también es el padre de una burocracia frondosa y parasitaria por culpa de la cual las empresas del Estado son entidades costosas, paquidérmicas, profundamente ineficientes. Están corroídas por el clientelismo político. Están infestadas de corrupción. A través de precios, tarifas y gravámenes elevados, prestando siempre muy malos servicios, extorsionan a la sociedad civil, fomentan el déficit fiscal y por esta vía, la inflación y el empobrecimiento. Tal es la realidad que el perfecto idiota no quiere ver. Por eso da como solución —más Estado, más regulaciones, más controles, más dirigismo— lo que es causa fundamental de nuestros problemas. Equivale al médico insensato que diera a un hipertenso una medicina que le aumentara la tensión arterial.

Ciertamente el propio idiota ha comprendido algo tarde que el modelo cepalino no tiene vigencia en estos tiempos caracterizados por los procesos de integración económica regional y por la internalización de la economía. Es una ley de los tiempos; ley que le da al mercado el papel que la Comisión Económica para América Latina (CEPAL) daba al Estado. Atropellado por esta realidad, el idiota latinoamericano dice aceptarla a veces, aunque a regañadientes, con reservas y restricciones (habla de apertura gradual, de economía social de mercado para apaciguar sus reatos ideológicos). Pero se niega a liquidar su vieja superstición del Estado justiciero y benefactor, y todavía alza el puño en balcones y tribunas clamando contra el neoliberalismo, identificado por él con el capitalismo salvaje (¿será el suyo, tan deplorable, modelo de capitalismo civilizado?), y anteponiéndole el dogma del Estado como factor de equidad social.

Increíble, pero es así. Si no tenemos más remedio que llamarlo idiota, perfecto idiota, es porque todavía sigue considerándose un hombre de avanzada y distribuyendo calificativos infamantes (derechista, reaccionario) para quienes se atreven a poner en tela de juicio su dinosaurio, el Estado benefactor.

Oigamos esta otra afirmación suya:

La política neoliberal, llamada de libre empresa o de libre mercado, es profundamente reaccionaria. La sostiene la derecha y equivale a dejar libre el zorro en el corral de las gallinas. La izquierda sostiene que sólo el Estado, interviniendo vigorosamente en la economía, puede obtener que el desarrollo rinda un beneficio social en favor de las clases populares.

Izquierda, derecha: con estas dos palabras especulan siempre nuestros idiotas continentales. Cuando la medicina que nos venden (Estado maximal, dirigista, regulador) se revela ineficaz, les queda a ellos, como último recurso, poner en el frasco un rótulo atrayente. Y lo cierto es que la palabra izquierda despierta en algunos sectores de nuestra sociedad, especialmente en el mundo intelectual y universitario, hermosas resonancias. Es explicable. Cincuenta o cuarenta años atrás, la izquierda era la expresión de corrientes reformistas. *Grosso modo,* se veía a la izquierda tomando el partido de los pobres contra una derecha interesada en preservar un viejo orden anacrónico apoyado por los ricos, los terratenientes, los militares y sectores oscurantistas del clero. Desde entonces el rótulo de derecha tiene entre nosotros una connotación negativa. En la imaginación popular, es la indumentaria ideológica de un reaccionario que bebe whisky en un club, sentado sobre sus buenos apellidos. La izquierda, en cambio, sugiere una idea de rebeldía, de banderas rojas desplegadas al viento, de pueblo ancestralmente oprimido alzándose al fin contra injustos privilegios.

Es simplemente un fenómeno subliminal, un barato juego de imágenes, porque nada de esto es hoy válido. La izquierda, el populismo, el nacionalismo a ultranza e inclusive la versión tropical de la socialdemocracia, para no hablar de la opción revolucionaria, han hecho un tránsito catastrófico por el continente latinoamericano. Han dejado muchos países en la ruina: la Argentina de Perón, el Chile de Allende, el Perú de Alan García, la Cuba de Castro. Por otra parte, lo que se bautiza peyorativa e intencionadamente como derecha, o nueva derecha, o sea la corriente de pensamiento liberal, no tiene absolutamente nada que ver con el conservatismo recalcitrante de otros tiempos.

Todo lo contrario. Representa una alternativa de cambio, tal vez la única que le queda a América Latina tras el fracaso del estatismo, del nacionalismo, del populismo y de las aventuras revolucionarias por la vía armada. Se trata de una alternativa libre de prejuicios ideológicos que no parte sólo de presupuestos teóricos, sino de la simple lectura de la realidad. Nos hemos limitado a comprobar cómo y por qué salieron de pobres países que treinta años atrás estaban en el subdesarrollo y eran más pobres que los nuestros. Por ejemplo, los famosos tigres asiáticos. Esta vía, la única que ha hecho la prosperidad de los países desarrollados, combina una cultura o un comportamiento social basado en el esfuerzo sostenido, el ahorro, la apropiación de tecnologías avanzadas con una política competitiva de libre empresa, de eliminación de monopolios públicos y privados, de apertura hacia los mercados internacionales, de atracción de la inversión extranjera y sobre todo de respeto a la ley y a la libertad. Nuestra idea central es precisamente ésa, la idea de que la libertad es la base de la prosperidad y de que el Estado debe ceder a la sociedad civil los espacios que arbitrariamente le ha confiscado como productora de bienes y gestora de servicios.

Al finalizar este siglo XX, las nociones de izquierda y derecha, nacidas en la Revolución Francesa, han perdido su perfil inicial. Probablemente son un anacronismo en un mundo que ya no pone en tela de juicio la democracia y la economía de mercado. De ahí que un Fukuyama hable ya del fin de la historia. En el ámbito de los países desarrollados, la diferencia entre izquierda y derecha puede subsistir, pero dentro del liberalismo. La separación se establecería en la mejor manera de combinar solidaridad y eficacia y no en la elección de sistemas económicos, pues terminó la confrontación entre socialismo y capitalismo con la virtual desaparición y quiebra del primero. Hoy no hay sino una opción de sociedad viable: el capitalismo democrático.

Nuestro perfecto idiota no quiere admitir tal evidencia. En *désespoir de cause*, recurre a la vieja dicotomía de la izquierda contra la derecha confiando que un factor puramente semántico o emocional puede inclinar la balanza de su lado. La suya es la vieja estratagema escolástica de satanizar a quien pone su dogma en tela de juicio. Neoliberal es un anatema que intenta hundir en la conciencia pública con la furia de la reiteración, como ocurría en la Edad Media con las herejías.

No se ha percatado aún el idiota latinoamericano de que su pensamiento político, bautizado por él de vanguardia, está hoy en la retaguardia de los tiempos. Quizá siempre lo estuvo. El modelo que nos propone es, en fin de cuentas, el mismo modelo mercantilista o patrimonialista, según la expresión de Octavio Paz, que nos legó la Corona española. Llegó a América con las carabelas de Colón. «El monopolio, los privilegios, las restricciones a la libre actividad de los particulares en el dominio económico y en otros, son tradiciones profundamente ancladas en las sociedades de origen español», escribe Carlos Rangel en *Del buen salvaje al buen revolucionario*. Rangel nos recuerda que según este espíritu mercantil español, para el cual la Edad Media era el modelo absoluto, la actividad económica de los particulares era casi un pecado. La España teocrática y autoritaria que nos colonizó, comprometida con la Contrarreforma, quebró siempre la iniciativa individual con toda suerte de reglamentaciones. La riqueza entre nosotros no provenía, como en el caso de los primitivos colonos de la Nueva Inglaterra, del esfuerzo, la laboriosidad, el ahorro y una ética rigurosa, sino del pillaje santificado por el reconocimiento o la prebenda oficial. Desde entonces, entre nosotros, el Estado tutelar era el dispensador de privilegios.

Dicho Estado, que tanto le gusta a nuestro perfecto idiota, es, pues, un hijo del pasado, un heredero de hábitos y métodos que estimularon siempre la intriga, el tráfico de influencias, la corrupción y el fraude. «Frente a esta situación —escribía Rangel—, la reacción espontánea de un jefe de gobierno, heredero de la tradición mercantilista española, será siempre la de intensificar controles, multiplicar restricciones y aumentar impuestos.»

Hijo de la escolástica o de la neoescolástica, en el fondo del perfecto idiota palpita la idea religiosa y medioeval que censura la riqueza viéndola como apropiación indebida y expresión vituperable de codicia. Su reprobación al mundo empresarial no es muy distinta de la que hacían contra los comerciantes prósperos un san Bernardino en el siglo XIV o más tarde el propio san Ignacio de Loyola. «En el ataque contra el desarrollo acelerado, tildado de capitalismo salvaje —escribe el economista colombiano Hernán Echavarría Olózaga a propósito de nuestros socialdemócratas—, se percibe la influencia de las prédicas de los escolásticos de la Edad Media contra la avaricia y la competitividad. Ambos tienen la misma cepa, los mismos abolengos, que percibimos en el espíritu antirrevolución industrial y contra el modernismo.»

Heredero inconsciente de la escolástica, también nuestro perfecto idiota lo es del marxismo, que entre nosotros, según Octavio Paz, tiene mucho más de creencia, y de creencia religiosa, que de método de análisis supuestamente científico del proceso histórico. En el idiota latinoamericano encuentra un eco fácil la afirmación de Proudhon de que «la propiedad es un robo» y la tesis de Marx sobre la explotación del hombre por el hombre. Allá, en el subsuelo de su endeble formación política, mezcla de vulgata marxista y de populismo, ha quedado la idea de que el empresario es un explotador: se enriquece con el trabajo de los otros.

Desde luego otras referencias más recientes concurren para dar espesor a las tesis económicas que el perfecto idiota hace suyas. Keynes, por ejemplo. A él le debe sus ideas de la economía mixta, de la planeación y el dirigismo estatal, las emisiones monetarias como medio de reactivar la demanda y de suplir la carencia de recursos. Nuestro perfecto idiota cree que ésta es también una manera no sólo de financiar el desarrollo sino lo que designa, con lujo retórico, como la inversión social. Es un amigo de la máquina de hacer billetes. Y considera como reaccionarias, neoliberales y contrarias a los intereses populares, las políticas tendientes a asegurar una moneda sana.

Con todas estas teorías, sumadas a las de sir William Beveridge sobre el Estado Benefactor (seguramente también mal interpretadas), nuestro perfecto idiota, en efecto, ha generado políticas catastróficas en muchos países del continente. El desorden monetario, producido por las intrépidas tesis keynesianas, ha tenido como consecuencia la inflación, el desorden institucional, la disminución real del ingreso y, por consiguiente, el empobrecimiento de los asalariados. La inversión social, concebida como un reparto autoritario de la riqueza en el nivel microeconómico o como programa estatal financiado con emisiones monetarias, lo que provoca es depresión social. En este caso el zorro en el corral de las gallinas no es el empresario, sino el Estado, que las despluma sin misericordia.

Una vez más la realidad, y sólo ella, inflige un rotundo aunque a veces tardío desmentido a la utopía ideológica. En el ámbito continental, Cuba y Chile ilustran dos concepciones del desarrollo diametralmente opuestas: una estatista, centralista, planificadora, y la otra, liberal. La primera conduce a la pobreza generalizada, y la segunda, a la superación de los lastres del subdesarrollo y, entre ellos, de la pobreza misma. Habría que reconocerle a Castro el haber sido el más consecuente con el diagnóstico de nuestros males difundido por el perfecto idiota latinoamericano. Si la pobreza, como este último sostiene, es el producto de un despojo; si la famosa plusvalía no es sino la explotación del trabajo por parte del capital, todo ello se arregla socializando los medios de producción y eliminando la propiedad privada. Si las multinacionales explotan a los países pobres llevándose sus riquezas, pues había que expropiarlas. Si el campesino es víctima de una infame explotación por parte de latifundistas y empresarios agrícolas, había que colectivizar las tierras. Y ahí vemos, con esas medidas que ahora el propio Castro intenta corregir tardía y patéticamente, adonde ha ido a parar Cuba.

Chile siguió la vía opuesta. Aplicando el modelo liberal de apertura a los mercados internacionales, privatizando empresas y entidades que antes eran monopolio del Estado, eliminando subvenciones, trámites y reglamentaciones, dando libre entrada a la inversión extranjera, este país ha registrado en los últimos años un crecimiento ininterrumpido del PIB del 6% en promedio (10% sólo en 1992) con consecuencias económicas y sociales inocultables: el desempleo se sitúa hoy por debajo del 4,7%, la mano de

obra ha crecido hasta alcanzar en 1994 la cifra de
4.860.000 personas. En cuatro años, los ingresos han
aumentado en términos reales en un 17% sin que por
ello desciendan los beneficios de las empresas. Las
inversiones extranjeras baten los récords continentales (algo menos de cinco mil millones de dólares
en 1993), aporte que sólo representa un cuarto del
volumen global de inversiones, las cuales —también
es otro récord— representaron en 1993 el 27% del
PIB. El ahorro chileno, por su parte, llega a consti-
tuir el 21,5% de este producto bruto interno. Consecuencia, según el diario *Le Monde*: Chile es casi el
único país de América Latina donde la pobreza disminuyó, en vez de aumentar, desde comienzos de los
años ochenta.

Tales son los hechos, apoyados en cifras. Naturalmente ellos resultan convincentes para quienes
los examinan con objetividad, y no para el perfecto
idiota que, aferrado a sus supersticiones ideológicas,
les opone toda suerte de reparos. En Chile, nos dirá,
subsisten aún desigualdades, hay ricos muy ricos y
pobres muy pobres, y todavía la pobreza afecta a un
26% de la población. Y esto es cierto. Sólo que la dinámica misma de la economía liberal ha logrado disminuir en sólo cinco años el porcentaje de pobres de
un 44% a este 26%, y todo indica que seguirá dismi-
nuyéndolo. Y en todo caso la pobreza chilena no es
atribuible al modelo liberal. Es una herencia del otro,
el estatista y reglamentarista que tanto gusta al perfecto idiota.

La penuria de Cuba es atribuida por éste al llamado bloqueo impuesto por Estados Unidos. En otro
lugar de este libro, se explica cómo dicho bloqueo no
es sino la prohibición a las empresas norteamerica-

nas de negociar con Cuba y de qué manera semejante argumento no es sino una coartada, pues la situación catastrófica de la isla es directa consecuencia de haber aplicado allí el mismo sistema que fracasó en la URSS y los países del Este.

De todas maneras, el perfecto idiota latinoamericano toma distancias con este modelo proclamándose nacionalista o socialdemócrata y hablando de una economía social de mercado por oposición a la propuesta liberal, bautizada por él como capitalismo salvaje. Si lo dejamos exponer ampliamente su tesis, nos hablará de economía mixta, de la necesidad de control de cambios e importaciones, de restablecer subsidios, de permitir a los gobiernos un manejo monetario más libre para financiar proyectos de inversión social, y todo el resto de medidas que forman parte de su quincallería ideológica. De esta manera su modelo más cercano es el que representó en el Perú un Alan García. ¡Líbrenos Jesús!

Extraño defensor de pobres que habla copiosamente en nombre de ellos, que hace gárgaras con la palabra «social» y que, cuando tiene en sus manos los instrumentos del poder, incrementa aún más la pobreza como el señor García con sus políticas nefastas. Cuando todo lo suyo se derrumba, le quedan al perfecto idiota las emociones subliminales ligadas a los términos de izquierda y derecha. Rótulos del pasado. Él es de izquierda y nosotros de derecha. Él es el progresista, el popular, el renovador y, por qué no, ya que la palabra es linda, el revolucionario. Y nosotros, los condenables amigos de los ricos. Con esta retórica primaria sobrevive y se agita todavía, aunque el tren de los tiempos nuevos lo haya dejado. Todavía se cree hombre de vanguardia repitiendo tesis de hace cincuenta años que llevaron al continente a un cuello de botella. Pero qué importa, nuestro idiota sigue considerándose de última moda, como esos abuelitos que al oír las notas de un tango, el baile elástico y pasional de su juventud, se lanzan a la pista olvidándose de gotas y reumatismos. Nada que hacer, él es incurable. Si no, oigámoslo de nuevo:

La seguridad social, los servicios públicos, aquellas empresas que tengan para el país un valor estratégico, deben ser monopolio del Estado y no pueden quedar en manos de capitalistas privados.

Otro dogma, también refutado por la experiencia concreta. El idiota útil —ya lo habrán ustedes notado— intenta siempre situar este debate en un terreno puramente teórico apoyándose en su visión ideal del Estado y en su visión satanizada del empresario privado. Una vez más, la ideología le suministra una dispensa intelectual y una dispensa práctica para no ver la realidad, generalmente catastrófica, de las empresas y servicios administrados por el Estado en la América Latina.

A título de ejemplo, valdría la pena preguntarle a un colombiano qué sucedió con la empresa estatal de los Ferrocarriles, por qué el propio Estado la llevó al desastre, como ocurrió con la empresa Puertos de Colombia, con el Instituto de Crédito Territorial, encargado de los programas de vivienda, o con la empresa estatal de electricidad, que en 1992 dejó por meses el país a oscuras, con un racionamiento salvaje producido por incompetencia, despilfarro, clientelismo y escandalosa corrupción. Habría que preguntarle a ese colombiano, sometido a larguísimas colas, a toda suerte de trabas y a malos servicios médicos, qué piensa del Instituto de Seguro Social y cómo se explica que con un presupuesto de mil millones de dólares y un ejército de treinta y tres mil burócratas sólo cubra el 23 % de la población.

Cosas parecidas a lo que él piensa a propósito de todas estas entidades estatales de servicio público podrían decirlas, y las han dicho en su hora, los peruanos, los argentinos, los mexicanos, los brasileños, los venezolanos, los dominicanos y todos los centroamericanos, para no hablar de los más infortunados de todos, los cubanos, que padecen una colosal ineficiencia del Estado en su isla de infortunios. ¿Qué llevó al presidente Menem a privatizar la compañía estatal de teléfonos? Cualquier habitante de Buenos Aires nos lo diría. Y ciertamente no fue una manía privatizadora, sino una necesidad ineludible, la que indujo al presidente Salinas de Gortari, pese a ser heredero de la tradición estatista del PRI, a privatizar la banca, Teléfonos de México (Telmex), la Compañía Mexicana de Aviación, las Sociedades Nacionales de Crédito, dieciséis ingenios azucareros y otras ciento y pico de empresas. Los institutos autónomos creados en Venezuela tienen mucho que ver con el crecimiento aparatoso de la burocracia y el fantástico incremento del gasto público, que ha llevado aquel país a una de las crisis más agudas de su historia. Jamás tanta riqueza fue derrochada con tan grande irresponsabilidad en nombre del Estado providencial, en detrimento del nivel de vida de las clases medias y populares.

La realidad nos muestra también la otra cara de la moneda. La inmensa mayoría de los chilenos considera que fue de gran beneficio para empleados y trabajadores la creación de un sistema privado de pensiones y de salud. Doce años después de haber sido puesta en marcha esta reforma liberal, los fondos de inversión, propiedad de los trabajadores, puestos al servicio de la economía privada y no del Estado, alcanzan la cifra de veinticinco mil millones de dólares. Cada trabajador chileno posee su libreta personal en la cual se registra el dinero acumulado a su favor. Sólo a un perfecto idiota se le ocurriría, en nombre de sus desvaríos ideológicos, volver atrás, al sistema estatal de pensiones que consume este dinero en burocracia (con la rapidez con que se quema un periódico, dice Echavarría Olózaga) y que crea toda una maraña de trabas e intermediarios para hacer efectivo el pago de las pensiones, sin contar con el peligro de que un día, por su propia ineficiencia, el Estado no pueda pagarlas.

Pese a la evidencia misma de estos hechos, la estupidez de nuestro perfecto idiota no tiene límites. En varios países latinoamericanos, donde fue presentado un proyecto de ley similar al de Chile, el idiota se levantó en las bancas parlamentarias para gritar, con las venas del cuello hinchadas de furor, que el dinero de los trabajadores no podía ir al bolsillo de los capitalistas. Nunca ha sido más pasmoso su desconocimiento de la macroeconomía, ni más vulgar su demagogia, pues, en realidad, a quienes defendía no era a los trabajadores, sino a los sindicatos del sistema estatal de seguridad social. Una vez más, los políticos clientelistas, los burócratas y los sindicatos de empresas oficiales hacen causa común contra los verdaderos intereses de los asalariados de un país.

¿Cómo explicarle a todo este enjambre de perfectos idiotas que sin acumulación de capital no hay desarrollo y que sin desarrollo la desocupación y la pobreza seguirán reinando entre nosotros? ¿Cómo pretenden que países como Brasil, Colombia, Panamá, México o Perú, en los cuales más del 30 % de los hogares vive bajo la línea de pobreza absoluta, puedan incrementar equipos, bienes y servicios, y por consiguiente empleo, con un Estado irresponsable y botarate? ¿Cómo no comprender que el verdadero capital de un país, el capital productivo representado en maquinaria, equipos, fábricas, medios de transporte, sólo lo crea el empresario privado y no el burócrata? ¿Cómo explicarle al político populista, al cepalino irredento, al catedrático o al estudiante impregnado hasta la médula de vulgata marxista, al curita de la teología de la liberación, hipnotizado por la idea medieval de que el rico es el enemigo de los pobres, o al delirante guerrillero empeñado en liberarnos no se sabe de quién a fuerza de terrorismo y violencia, que su ideología no ofrece ya nada, pero nada nuevo, a nuestros pobres países?

¿Quién le va a quitar a nuestro perfecto idiota sus telarañas de la cabeza cuando sostiene todavía que fue su fórmula estatista, y no el modelo liberal, el que produjo el milagro económico de Japón, Corea, Taiwan o Singapur?

Las economías de los países asiáticos llegaron a altos niveles de prosperidad gracias a la intervención del Estado y a la planificación, tan impugnadas por los neoliberales.

Esta afirmación demuestra mala fe o una ignorancia supina. «Querido amigo —quisiera uno decirle benévolamente al perfecto idiota—: hay una diferencia fundamental entre el Estado que interviene para destruir el mercado, impidiendo que jueguen sus leyes de libre competencia o sustituyéndolo por medio de monopolios impuestos autoritariamente, y el Estado que se pone al servicio de la productividad y del mercado, como ha ocurrido en Chile, en Hong Kong, en Japón, Corea, Taiwan o Singapur. Si salta a la cancha —para hablar en términos futbolísticos—, no es para jugar en ella, para meter goles o atajarlos, sino para hacer respetar las condiciones básicas de la competencia, como hace un árbitro con su silbato».

No hay allí dirigismo estatal propiamente dicho ni formas de planificación. El célebre ministerio japonés de la economía, el MITI, se apoya en la inversión privada, en el desarrollo tecnológico y en un mercado altamente competitivo.

Naturalmente, el marco jurídico y las garantías de orden y seguridad que exige la actividad productiva son de la incumbencia del Estado. Los liberales nunca hemos puesto en tela de juicio sus funciones esenciales como son la administración de justicia, el básico ordenamiento legal y la protección del ciudadano. Entre nosotros, latinoamericanos, por cierto, el Estado cumple dichas funciones de una manera muy deficiente por andar metido en tareas que desempeña mejor el sector privado.

Lo que hay en el fondo de este debate es una correcta concepción del papel del Estado y otra equivocada, interferida por postulados ideológicos obsoletos, que tiende a confiscar arbitrariamente la libertad económica. Puede haber una economía donde el Estado juegue un papel importante como en Corea, Taiwan o Singapur poniéndose al servicio de aquélla y respetando sus leyes, y una «economía de Estado» donde éste, al contrario, pretende dictar e imponer las suyas con resultados siempre deplorables.

El Estado no puede desentenderse de los problemas sociales.

Claro que no. Ahí, al menos en este mínimo postulado, no estamos en desacuerdo y expresar este concepto no tiene nada de idiota. Los liberales consideramos que el Estado debe dar un apoyo al desvalido, al marginal, al que por una razón u otra no está en condiciones de valerse por sí mismo y sería aplastado y borrado si se le dejara expuesto a las estrictas leyes del mercado. Nuestra discrepancia con el perfecto idiota latinoamericano está en la manera de cumplir este propósito común.

El liberal chileno José Piñera Echenique ha sostenido que el nuestro no es un continente pobre sino un continente empobrecido. La culpa de tal situación la tiene el capitalismo mercantilista o patrimonial que ha germinado en nuestros países. Ya hemos visto cómo este sistema, plagado de privilegios, de monopolios y prebendas, ha sido una inagotable fuente de ineficiencia y corrupción en nuestras economías, una causa flagrante de subdesarrollo, de discriminación y de injusticia cuyas principales víctimas han sido los más pobres de nuestras sociedades. Este sistema, dice Jean François Revel, se caracteriza «por un rechazo del mercado y de toda libertad de cambios y de precios; por una práctica monetaria irreal, desligada del contexto internacional; por inversiones colosales dilapidadas en complejos industriales megalómanos o improductivos; por gastos militares ruinosos; por bancos esterilizados por las nacionalizaciones que impiden al crédito funcionar según criterios económicos; por un proteccionismo aduanero que suprime la competencia con el exterior e implica una degradación de la calidad de los productos locales; por una economía de rentas, una plétora de empleados parasitarios que, a la larga, hacen imposible un regreso al mercado sin desatar un desempleo endémico; por un empobrecimiento de la población, acompañado de un enriquecimiento por medio de la corrupción de la clase política y burocrática».

El Perú de Alan García y la Nicaragua sandinista —para no hablar de Cuba— ilustran muy bien las catástrofes que provoca este sistema. Hablando siempre en nombre de los pobres, los sandinistas lograron en diez años bajar en un 70% el consumo de artículos básicos y en un 92% el poder de compra de los trabajadores. Las cifras, las cifras siempre, la mejor expresión de una realidad, resultan demoledoras para semejante filosofía política.

Los liberales consideramos fundamental el acceso de la población a los servicios públicos esenciales: educación, salud, agua potable, nutrición y seguridad social. No obstante —y ahí radica nuestra diferencia sustancial— no admitimos el dogma de que el Estado debe ser el ejecutor de tales programas. El Estado debe aprovechar el concurso del sector privado para la prestación directa de servicios elementales. La privatización no es, en este caso, un fin sino una herramienta para ampliar la cobertura, la calidad y la eficiencia de una política social. Se trata, en otras palabras, de reemplazar los monopolios públicos por esquemas de competencia entre las entidades prestatarias dando al usuario toda su libertad de elección.

En síntesis —y ojalá esto sirviera para despejar los prejuicios del perfecto idiota frente al modelo liberal—, creemos que el papel del Estado, diametralmente distinto al que él defiende, debe concentrarse en las tareas esenciales: la defensa de la soberanía nacional, la preservación del orden público, la administración de justicia y (cómo no) la defensa de los sectores más pobres de la población. Dicha concepción implica naturalmente que el Estado se aleje de actividades que suele desempeñar mal, y deje de ser, por fin, el Estado banquero, el Estado industrial y el Estado comerciante que no han hecho sino daño a la estructura productiva de nuestros países.

VI

«CREAR DOS, TRES, CIEN VIETNAM»

Sólo una revolución puede cambiar la sociedad y sacarnos de la pobreza.

Bastaría recordarle al idiota latinoamericano, con su manía dirigista, que existen cosas como terremotos, cataclismos, maremotos, infartos, aneurismas, accidentes aéreos y muchas otras formas ajenas al control humano capaces de producir cambios en una sociedad. Los fenómenos cósmicos, las convulsiones naturales, las tragedias personales y los mil disfraces que tiene la casualidad han engendrado, a lo largo de milenios y de siglos, más cambios que todas las revoluciones juntas, desde que los partidarios de Cromwell le rebanaron el occipucio a Carlos I hasta que el Ayatollah Jomeini desbancó al *sha* de Irán. Pero no seamos tan puntillosos con el idiota. Supongamos que al pronunciar este prodigio de frase ha querido dejar de lado expresamente toda forma de cambio que no sea la estrictamente dirigida por el hombre. Bien: no podemos negar que una revolución puede cambiar a una sociedad. Pero la lógica según la cual *sólo* una revolución puede cambiar una sociedad es digna de hospital psiquiátrico. Hay sociedades regidas por regímenes de fuerza a los que no se puede sacar del poder sin violencia. Hay otras en las que no es necesario volarle los sesos al adversario. Sin embargo, el defensor de la violencia no apela a la lógica sino a la arbitrariedad. Quiere, desea apasionadamente, que haya violencia. Pero sigamos siendo indulgentes.

151

Digamos que la revolución no es sólo una forma de conquistar el poder sino también de ejercerlo. Su ejercicio requiere, tanto para preservar el poder frente a los enemigos reales y potenciales como para perpetrar los despojos económicos necesarios para acabar con el viejo orden, el uso de la fuerza revolucionaria. Digamos que el viejo orden es caduco e inicuo, despreciable y malvado. Hay que cambiarlo y, como se resiste, hay que usar la fuerza. Se deduce de esto que sólo si el resultado de esta transformación es un gran cambio para bien estará el idiota justificado en su rotunda afirmación de que la revolución es el único instrumento válido para el cambio.

Hay un ligero inconveniente: no existe un sólo caso de revolución, excepción hecha de la inglesa en 1688 y la americana, a fines del XVIII, que haya traído el bien. Es más: ninguna revolución, excepción hecha de la inglesa y de la americana, que fueron en sentido contrario a la brújula del idiota, y acaso la francesa, que promovió algunos principios saludables en medio de innumerables barbaridades, ha traído más beneficios que perjuicios. Como la revolución que dibuja una rueda en marcha o un disco en movimiento, el ejercicio revolucionario, a pesar de su velocidad, es un permanente regreso al pasado, un retroceso perenne hacia la injusticia de partida. Las revoluciones latinoamericanas han producido dictaduras en todos los casos, desde la mexicana hasta la nicaragüense (los gobiernos del MNR en Bolivia o de Allende en Chile, a pesar de decirse revolucionarios, no fueron revolucionarios propiamente, porque una revolución implica una toma violenta del poder y la abolición del sistema imperante. En ambos casos, con todas las arbitrariedades y despojos que hubo, y con todas las calamidades económicas que produjeron, no puede hablarse estrictamente de revolución). En otras latitudes, la experiencia ha sido similar a la latinoamericana. Todas las revoluciones africanas y asiáticas engendraron monstruos. Las hazañas de Pol Pot y Mao en Asia, o de Mengistu y el Movimiento Popular para la Liberación de Angola en África, para poner apenas cuatro ejemplos, mataron de odio, de miedo y de hambre a los supuestos beneficiarios de dichas revoluciones. Mao, el Gran Timonel, timoneó a sesenta millones de chinos hasta la muerte con su colectivización de la tierra. Para ellos, el «gran salto hacia adelante» fue un salto hacia la tumba, no precisamente orlada con cien flores. Hailé Mariam Mengistu superó esta proeza al arrasar a un millón doscientos mil etíopes gracias a que ocultó y aceleró una hambruna que hubiera podido ser atajada a tiempo, condenando al hambre a sus compatriotas para herir la conciencia de Occidente y solicitar ayuda económica. Los revolucionarios angoleños requirieron la ayuda de cincuenta mil soldados cubanos y cinco mil asesores soviéticos para, una vez eliminada toda posibilidad de elecciones libres, mantener a sangre y fuego al Movimiento para la Liberación de Angola en el poder.

En América Latina, el morral del revolucionario, al que se creía cargado de bondades, ha estado invariablemente lleno de cenizas. Las cenizas de la destrucción. Tanto si lograron tomar el poder como si no lo lograron (por ejemplo Castro y los Ortega, en el primer caso; Sendero Luminoso y las Fuerzas Armadas Revolucionarias de Colombia, en el segundo), los revolucionarios han sido incapaces de aprender la lección de nuestro siglo de totalitarismos. Perseverantes en el error, contumaces idólatras del fracaso, se han cegado a las lecciones de la URSS y de media Europa y de todos los «movimientos de liberación» (formidable apelativo) surgidos en el mundo subdesarrollado después de la Segunda Guerra Mundial, y se han empeñado en hacernos creer que es posible una forma distinta, original, «autóctona», de socialismo revolucionario. Contaron para ello con el aplauso del mundo. El idiota tiene mentores europeos y norteamericanos a raudales, turistas de revoluciones ajenas, escribas de convulsiones remotas, herederos empobrecidos del viejo utopismo renacentista amarrado a las carabelas de Colón, que alientan sin cesar las proezas de nuestros revolucionarios y, como en la obra maestra de Régis Débray, verdadera cumbre del género, nos demuestran que estas revoluciones son tan nuevas que hasta han transformado la naturaleza misma de la revolución (*¿Revolución dentro de la revolución?*).

¿Con qué pobreza ha acabado la revolución? ¿Será con la mexicana? Seguramente con la de Oaxaca, Chiapas y Guerrero... La mitad de los mexicanos vive en la miseria y buena parte de los que no, deben su situación a todas aquellas traiciones proimperialistas, procapitalistas y proburguesas que los últimos gobiernos mexicanos han infligido al ideario (la palabra es fabulosamente generosa) de la Revolución mexicana. Tan exitosa ha sido la Revolución mexicana, y tan dedicada estuvo a ofrecer su caución a las que ocurrían al sur de sus fronteras (empezando por la más cercana, la de la Unión Revolucionaria Nacional Guatemalteca en Guatemala), que le ha estallado una en su propia cara con pasamontañas y todo, liderada por el perfecto revolucionario latinoamericano:

un intelectual de clase media, el subcomandante Marcos, adorador del fax. Las ironías de todo esto son crueles. Los zapatistas usan el nombre del héroe de la Revolución mexicana de 1910, Emiliano Zapata, precursor en muchos sentidos del propio PRI, pues de esa revolución nació el sistema político que en 1929 se plasmó en el Partido Nacional Revolucionario y que poco después cambiaría de nombre para llamarse PRI. No menos cruel es la constatación de que el gobierno del presidente Salinas dedicó mucho subsidio a la pobreza. Puso a cargo del presupuesto caritativo a Luis Donaldo Colosio y le dio tres mil millones de dólares para administrar la mala conciencia oficial. El sistema es tal que no sólo buena parte de ese dinero quedó en el camino sino que, además, los campesinos que se beneficiaron del subsidio no encontraron en él razones para perdonar la podredumbre política del PRI y el ejercicio del caciquismo provinciano, levantándose contra el gobierno detrás del enmascarado. Que Chiapas recibiera doscientos millones de dólares en 1993 no impidió a los zapatistas tener predicamento en Chiapas en 1994.

La revolución ha sido tan exitosa en el campo, que en él ha brotado una guerrilla a pesar de que en los últimos veinte años el Banco Nacional de Crédito Rural le otorgó al campesinado veinticuatro mil millones de dólares (en verdad entregó el veinte por ciento pues el resto fue a irrigar, no las tierras, sino los bolsillos de los burócratas). La revolución de Chiapas se le ha puesto enfrente a un régimen cuya Constitución ha sido desde 1917, a pesar de las varias enmiendas, esencialmente socialista y corporativista.

¿Será que el hambre fue eliminada en Nicaragua? Si es así, los estómagos de los dos tercios de la población que constituían los desempleados y subempleados al perder los sandinistas las elecciones en 1990 crujían de felicidad. ¿Qué fue de los tres mil millones de dólares anuales que recibió de la URSS el soberano régimen sandinista? La pericia contable de estos revolucionarios para administrar este oro fue tal que al final del gobierno de los Ortega los nicaragüenses tenían un ingreso per cápita de 380 dólares, diez veces menos que... ¿Francia, Alemania, Inglaterra? No: Trinidad y Tobago. Es una cifra que sólo puede tomarse como un indicio, pues la inflación de 33.000% no permite una contabilidad demasiado ortodoxa. ¿Qué fue del dinero que en 1988 Ortega fue a pedir a Suecia con el cuento sueco de que su país, tropical y húmedo donde los haya, vivía una feroz «sequía»?

¿Logró acaso el general Juan Velasco desterrar la pobreza y el hambre en el Perú? A lo mejor por eso es que sesenta por ciento de los campesinos en cuyo nombre el gobierno revolucionario expropió las tierras y aplicó la reforma agraria, se dedicaron, a lo largo de la década de los ochenta, a dividir esa misma tierra en parcelas privadas. El impulso revolucionario que dio el régimen militar al Perú lo hizo saltar del octavo lugar que ocupaba en América Latina a comienzos de los setenta al... ¡decimocuarto lugar en los ochenta! La revolución militar y, más tarde, la pseudorrevolución de Alan García, llevaron la producción agropecuaria, que en los sesenta era la segunda del continente, al muy antiimperialista penúltimo lugar. Sin duda consiguió grandes cosas en los cincuenta el semirrevolucionario Paz Estenssoro, a la cabeza del MNR. Probablemente por ello es que, décadas después, al volver al gobierno este hombre que había nacionalizado el estaño se dedicó a empezar la contrarrevolución capitalista en su país, que luego han continuado Paz Zamora y, en la actualidad, Sánchez de Losada. Hay que decir que en algo sí fue revolucionario Paz Estenssoro: en que se adelantó con sus medidas procapitalistas al resto de América Latina (con excepción de Chile), pues empezó en los ochenta, cuando esto parecía imposible.

¿Será que en Cuba sí se ha desterrado el hambre? Es probable que ésta sea la razón por la que el país del monocultivo empezó hace no mucho tiempo a importar... ¡azúcar! Resulta que Cuba nada en la abundancia, con un ingreso per cápita cuatro veces menor que el de la liliputiense Trinidad y Tobago (nótese aquí una superioridad cubana frente al caso nicaragüense, lo que no es difícil de entender dado que antes de 1959 Cuba estaba económicamente en la primera fila del continente). Hay que añadir que la superficie de Trinidad y Tobago es cuarenta veces más pequeña que la cubana.

Si el hambre se aboliera por decreto, la revolución latinoamericana, cultora maniática del decreto, devota del reglamentarismo y el papeleo, lo habría conseguido. Pero resulta que no, que el hambre no se puede abolir por decreto. Hay que abolirla con prosperidad y ninguna revolución ha logrado traer prosperidad a América Latina. Sólo ha traído corrupción (la revolución ha derivado en *robolución*), dictadura y privilegios para la casta gobernante a expensas del grueso de la población, sumergida en la pobreza. Nuestras revoluciones no han producido otra cosa que miseria moral, política, económica y cultural. Toda la imaginación desplegada en los focos guerrilleros, todo el coraje desplegado en las montañas, mudan en grisura, conformismo, complacencia, al mismo tiempo que en cobardía, una vez en el poder. Los revolucionarios latinoamericanos sólo han demostrado ser aptos para capturar y preservar el poder (para la consecución de cuyo fin son capaces de los volantines ideológicos más acrobáticos, las traiciones más dulces a su propio credo y el oportunismo más florentino). Enemiga de la sociedad de clases, la casta revolucionaria es una oligarquía. Enemiga del autoritarismo militar, la casta revolucionaria depende del uso de la fuerza para seguir en el poder. Adversaria del imperialismo, su existencia no hubiera sido posible sin el subsidio foráneo, y no ha mostrado demasiado complejo a la hora de recibir no sólo ayuda de sus socios ideológicos sino también, gracias a una mezcla de súplicas y chantajes, dólares de los ricos (nadie es más arropado en Cuba que el turista o el capitalista extranjero). Si el camino del paraíso pasa por la revolución, hay que decir que el camino es interminable.

Los países dependientes de América Latina deben luchar en el orden interno contra las oligarquías y el capitalismo y en el orden externo contra el imperialismo, mediante movimientos armados de liberación nacional.

Con buen sentido de su remota posibilidad de ganar elecciones, el revolucionario plantea su objetivo exclusivamente a través de la lucha armada. Aunque a veces anuncia su propósito como un asalto a la ciudad desde el campo, en verdad lo que hace es un desvío, escogiendo el camino más largo: sube de la ciudad a la montaña para luego volver a la ciudad. Porque, invariablemente, el revolucionario proviene de un ambiente de clase media urbana. No es hijo del pantano y el bosque sino de la acera y el concreto. Este curioso bicho tiene tanto tiempo disponible, tantas horas que perder, que se puede dar el lujo de hacer un paseo turístico por la montaña, a veces de muchos años, para acabar —si consigue su propósito— viviendo en la ciudad —tanto en las provincias como en la capital—, donde se concentra en realidad la totalidad de su objetivo: el poder. Además de practicante del ocio, el revolucionario es contumazmente violento, incluso cuando no hace falta serlo. La lucha armada es la condición *sine qua non* para graduarse de revolucionario. La violencia como partera de la historia. Hay que matar y enfrentar el albur de ser muerto para aprobar con honores el curso. La ceremonia de la sangre y la orgía del homicidio son las fuerzas motrices de la acción revolucionaria, que hace del método homicida un objetivo en sí mismo, del instrumento revolucionario el elemento sustancial de su credo ideológico. El revolucionario, además, tiene que sufrir un poco. Si antes de acceder al poder se ha pasado algún tiempo en la cárcel, como Fidel Castro, y ha dicho que la historia lo absolverá, gana muchos puntos (no importa que el presidio breve, de apenas 19 meses, de Fidel, durante el cual Martha Frayde y Naty Revuelta le introducían en la celda chocolatitos suizos y mermeladita inglesa, fuera un lecho de rosas fragantes). Los gana en abundancia si en lugar de una estancia breve en el calabozo esa estancia ha sido larga, como la de Tomás Borge, el nicaragüense, durante el régimen de Somoza, y, además, ha sido torturado. Si, como el Che Guevara, o los guerrilleros peruanos del MIR en los años sesenta (De la Puente y Lobatón) o si, como el poeta peruano Javier Heraud y su ELN, además de sufrimiento el revolucionario encuentra la muerte en el camino, en plena gesta revolucionaria, se va directamente a la canonización, sin pasar por el trámite de acumular más méritos seglares en pos de la gloria eterna. Hay que añadir, claro, que también se alcanza la canonización si, en lugar de caer por culpa de las balas fascistas, se cae por culpa de las sectarias, como Roque Dalton, el salvadoreño al que mataron sus compañeros revolucionarios.

Con frecuencia el objeto de esta violencia no es la oligarquía o el imperialismo, sino el pobre. ¿A cuántos de los grandes industriales, comerciantes, banqueros o aseguradores de los miles que lamieron los pies de Alberto Fujimori en el Perú tras su golpe de Estado en abril de 1992 ha matado desde entonces Sendero Luminoso? A ninguno. Las víctimas privilegiadas del fusil revolucionario en el Perú son los campesinos en la sierra y la selva, los inmigrantes provincianos en la ciudad y, muy esporádicamente, la alicaída clase media de los barrios de Lima. Es más: la puntería del revolucionario se desvía, su pulso sufre un temblor curioso, cuando el blanco contra el que se dispara es el imperialismo: los atentados contra embajadas, por ejemplo, suelen provocar sólo daños materiales, y lo más probable es que si alguien muere en la explosión sea algún guardián autóctono o el infortunado vecino de la zona, por completo ajeno a los designios imperialistas de una embajada que probablemente le ha negado la visa en más de una ocasión. Las Fuerzas Armadas Revolucionarias de Colombia y en especial el Ejército de Liberación Nacional, en Colombia, tienen una extraña obsesión por oleoductos como el de Caño-Limón-Coveñas. ¿Será que esto cuadra con la estrategia antiimperialista de la guerrilla colombiana? Pero resulta que la guerrilla

colombiana se ha aliado umbilicalmente con el narcotráfico, negocio imperialista por excelencia, a cuyo
amparo económico encuentran oxígeno sus pulmones. En los años ochenta, por ejemplo, en las selvas
de Caquetá controladas por la guerrilla convivían las
plantaciones de yuca y de plátano con las de coca. En
el Bajo Caguán los revolucionarios habían establecido un sistema por el cual los campesinos instalaban
sus mesas a las puertas de los hoteles y vendían su
producto a los compradores narcotraficantes, de lo
cual pagaban un tributo a la revolución. Los guerrilleros permiten en sus feudos el ingreso de cal, cemento gris, úrea y gasolina roja para la producción
de la coca. La zona del Vichada, por ejemplo, con cien
mil kilómetros cuadrados de selva, está atestada de
coca gracias al régimen establecido por la guerrilla,
que ha convertido el lugar en un banco para revolucionarios. Ésta es apenas una de diez zonas utili-
zadas para semejante propósito por los guerrilleros.
Y el narcotráfico, que es un producto de exportación
para países ricos cuya demanda controla nuestra
producción, y muchos de cuyos dólares suelen ser la-
vados mayoritariamente fuera de los países de los
narcotraficantes colombianos, ¿no es una forma bastante más rapaz de imperialismo que la exportación
de petróleo, producto, por lo demás, cuya explotación beneficia mucho al país en cuestión ya que éste
tiene necesidad de energía? No importa, el idiota latinoamericano no ve aquí ninguna contradicción: la
narcotización de la causa revolucionaria es buena si
llena los bolsillos de los revolucionarios. El imperialismo es bondadoso si financia al antiimperialismo.
Los sesenta millones de dólares anuales que ha obtenido por muchos años la guerrilla peruana de manos

del narcotráfico son dólares revolucionarios. Las cananas revolucionarias de América Latina están llenas de coca. La revolución ha cambiado el rojo por el blanco. ¡Viva la revolución blanca!

Al idiota tampoco le turba el sueño demasiado que las revoluciones suelan generar las más rancias oligarquías y los más crudos imperialismos. Los pobres sandinistas, víctimas del imperialismo que en 1990 los sacó del poder por vía de las urnas, se fueron a sus casas con millones de dólares en propiedades de las que se apoderaron en el curso de lo que la imaginación popular bautizó como «la piñata». Los comandantes, menos confiados que hace algunas décadas en su futuro, aseguraron su porvenir con espléndidas mansiones expropiadas a sus dueños, infames capitalistas. Daniel Ortega, por ejemplo, que dejó detrás de sí una deuda nacional de once mil millones de dólares, sigue atrincherado en un palacete de más de un millón de dólares, lo que en Nicaragua equivale a una mansión europea de varios millones. No importa: el revolucionario necesita también asegurar un futuro porque, de lo contrario, ¿qué será de la revolución? El revolucionario necesita espacio para pensar y estar a sus anchas, porque si el corazón revolucionario no está alegre, ¿qué será de la revolución? Vamos, a Daniel Ortega no se le puede reprochar que en su visita a Nueva York protegiera sus ojos revolucionarios del inclemente sol con unos estupendos *Rayban*: sin la vista de lince de Daniel Ortega, ¿qué hubiera sido de la revolución nicaragüense?

El imperialismo es malo si lo hacen los otros. Si lo hace el revolucionario no es imperialismo: es *liberacionismo*, como el practicado excelsamente por los soldados cubanos enviados a pelear a África para llevar un poco de justicia a los avimbunduns y los kongos, a los oromos y amharas. Que a su regreso a Cuba el general Ochoa, héroe de las guerras africanas, fuera fusilado no es una contradicción: es la expresión máxima de la gratitud revolucionaria, el premio por excelencia que puede recibir de manos de su Estado un funcionario de la revolución. Que los nicas apoyaran con armas y dinero a sus amigotes salvadoreños del Frente Farabundo Martí de Liberación Nacional no significa que practicaran imperialismo centroamericano: lo que practicaban era solidaridad, fraternidad continental. Que guerrilleros de la URNG de Guatemala apoyen al subcomandante Marcos en Chiapas, o que la Revolución mexicana haya convertido el sur de México en un santuario para los guerrilleros de la propia URNG guatemalteca no es imperialismo contra el vecino: es revolución posmoderna, revolución sin fronteras.

Hay que acabar con el capitalismo, compañeros. Para eso hay que aprender a utilizar sus herramientas. ¿Y qué mejor aprendizaje que el emprendido por el comandante Joaquín Villalobos, estrella de la revolución salvadoreña, convertido en próspero empresario en San Salvador? ¿Quién se atreverá a negarle autoridad moral para conducir la futura revolución de América a este revolucionario que sabrá mejor que nadie, la próxima vez que desenfunde la pistola contra el capitalismo, lo que es la plusvalía, pues habrá sacado partido de ella sobre el lomo de sus empleados? ¿Podrá alguien negarle a Fidel Castro gloria en su palmarés revolucionario tras haber conocido al monstruo capitalista desde adentro, gracias a muchas décadas de *apartheid* económico por el cual las comodidades en La Habana han estado reservadas para los turistas con dólares y para él mismo? ¿Tendrá alguien más pergaminos para, lanza en ristre, emprenderla contra el dólar, que él, que conoce la textura, los matices y las dimensiones del billete verde con una ciencia que envidiaría el mismísimo Allen Greenspan, jefe de la Reserva Federal de Estados Unidos? Para acabar con los ricos hay que vivir como los ricos; de lo contrario, no se sabe lo que se está combatiendo. El goce de palacetes, yates, playas privadas, cotos de caza, aviones y amantes es indispensable elemento del sacrificio revolucionario, prueba dura que pone el enemigo en el camino para intentar aburguesar al revolucionario, y éste debe padecer los rigores de semejantes durezas el mayor tiempo posible, porque la gloria revolucionaria es proporcional al tiempo que uno pueda resistir el dolor de la sensualidad burguesa.

En los países dependientes no es preciso esperar que maduren las condiciones objetivas para una toma de conciencia de las masas: se puede apresurar este proceso a través de vanguardias revolucionarias.

El idiota es —probablemente sin saberlo— un devoto del modelo platónico de gobierno: el poder para la aristocracia de la sabiduría. La revolución que preconiza no la hace el pueblo sino sus abogados ideológicos, la «vanguardia revolucionaria». Ella representa la introducción de la magia tribal en la ciencia marxista, un acomodo ligero de principios y guías ideológicas para dar a las masas tercermundistas, despistadas y atrasadas, un acceso a las prerrogativas de los modernos. En vez de esperar a la conciencia de las masas, trámite complicado en países con niveles educativos más bien livianos, el líder de la tribu puede interpretar las leyes de la historia por ellos, decretar en su nombre que ha llegado el momento oportuno y, zas, emprender la marcha hacia la sociedad sin clases para no llegar demasiado tarde a la cita con la historia a la que, al parecer, los países modernos, más lejos de la revolución, llegarán algo atrasaditos.

La arrogancia intelectual se transforma, una vez en el poder, en arrogancia de poder, es decir autoritarismo. En la actitud según la cual el revolucionario actúa en nombre de los demás porque su condición de «vanguardia» lo coloca en un nivel más sofisticado de comprensión de la realidad está concentrada toda la verdad de la revolución: todo en el revolucionario es expropiación de la soberanía individual y traslado de esa soberanía a la jerarquía superior de la vanguardia.

No importa que la tesis central del marxismo sea que el socialismo constituye una consecuencia natural del proceso capitalista tras la desaparición del feudalismo: hay que saltarse algunas centurias para llegar más rápido. Además, ¿no son nuestros países hoy más urbanos que rurales gracias al desarrollo imparable de la economía informal que brotó de las migraciones del campo a la ciudad y el surgimiento de gigantescos barrios marginales, correas de pobreza en la cintura de la urbe? ¿No es todo ello una demostración de que ya estamos dejando atrás el feudalismo y enganchándonos al tren de la modernidad?

Las condiciones revolucionarias son tan objetivas en América Latina que todas las revoluciones han experimentado la lejanía de las masas con respecto a la vanguardia. En Cuba, no se diga nada: dos millones de exiliados cubanos es el saldo de tres décadas y me-

165

dia de una revolución que prohíbe la salida a sus habitantes. ¿Qué ocurriría si la permitiera? Un atisbo
de ello lo tuvimos en agosto de 1994, cuando el gobierno, en un desafío a la política de brazos abiertos
de Estados Unidos con respecto a los «balseros» cubanos, empezó a relajar la prohibición: decenas de
miles de personas se lanzaron al mar en cualquier
cosa que flotara, más dispuestos a enfrentarse a los
selacios del mar Caribe que a seguir los dictados de
la vanguardia en La Habana.

¿Fue la vanguardia sandinista más exitosa en su
propósito de concientizar a las masas con respecto a
las bondades objetivas de la revolución? No mucho, a
juzgar por la derrota electoral de esta vanguardia en
febrero de 1990 frente a una señora mayor que anda-
ba con ayuda de un bastón y tenía una pierna enye-
sada, además de una falta de acceso total a los medios de comunicación. ¿Acaso el Frente Farabundo
Martí de Liberación Nacional en El Salvador tuvo
más éxito en su labor de abrir los ojos del pueblo? No
parece, a juzgar por lo esquivo del favor popular con
respecto a este partido durante las últimas elecciones, en las que el FMLN hasta cambió de nombre
para probar suerte. Ello no le permitió impedir que
ARENA, el partido al que combatió tantos años y cuyas antiguas vinculaciones con los escuadrones de la
muerte hacían de él el enemigo perfecto, se llevara el
triunfo y Armando Calderón Sol reemplazara a su co-
rreligionario Alfredo Cristiani a la cabeza del Estado
salvadoreño. ¿Han sido las vanguardias de Sendero Luminoso y el Movimiento Revolucionario Tupac
Amaru en el Perú más capaces de lograr sus objetivos? Lo han sido tanto que la dictadura instalada
en el Perú en 1992 con relativa facilidad gracias al

descrédito de las instituciones provocado por tantos años de conflicto ha resultado —por lo menos durante un tiempo— mayoritariamente respaldada por la población. Pero quizás es muy injusto centrarse en Sendero Luminoso. ¿Por qué no hablar de la vanguardia legal del Partido Comunista Peruano que participa desde 1979 en el proceso democrático peruano? Este partido ha sabido concienciar tan bien a las masas que ha sido incapaz de superar la barrera del cinco por ciento para seguir existiendo como partido... En Chile, la vanguardia del Frente Patriótico Manuel Rodríguez fue tan exitosa en convencer a las masas de que había llegado la hora, que el dictador Augusto Pinochet sacó más del cuarenta por ciento de los votos tras dieciséis años de gobierno y su principal contendor, la Democracia Cristiana, partido antirrevolucionario donde los haya, obtuvo aún más. El Partido Socialista chileno, algo escéptico con respecto a sus propias posibilidades de avanzar el curso de la historia, se ha contentado con quedarse dentro del estadio capitalista del desarrollo y dejar el futuro socialista para otras generaciones, pues se dedica a cogobernar con la Democracia Cristiana desde hace ya varios años.

¿Servirán estos datos de algo para concienciar al idiota? No mucho. Las masas están enajenadas por el capitalismo. No saben qué hacer. La vanguardia debe seguir su camino. Otra característica significativa del revolucionario es, pues, su negativa a leer la realidad, su perseverancia en el análisis mágico —que él llama científico— de lo que ocurre a su alrededor, para tratar de meter el ancho mundo en la estrecha cavidad de unas leyes que ni siquiera respeta pues para traerlas a América Latina ha tenido que torcerles el pescuezo bastante. El idiota cree —o dice creer— que, a diferencia de las frutas, las condiciones objetivas no hace falta que maduren. Tiene razón: las revoluciones hay que hacerlas antes de que maduren las condiciones porque ellas no madurarán nunca: son ya un fruto podrido.

Hay que hacer de la Cordillera de los Andes la Sierra Maestra de América Latina.

Lo idiota no es tanto sostener que hay que cubanizar la política latinoamericana: lo idiota sería pensar que esta retórica de los años sesenta ha muerto al sur del Río Grande. En varios países andinos hay todavía movimientos guerrilleros en funcionamiento, llenando de zozobra y de sangre a las sociedades que los padecen, y en casi todos, incluyendo aquellos que carecen, como Venezuela o Bolivia, de grupos terroristas marxistas, hay todavía una honda cultura de la violencia política y una acendrada nostalgia castrista que quisiera ver deslizarse por el majestuoso paisaje andino, desde las Antillas hasta la Antártida, torrentes de revolución. Incluso aquellos que han renunciado a la violencia siguen aferrados a la idea revolucionaria, porque no la conciben como un instrumento sino como todo un proyecto de sociedad, o, más exactamente, de poder. El corazoncito revolucionario no ha dejado de latir en ningún dirigente izquierdista y esto es obvio cada vez que algún asunto de la actualidad obliga a la clase política de los diferentes países a pronunciarse.

El idiota andino busca inspiración en las Antillas, a pesar de que, si hacemos algo de caso a los estereotipos, nada está más alejado de la festividad tropical que la melancolía andina. No importa: se pueden amalgamar tropicalidad y retraimiento serrano porque lo que importa es exportar la revolución. ¿Por qué ir a Cuba a encontrar inspiración revolucionaria cuando el mundo de los Andes, más antiguo que el otro, con un pasado prehispánico más denso y una historia republicana casi un siglo más larga, tiene pergaminos de sobra para hacer su propio aporte original a la causa de la revolución? Por una sencilla razón: porque la revolución cubana triunfó y sigue en pie. No importa que esté malherida y agonizante, que su tejido sea un laberinto de flecos deshilachados, porque al fin y al cabo la etiqueta que le cuelga del cuello sigue diciendo «revolución cubana», exactamente como hace treinta y siete años. Para los peruanos, colombianos o venezolanos que fueron o siguen siendo incapaces de tumbar al Estado burgués es normal que Sierra Maestra siga siendo la referencia. Es un recurso de supervivencia emocional y política, el único trofeo, por muy magullado que esté, que pueden exhibir tras décadas de intentar ser algo más que puñados de forajidos desperdigados por la geografía nacional sin demasiada fortuna (en el caso venezolano están desaparecidos desde los tiempos de Rómulo Betancourt y su ministro del Interior, Carlos Andrés Pérez, en los años sesenta). Pero hay un pequeño inconveniente: Sierra Maestra no tiene el menor interés en emigrar a los Andes. Fidel Castro sólo tiene obsesión por encadenarse a las axilas de los presidentes democráticos de América Latina, por ejemplo en las Cumbres Iberoamericanas o en las tomas de posesión, y cuando no logra ser invitado a una cita, como ocurrió con la Cumbre de las Américas en Miami en 1994, le da un berrinche. Sus ministros recorren América Latina, no para alentar a los revolucionarios de la montaña y cambiar el mundo, sino para mendigar acuerdos de intercambio comercial a los países latinoamericanos cuyas miserias los dirigentes cubanos son los primeros en exponer, dentro de una típica estrategia de exculpación comparativa, cada vez que tratan de disimular sus propias verrugas. La Sierra Maestra está tan olvidada que Fidel Castro ha llegado —horror de horrores— a cambiar el verde olivo por la guayabera. ¿Puede haber algún mensaje más claro con respecto al desprecio de Castro por los Andes que el uso de la guayabera en las cumbres de jefes de Estado? ¿Puede haber una bofetada más sonora en las mejillas de nuestros revolucionarios en las gélidas alturas de la cordillera que esta muestra de calidez tropical? La conclusión, tras la evidente traición de Castro a los principios internacionalistas y las tímidas posturas acerca de que cada pueblo escoge su vía, es sencilla: el amor a la revolución cubana es un amor no correspondido.

Sierra Maestra, al sureste de Cuba, es un simple accidente geográfico, muy lejos de aquel escenario mitológico desde donde los barbudos asediaron al régimen de Fulgencio Batista hasta que éste salió corriendo del país. Sus dimensiones históricas, comprobado el fracaso cubano, y también las mitológicas, se van reduciendo a la medida de las geográficas y sólo para la fantasía pasadista de nuestros actuales revolucionarios ocupa algún lugar de importancia en la sensibilidad de nuestro tiempo. No es justo culpar sólo a nuestros revolucionarios de que esa mitología siga, a destiempo, impregnando a grupúsculos de idiotas latinoamericanos. No hay duda de que los esfuerzos del Che Guevara por crear «dos, tres, cien

Vietnam» contribuyeron poderosamente a ello, a pesar del fracaso que resultó su incursión en el paisaje áspero de Bolivia, donde descubrió que tenía muy poco en común con los campesinos indígenas, cuyas prioridades y costumbres estaban muy lejos del foquismo violentista. El discurso de La Habana en favor de una revolución internacional y latinoamericana fue gastándose a medida que La Habana traicionaba a unos y otros en función de las prioridades tácticas del momento, incluyendo entre los traicionados a aquellos a los que había entrenado y armado. Pero no hay que olvidar que fue un discurso incesante, poderoso y, lo más importante, respaldado por el *glamour* de una revolución que parecía la prueba viviente de que la subversión universal era posible. Lo que pasa es que nuestros revolucionarios, tras años y años de intentos fallidos de tomar el poder en los Andes, se han quedado un poco atrás. Si vieran a Fidel tambalearse como un anciano con reuma o como una momia egipcia huida del sarcófago por las escalinatas del avión que lo lleva camino a los paraísos de la burguesía que son hoy el único destino de su jet, a lo mejor Sierra Maestra se les evaporaría en la mente. Pero no lo han visto. En general, no ven mucho.

El revolucionario sigue creyendo en América Latina como un todo. En esto, al menos, es un idiota benigno. Lo único rescatable que queda del lenguaje revolucionario es su aspiración transnacional, su desprecio por las fronteras. No está mal esta vocación integradora, teniendo en cuenta que los Andes, a pesar de los tiempos que corren, siguen siendo un mundo en el que los conflictos fronterizos todavía ponen los pelos de punta, como el reciente entre Ecuador y Perú o el que a cada rato amenaza con estallar entre Colombia y Venezuela. En una región donde el proyecto de integración —el Pacto Andino, cuyo Tratado fue concluido en 1959— es el que más lenta y torpemente avanza en todo el hemisferio occidental, muy por detrás del Acuerdo de Libre Comercio de Norteamérica o incluso del Mercosur en Sudamérica, es curioso que todavía lata un espíritu internacionalista, por muy retorcido que sea. Sólo que es un internacionalismo sesgado hacia las armas y la violencia, cuando lo que hoy importa en el mundo son las redes informáticas y las multinacionales que fabrican sus productos por todas partes y los venden también por todos lados, siendo ya imposible saber a qué nacionalidad responden los bienes en oferta. En lugar de gritar «hagamos de los Andes el Internet de América Latina», el idiota grita «hagamos de los Andes la Sierra Maestra de América Latina». A lo mejor hay algo en común. Quizás el destino de nuestros revolucionarios sea quedar incrustados para siempre en el Internet como una opción de juego informático para niños, un mundo de ficción tecnológica en el que sí sea posible exportar revoluciones en imágenes y en el que Sierra Maestra vuelva a tener algún significado, aunque sea de esa forma algo menos revolucionaria que en los años cincuenta y sesenta. Si nuestros revolucionarios logran conectarse a la red desde algún enchufe telefónico andino, podrán lograr sus sueños en las pantallitas del ordenador y nadie podrá acusarlos, en sus afanes continentales, de mirar al pasado. Fidel Castro se habría sin duda vuelto lampiño si hubiera sabido, hace treinta años, que el destino de la Sierra Maestra sería convertirse en un montón de muñequitos en el CD-ROM.

La violencia es la gran partera de la historia.

El idiota es metafórico. Le encanta la imagen, la comparación, la hipérbole, le mete florituras a cada una de sus genialidades políticas para tratar de darles un poco más de credibilidad. Es interesante constatar que los enemigos de la democracia, desde políticos hasta comentaristas, son mucho más fosforescentes en el uso de la retórica y del lenguaje en general que los grises demócratas que, salvo excepciones, constituyen el club de los sensatos. Han sido mucho más grandilocuentes y excitantes las fórmulas inventadas para exponer las tesis totalitarias o semitotalitarias que las hechas para justificar la ausencia de grandes convulsiones ideológicas que generalmente supone la apuesta por la democracia. Por lo demás, las democracias latinoamericanas han sido muy acomplejadas frente a la izquierda, lo que ha hecho que los únicos capaces de enfrentarse en términos tremebundos a la retórica de la izquierda hayan sido personajes de tendencia ideológica autoritaria en el bando de la derecha como el mayor Roberto D'Aubuisson en El Salvador. La democracia latinoamericana no ha sabido desarrollar un discurso excitante, colorido, con sabor a cruzada, a pesar de que en la causa democrática hay suficientes argumentos para ello y de que uno de sus grandes desafíos ha sido siempre lograr que los pueblos mantengan la fe en el sistema, incluso cuando puedan haberse decepcionado mucho de determinados gobiernos que han actuado dentro del marco democrático.

El idiota, pues, habla bonito. Generalmente lo hace de una manera hueca, pues sus ideas no son ni muchas ni muy sofisticadas, un simple puñado de ucases ideológicos estereotipados a los que una cierta inflamación del lenguaje da una apariencia de magia. No olvidemos que ya Marx, en su *Manifiesto Comunista*, utilizó imágenes explosivas para acompañar sus profecías y que los primeros revolucionarios soviéticos, como Lenin o Trotski, eran consumados cultores de la hipérbole. Nuestro idiota ha hecho suya la tradición grandilocuente, sólo que por lo general, como en el caso de la idea de Marx acerca de la violencia como partera de la historia, no muestra demasiada originalidad, pues simplemente copia uno de los viejos adagios revolucionarios.

Para el revolucionario la historia sale por entre las piernas de su madre empujada por una partera que se llama violencia. No le importa si esa historia sale sin piernas, tuerta o jorobada, con respiración o sin ella. Sólo importa quién la ayuda a salir. Lo que salga es asunto menor. Muchas veces la violencia revolucionaria hace historia. Pero hace historia de crueldad y fracaso, no de humanidad y éxito. La violencia en El Salvador a lo largo de los años ochenta ha sido, sin duda, histórica. Pero esos setenta y cinco mil muertos provocados por las acciones del Frente Farabundo Martí, y la guerra sucia de los escuadrones de la muerte inspirados en líderes como el mayor Roberto d'Aubuisson, no son historia gloriosa o sacrificio fructífero: el Frente Farabundo Martí parió historia de sangre sin objeto alguno, pues sus miembros no alcanzaron el poder (ni siquiera la respetabilidad electoral en las elecciones de marzo de 1994) y están convertidos ahora en parte de la mediocre maquinaria burguesa. La URNG en Guatemala, sin duda, ha parido historia al provocar cien mil muertos en más de tres décadas de guerra. Pero esa historia no es la que hubieran querido escribir, aislados y semiderrotados como están, en las cercanías de una paz que finalmente los pondrá, no en el poder, sino en la sociedad burguesa. ¿Pensó el tremebundo Abimael Guzmán, durante los años ochenta y comienzos de los noventa, tras la más sangrienta y eficiente movilización maoísta ocurrida en el continente americano, que la historia parida entre sus piernas sería la de su propio cautiverio y rendición, vestido con uniforme de demente y escribiendo cartas de arrepentimiento a un aprendiz de shogun como el ingeniero Fujimori Fujimori? Vaya partera que se ha conseguido la historia revolucionaria.

Una nueva sociedad generará la aparición de un hombre nuevo.

Nadie con un poco de decencia, nadie que no sea un canalla, puede atreverse a negar que el hombre nuevo anunciado por el Che Guevara existe. Claro que existe. Es un cubano con neuritis óptica y cuerpo de gato famélico, flotando en una balsa a la deriva. Es un peruano que, tras la inyección vitamínica del socialismo de Alan García, ve su tamaño encogerse cinco centímetros. Es un mexicano con la espalda mojada por el Río Grande, tan patriota que corre hacia Texas en pos de la tierra que a mediados del siglo pasado los gringos arrebataron a México (con un pequeño interregno independiente que ya no es posible disociar de la hermosa película con Clark Gable y Ava Gardner). La revolución y el socialismo latinoamericano han producido un hombre nuevo. El idiota tiene razón. La revolución es un laboratorio de especímenes originales. Ningún régimen latinoamericano ha conseguido crear un bicho semejante.

Y es que la revolución tiene una vocación adánica inconfundible. Se cree capaz de detener la historia y hacer que con ella ésta vuelva a empezar. Si ella vuelve a empezar, ¿por qué no puede empezar un nuevo tipo de ser humano? Lo que no nos aclaró fue si este ser humano distinto y original sería mejor o peor que el anterior. Si dispondría de más o menos calorías, más o menos expectativa de vida, más o menos oportunidad de trabajo, más o menos bienestar.

La nueva sociedad tiene características interesantes. Por lo pronto, es deicida: quiere acabar con su creador. No hay revolución —exitosa o fracasada en su propósito de tomar el poder— que no haya sido repudiada por el hombre nuevo creado por ella. Además, es furiosamente cultora del Dios-dólar. No hay revolución que no haya acabado desesperadamente en busca de dólares porque su incapacidad para subsistir económicamente la condena a la dependencia y la vulnerabilidad. La nueva sociedad es también fugitiva: todos quieren escapar. Escapan en lo que sea y adonde sea, como se vio cuando los treinta mil balseros cubanos prefirieron hacinarse en la Base Naval de Guantánamo en condiciones animales de existencia antes que seguir en Cuba, tras cerrarles Bill Clinton y la ministra de Justicia, Janet Reno, las puertas de la meca norteamericana. Porque ésta es otra característica: el hombre nuevo es rabiosamente proyanqui. Los sandinistas se pasaron años bramando contra el embargo norteamericano, implorándole al enemigo que comerciara con él, es decir que dejara de ignorarlo como interlocutor económico. Fidel Castro tiene la nordomanía de que habló Rodó en el *Ariel*.

Sólo quiere dinero de Estados Unidos. La sociedad nueva es coquera: le encanta el negocio de la coca, ya sea en los aeropuertos tolerantes de la Cuba-castris-ta-socia-del-cártel-de-Medellín, ya sea en las mara-ñas del Alto Huallaga peruano. El hombre nuevo es, pues, el sueño de toda suegra: enfermizo, deicida, fu-gitivo, proyanqui y coquero.

Resulta que el idiota también es solemne. Le fal-ta humor. La revolución es una de las gestas más se-riotas de la historia republicana americana. Ni ríe ni sonríe. El revolucionario (o su compañero de ruta) se toman en serio a sí mismos y se niegan el más leve gesto de humor, como si ello fuera un gesto de debili-dad que el enemigo aprovecharía para derrotarlos.

A pesar de las características que ha impreso la revolución en el hombre nuevo, el espécimen criado en la revolución no es esencialmente distinto del otro. Los impulsos que lo animan son los mismos: li-bertad y progreso. La revolución ha destruido a las sociedades y les ha quitado la ilusión de la vida, su-miéndolas en el nihilismo, pero no ha logrado cam-biar la naturaleza humana. El hombre nuevo que emigra y se instala en otra sociedad acaba funcio-nando dentro de ella, a pesar de su poca experiencia y de tener la cabeza lavada p la propaganda, con las mismas virtudes que cualquier otra persona que intenta abrirse paso, a base de trabajo, dentro de una sociedad que permite al individuo alguna soberanía sobre sí mismo. Una sociedad nueva a la que súbi-tamente despojaran del liderazgo revolucionario no necesariamente se organizaría en base a la libertad y la democracia. La falta de cultura libertaria proba-blemente haría que surja alguna nueva forma de autoritarismo. Pero si ese mismo hombre nuevo es

trasladado a un hábitat más libre, inmediatamente
—como lo demuestra sin excepciones toda experiencia
migratoria latinoamericana— es capaz de acoplarse al
sistema, pues en esencia lo que quiere es satisfacer
unas necesidades —físicas pero también espirituales— que no son distintas de las de cualquier otro ser
humano. Lo que el hombre nuevo ha perdido en cultura democrática no lo ha perdido en naturaleza humana.

*En un proceso de lucha armada, todo aquel que se opon-
ga a la revolución debe ser considerado objetivo militar.*

El idiota tiene complejo de burócrata. Se nota en
su lenguaje, cargado de términos como «proceso» y de
eufemismos que intentan cubrir las más feroces decisiones o políticas con el más normal y hasta neutral
de los lenguajes. Así, matar a alguien es cumplir un
«objetivo militar». Degollar a un alcalde de un miserable pueblo de la serranía peruana, como ha hecho'
Sendero Luminoso sistemáticamente desde que en
1980 emprendió su cruzada de sangre contra los peruanos, es «ajusticiarlo». Curiosa constatación: la vocación metafórica del lenguaje revolucionario va pa-
ralela al más gris, cuadriculado, ministerial de los
idiomas, lo que no es de extrañar, pues la organización semicastrense de la lucha armada se parece
mucho al enemigo al que el revolucionario supuestamente combate, que es el estamento militar. Enemigo hasta la eternidad del soldado, el revolucionario es
su deudor para todo lo que significa la terminología
revolucionaria. El idiota latinoamericano ha aprendido del militar a confinar las fronteras de la existencia humana dentro de un tablero de ajedrez, geo-

metría sin imaginación donde las haya, hecha de cuadrados idénticos, fiel reflejo de una mentalidad también cuadrada y repetitiva dentro de la cual la vida está encerrada en un puñado de fórmulas simples.

El campesino al que le roban las vacas, el familiar del policía que muere asesinado, el empresario cuya fábrica queda sin energía por la voladura de la torre eléctrica, la hija del alcalde «ajusticiado», no tienen derecho a enfadarse por sus propias tragedias personales. Si después de perder familiares y ver sus negocios arruinarse siente la menor turbación moral ante la justa causa revolucionaria que se llevó de encuentro a sus seres queridos y el resultado de muchos años de trabajo, no hay duda: la revolución debe cortarles la cabeza. La revolución exige la práctica del masoquismo: hay que gozar con la tragedia, y mientras más personal, más excitante. Hay que beber *champagne* —o lo que esté a la mano— cada vez que a uno le degüellen a un hijo y hay que llenar el firmamento de fuegos artificiales cada vez que a uno le roben el ganado. En la revolución, la satisfacción es obligatoria, la felicidad un decreto. Expresar reservas frente a las políticas revolucionarias —o, si se trata del período previo a la toma del poder, las acciones revolucionarias— es cometer un delito de *lesa revolución* el más grave de los crímenes. El maximalismo de la lucha armada prefigura lo que vendrá una vez tomado el poder: la obliteración de toda forma de descontento con la propia revolución. La revolución es partidaria de una sociedad de hombres aquiescentes. El idiota infla los pulmones y su garganta lanza la más filosófica de las sentencias revolucionarias: ¡Vivan los zombies! Esto, claro, tiene su lado sombrío: la violencia. El Perú, por ejemplo, ha visto cómo la lucha armada declarada por los revolucionarios de Sendero Luminoso en 1980, con el beneplácito de los idiotas europeos y norteamericanos (la especie, como se ve, es transatlántica), totaliza ya treinta mil muertos. No todos son obra de Sendero. Muchos son obra de la contrainsurgencia, esa plaga que acompaña como su sombra a toda insurrección. Hay, además, el daño material, esa otra forma de muerte para la sociedad. En el Perú, por ejemplo, este daño contabiliza unos treinta mil millones de dólares a lo largo de quince años, cifra considerablemente superior a toda la deuda externa del país y a todas las inversiones extranjeras hechas en el Perú desde 1980. La reducción del país entero a cenizas sería la gloria del revolucionario. Eso le permitiría empezar de nuevo, jugar el papel adánico que tanto le exige su ideología.

El idiota expresa de esta forma hondos resentimientos sociales, frustraciones genealógicas y familiares, rencores raciales y otras formas de frustración que le dictan la conducta a la hora de pontificar en política. La revolución es, para un buen número de idiotas latinoamericanos, la expresión de una revancha (no siempre está claro contra qué ni contra quién), la vía perfecta para canalizar todas esas fuerzas psicológicas que vienen de su condición y su situación enfrentada al medio ambiente inmediato. Su condición y su medio ambiente pueden ser los de una clase media venida a menos, una clase intelectual con pocas posibilidades de éxito, un grupo de parásitos de alguna subvención, una zona gris a caballo entre el campesino y la urbe de provincias, una casta proletaria con aspiraciones de acceder a la siguiente, una universidad. Destruir, matar, hacer daño, son formas de revivir, de realizarse. Claro, hay veces que el idiota se ilusiona y hasta se emociona. Hay algunos de buenos sentimientos. Pero es probable que la mayoría sean seres aquejados por profundas envidias a las que dan rienda suelta defendiendo la tabla rasa.

Crear dos, tres... cien Vietnam.

El pobre Che Guevara no sospechó lo irónica que sonaría su frase en la década de los noventa. Convertir América Latina en un Vietnam sería llevarla velozmente hacia el capitalismo, tales son los méritos que ha hecho Hanoi para conseguir lo que por fin logró en 1994: el levantamiento del embargo norteamericano. Bajo una dictadura que cada vez va siendo menos comunista y más militar, el régimen ha abierto las compuertas del país al capitalismo occidental y los estragos que ha hecho la Coca-Cola son bastante más significativos que los que hizo en su momento la insurrección de los comunistas del vietcong apoyados por el ejército del Norte. Nadie ha obligado a Vietnam a semejante política. Desde que en 1973 Estados Unidos aceptó el cese el fuego y empezó la caída de Saigón, que se materializaría sólo un par de años después, Vietnam es libre de hacer lo que quiera, sin ninguna presión foránea que no haya sido la de un vecino comunista, la China. Es más: es el propio Vietnam el que se ha dedicado a hostigar a otros países, como lo demuestra su captura de Camboya, invasión que tuvo la virtud de acabar con el régimen de Pol Pot pero que ciertamente no fue perpetrada en nombre de la paz, la civilización y la democracia. Solito, llevado a ello por la fuerza de la actualidad y de su propio fracaso, Vietnam navega hacia el capitalismo (siguiendo la moda, hacia un capitalismo autoritario estilo Lee Kuang Yew). No lo lleva por ese rumbo nadie distinto de quien gobernaba cuando los idiotas de América Latina coreaban sin cesar la voz de «crear dos, tres, cien Vietnam»: el Partido Comunista. Lo que significa una de dos cosas: o el subconsciente del idiota encerraba una inconfesa vocación capitalista o el idiota era de una supina incapacidad de anticipación del futuro, convencido de que el éxito del socialismo haría de esta opción una realidad universal, incluyendo a América Latina.

La consigna vietnamizante ha sido, en realidad, una forma más de antiyanquismo. Pero Vietnam, algunas décadas después, ha dado la razón a Washington y se la ha quitado a los herederos de Ho Chi Min. Pocas frases como la que preside este capítulo expresan tan bien el gran fracaso latinoamericano. Muchos idiotas no podían situar el sudeste asiático en un mapa, pero la obsesión antinorteamericana convertía a Hanoi en la meca de nuestras aspiraciones latinoamericanas. Había que infligir, como fuera, un severo castigo, una humillación histórica, al vecino del norte para vengar... ¿sus intervenciones militares, a lo largo de mucho tiempo, en Nicaragua, República Dominicana, Guatemala, México, Haití, Honduras, Cuba e, indirectamente, El Salvador? No. Más bien, su éxito y su condición de primera potencia mundial.

VII

CUBA: UN VIEJO AMOR NI SE OLVIDA NI SE DEJA

«Sólo se salvarán los que sepan nadar.»
Frase memorable de Cataneo, cantante
del Trío Taicuba, la mañana del 8 de enero
de 1959, cuando Fidel Castro entraba en La
Habana. Desde entonces se le conoce como
El Profeta.

La relación sentimental más íntima y duradera del idiota latinoamericano es con la revolución cubana. Es un viejo amor que ni se olvida ni se deja. Un amor antiguo y profundo que viene desde el fondo de los tiempos. Concretamente, desde 1959, cuando un torrente de barbudos, en cuya cresta flotaba Fidel Castro, descendió desde las montañas cubanas sobre La Habana.

Aquel espectáculo tenía una gran fuerza plástica. Eran las primeras barbas y melenas que se veían en el siglo XX. Luego vinieron los Beatles y los hippies. Y era la primera vez que una revolución derrocaba a un régimen dictatorial sin contar con el respaldo del ejército. Hasta ese momento primaba la convicción de que las revoluciones siempre eran posibles con el ejército, algunas veces sin el ejército, pero nunca contra el ejército. Fidel Castro demostró que esa aseveración era falsa.

No obstante, hay que empezar por señalar que el 99 % de los latinoamericanos, incluidos los propios cubanos, fueron un poco idiotas al enjuiciar el proceso histórico que se cernía sobre la Isla a partir de aquel primero de año de hace pronto cuatro décadas. ¿Quién, en los primeros tiempos, no fue fidelista? ¿Cómo no simpatizar con aquel grupo de jubilosos combatientes que iban a implantar la justicia y el progreso en la tierra de Martí? ¿Cómo no vibrar de entusiasmo ante unos muchachos que habían conseguido la proeza de derrocar a un dictador militar respaldado por su ejército y por Washington?

Sólo que de aquel planteamiento simplón, teñido, a partes iguales, de buena voluntad y de imprudencia, comenzaron en seguida a desprenderse innumerables falsedades que luego acabaron por convertirse en lugares comunes mecánicamente propalados por el idiota latinoamericano sin otro objeto que buscar coartadas para pedir o justificar la adhesión a una dictadura a todas luces inaceptable. Vale la pena examinar una a una las falacias más frecuentemente repetidas a lo largo de todos estos fatigosos años de «oprobio y bobería», como dijera Borges del primer peronismo, otra locura latinoamericana que bien baila. Comencemos, pues, a desmontar ese penoso andamiaje retórico.

Antes de la revolución, Cuba era un país atrasado y corrupto al que el castrismo salvó de la miseria. Fueron la pobreza y la inconformidad social de los cubanos lo que provocó la revolución.

No hay duda de que en el orden político, los cubanos padecían una dictadura corrupta repudiada por la mayor parte de la población. Tras casi 12 años de gobiernos democráticos basados en la Constitución de 1940, el 10 de marzo de 1952 el general Fulgencio Batista dio un golpe militar y derrocó al presidente legítimo, Carlos Prío Socarrás, limpiamente electo en las urnas.

El gobierno surgido de ese acto criminal, abrumadoramente rechazado por los cubanos, duró, como se sabe, siete años, hasta la madrugada del 1 de enero de 1959. Sin embargo, la revolución que lo derrocó no se hizo para implantar un régimen comunista, sino para devolverle al país las libertades conculcadas siete años antes por Batista. Eso está en todos los papeles y manifiestos de las organizaciones —incluida la de Castro— que contribuyeron al fin de la dictadura. Salvo el casi insignificante Partido Comunista —llamado en Cuba Partido Socialista Popular—, ningún grupo político proponía nada que no fuera la restauración de la democracia en los términos convencionales de Occidente.

Lo cierto es que en la década de los cincuenta en el orden económico la situación de Cuba era mucho más halagüeña que la de la mayor parte de los países de América Latina. Entre 1902 y 1928, y luego entre 1940 y 1958, el país había vivido largos períodos de expansión económica y se situaba junto a Argentina, Chile, Uruguay y Puerto Rico entre los más desarrollados de América Latina. El *Atlas de Economía Mundial* de Ginsburg, publicado a fines de la década de los cincuenta, colocaba a Cuba en el lugar 22 entre las 122 naciones escrutadas. Y según el economista, H. T. Oshima, de la Universidad de Stanford, en 1953 el per cápita de los cubanos era semejante al de Italia, aunque las oportunidades personales parecían ser más generosas en la isla del Caribe que en la península europea. ¿Cómo demostrarlo? Prueba al canto: en 1959, cuando despunta la revolución, en la embajada cubana en Roma había doce mil solicitudes

185

de otros tantos italianos deseosos de instalarse en Cuba. No se sabe, sin embargo, de cubanos que quisieran hacer el viaje en sentido inverso. Y este dato es muy de tomar en cuenta, pues no hay información que revele con mayor exactitud el índice de esperanza y de probabilidades de éxito en una sociedad que el sentido de las migraciones. Si doce mil obreros y campesinos italianos querían ir a Cuba a arraigar en la isla —como otros millares de asturianos, gallegos y canarios que deseaban hacer lo mismo— es porque en el país escogido como destino las posibilidades de desarrollo eran muy altas. Hoy, en cambio, son millones los cubanos que desearían trasladarse a Italia de forma permanente.

Por otra parte, en el orden social el cuadro tampoco era negativo. Un 80% —altísimo en la época— de la población estaba alfabetizada y los índices sanitarios eran de nación desarrollada. En 1953 —de acuerdo con el *Atlas* de Ginsburg— países como Holanda, Francia, Reino Unido y Finlandia contaban proporcionalmente con menos médicos y dentistas que Cuba, circunstancia que en gran medida explica la alta longevidad de los cubanos de entonces y el bajísimo promedio de niños muertos durante el parto o los primeros treinta días.

Un último y estremecedor dato, capaz de explicar por sí solo muchas cosas: a precios y valores de 1994, la capacidad de importación per cápita de los cubanos en 1958 era un 66% más elevada que la de hoy. Eso, en un país de economía abierta que importa el 50% de los alimentos que consume, demuestra la torpeza infinita del régimen de Castro para producir bienes y servicios o —por la otra punta— el gran dinamismo de la sociedad cubana precastrista.

Cuba era el burdel del Caribe, y en especial de los nor-teamericanos. La Isla estaba en manos de los gángsters de Chicago y Las Vegas.

En realidad Cuba no era un garito. Eso es falso. En La Habana había una docena de casinos, en los que ciertamente no faltaba la incómoda presencia de la mafia americana, pero ése era un fenómeno de mínimo alcance sobre la sociedad cubana, perfectamente erradicable, como logró hacerlo, en su momento, por ejemplo, la vecina isla de Puerto Rico. En torno a los casinos —tampoco es falso— había gángsters, entre otras cosas, porque no es un negocio que suele animar a los padres dominicos, pero hubiera bastado la acción judicial de un gobierno decente para ponerlos en fuga.

La prostitución era otro mito. El país tenía un bajísimo índice de enfermedades venéreas, estadística que demuestra que no era un lupanar de nadie. Sin embargo, La Habana, como gran capital, y como viejo y activo puerto de mar, tenía una *zona de tolerancia* parecida a la que puede verse en Barcelona o en Nápoles.

El turismo americano, además, solía ser familiar, mientras la prostitución, en cambio, se ejercía esencialmente, por y para los cubanos, algo no muy diferente de lo que sucede en cualquier ciudad iberoamericana de mediano o gran tamaño.

Curiosamente, como reiteran corresponsales y viajeros, es hoy cuando Cuba se ha convertido en un gran prostíbulo para extranjeros que participan —como ocurre en Tailandia— del turismo sexual, aprovechándose de las infinitas penurias económicas del país. Y es fácil de enmendar: antes de la revolución el peso y el dólar tenían un valor equivalente, y eran libremente intercambiables, lo que permitía que las prostitutas no tuvieran que preferir al cliente extranjero, extremo que debe tranquilizar a todo aquel que manifieste alguna expresión de nacionalismo genital. Si alguna vez en su trágica historia Cuba ha sido un burdel para los extranjeros, esa fatídica circunstancia hay que apuntársela al castrismo. Antes, sencillamente, no era ése el panorama.

No obstante todos los inconvenientes, la revolución les ha concedido a los cubanos un especial sentido de la dignidad personal.

Es duro de creer que los cubanos disfrutan hoy de una elevada cuota de dignidad personal. Es difícil pensar que quienes, en su propia tierra, no pueden entrar a los hoteles o a los cabarets a menos de que dispongan de dólares, puedan sentirse dignos y orgullosos de su gobierno. Y es también extraña la cuota de dignidad que le corresponde a una persona a la que no se le permite leer los libros que quiere, defender las ideas que desee o simplemente decir en voz alta las cosas en las que piensa. Si dignidad se define como ese sentimiento de gratificante paz interior que se disfruta porque se vive de acuerdo con los ideales propios, es probable que no haya en América seres más indignos que los pobres cubanos, obligados por su gobierno a repetir consignas en las que no creen, a aplaudir a líderes que detestan, a cobrar sus salarios en moneda que nada vale y a vivir día tras día lo que en la Isla llaman la *doble moral,* o la *moral de la yagruma,* planta que se caracteriza por parir hojas que tienen dos caras totalmente distintas.

La revolución ha sido imprescindible porque Estados Unidos controlaba la economía del país.

En rigor, ése es otro mito muy arraigado en la conciencia del idiota latinoamericano. La presencia del capital norteamericano en la Isla se concentraba en azúcar, minas, comunicaciones y finanzas, y en todos esos campos la tendencia de las últimas décadas era al creciente dominio de los empresarios nacionales. En 1935, de 161 centrales azucareras sólo 50 eran de propiedad cubana. En 1958, 121 ya estaban en poder de los criollos. En ese mismo año apenas el 14% del capital (y con síntomas de reducirse paulatinamente) estaba en manos norteamericanas. En 1939 los bancos cubanos sólo manejaban el 23% de los depósitos privados. En 1958 ese porcentaje había aumentado al 61.

Lo que caracterizaba a la economía cubana, al contrario de lo que difunde el incansable idiota latinoamericano, es que el empresariado cubano era muy hábil y enérgico, algo que pudo comprobarse muy fácilmente cuando salió al exilio. Curiosamente, las cuarenta mil empresas creadas por los cubanos en Estados Unidos tienen hoy un valor unas cuantas veces mayor que la suma de todas las inversiones norteamericanas realizadas en Cuba antes de 1959. Y una sola compañía, la Bacardí, en 1994 pagó en impuestos al Estado de Puerto Rico más que todo el valor de la producción de níquel cubano a precios internacionales en ese mismo año (ciento cincuenta millones de dólares).

La culpa de que la revolución tomara el camino del comunismo y el apoyo a Moscú, la tuvo Estados Unidos con su oposición a Castro desde el inicio mismo del proceso.

En este caso el idiota latinoamericano es minuciosamente inexacto. Lo cierto es que Estados Unidos se despegó de Batista bastantes meses antes de su caída, decretó un embargo a la venta de armas, y le pidió al dictador que buscara una solución política a la guerra civil que desgarraba al país.

Incluso, es probable que la decisión de Batista de huir precipitadamente hacia la República Dominicana la noche del 31 de diciembre de 1958 se haya debido a que percibía «que los norteamericanos habían cambiado de bando». En todo caso, lo cierto es que en 1959 Estados Unidos mandó a La Habana al embajador Philip Bonsal con el propósito de establecer las mejores relaciones posibles con el nuevo gobierno revolucionario.

No se pudo. Y no se pudo por algo que, muchos años después, Fidel Castro explicó con toda claridad ante las cámaras de la televisión española: porque desde su época de estudiante él era un marxista-leninista convencido, y si no lo había dicho durante el período de la lucha armada, fue para no asustar a los cubanos. Castro, en suma, buscó la alianza con Moscú de una manera deliberada, y desde el primer momento (y lo cuenta muy bien Tad Szulc en su libro *Fidel Castro: A Critical Portrait*) se propuso instaurar el comunismo en Cuba. Los gringos reaccionaron frente al comunismo de Castro, no lo indujeron. Ésa es la verdad histórica.

Pero si no se quiere tomar en cuenta el testimonio del propio Castro, al menos no es posible ignorar lo que sucede en nuestros días: ya no existe el bloque comunista en Europa; no hay, realmente, una amenaza militar por parte de Estados Unidos hacia Cuba, y Castro, tercamente, continúa repitiendo una y otra vez la expresión de «socialismo o muerte», negándose a cambiar los fundamentos del sistema. Evidentemente, si alguna vez ha habido un comunista convencido hasta el suicidio, ese caballero es Fidel Castro. ¿Cómo seguir diciendo que en 1959 Estados Unidos lo empujó al comunismo, si hoy el mundo entero, cuando el marxismo ni siquiera es una opción viable, no consigue *empujarlo* fuera del comunismo?

El bloqueo norteamericano contra Cuba es un acto criminal que explica los desastres económicos del régimen y las penurias del pueblo cubano.

En primer lugar, no hay bloqueo alguno. Existe, sí, una prohibición que impide a las empresas de Estados Unidos comerciar con Cuba y a los ciudadanos norteamericanos gastar dólares en la Isla. A esa prohibición en el argot político se le llama *embargo,* y tuvo su origen cuando se produjeron las confiscaciones de las propiedades norteamericanas en Cuba a principios de la década de los sesenta. En aquel entonces las propiedades fueron confiscadas sin compensación y el gobierno norteamericano reaccionó decretando, primero, la renuncia a la compra del azúcar cubano, y luego prohibiendo a sus compañías comerciar con la isla caribeña. Más adelante se añadieron otras restricciones menos importantes, como la de prohibir tocar puerto norteamericano durante seis meses a cualquier barco que antes haya atracado en puerto cubano.

No obstante, el dichoso *embargo* —esa prohibición de venderle o comprarle al gobierno cubano— tiene un efecto muy limitado. Cualquiera que visite una *diplotienda* —establecimientos en los que se compra en dólares en Cuba— puede comprobar cómo no faltan los productos norteamericanos, desde Coca-Cola hasta IBM, dado que es muy fácil para los exportadores situados en Canadá, Panamá o Venezuela comprar localmente esas mercancías y luego exportarlas a Cuba. Pero, además, no existe prácticamente ningún producto que Cuba necesite que no pueda comprar en Japón, Europa, Corea, China o América Latina. Y tampoco existe ningún producto cubano que tenga calidad y buen precio —azúcar, níquel, camarones y otras minucias— que no encuentre mercado en el exterior. El problema, sencillamente, es que Cuba produce muy poco, porque el régimen es endiabladamente ineficaz, y el país carece, por lo tanto, de productos para vender, o de divisas para comprar.

Tampoco es cierto que la presión norteamericana haya impedido que la Isla tenga acceso a créditos para negociar con otras naciones. Si Cuba les debe a los países de Occidente diez mil millones de dólares, es porque en su momento se le dio crédito. Argentina y España, por ejemplo, le dieron crédito por más de mil millones de dólares que no han conseguido recuperar. Francia y Japón perdieron otras buenas sumas en el intento.

Cuba —en definitiva— no paga su deuda externa desde 1986 (tres años antes de la desaparición del bloque soviético y cuando todavía recibía un enorme subsidio de más de cinco mil millones de dólares al año). Obviamente, si la Isla no tiene recursos, se empeña en un sistema de producción legendariamente torpe, no paga sus deudas, e incluso acusa a los prestamistas de extorsión, mientras trata de coordinar a los deudores para que ninguno cumpla sus obligaciones —empeño al que Castro le dedicó mucho tiempo y recursos en la década de los ochenta—, es natural que no le extiendan nuevos créditos o préstamos.

El embargo norteamericano es el responsable de que Castro no cambie su forma de gobernar. Si hay relaciones con Vietnam ¿qué sentido tiene mantener el embargo contra Castro?

Naturalmente, el embargo también tenía una dimensión política al margen de la respuesta a las confiscaciones de los sesenta. En medio de la *guerra fría* Cuba se había convertido en un portaaviones de los soviéticos anclado a noventa millas de Estados Unidos, apadrinaba a todas las organizaciones subversivas del planeta, lanzaba sus ejércitos a las guerras africanas, y resultaba predecible que Estados Unidos respondiera con alguna medida hostil o que intentara acrecentar el costo que significaba para los soviéticos mantener un peón tan útil y peligroso en el corazón de América.

Esa etapa, es cierto, ha pasado (circunstancia que Castro no deja de lamentar), pero el *embargo* se mantiene, ¿por qué? El *embargo* no se elimina porque la comunidad cubano-americana (dos millones de personas si sumamos exiliados y descendientes) no lo desea, y ninguno de los dos grandes partidos —ni demócratas ni republicanos— está dispuesto por ahora a sacrificar el voto cubano.

En estas casi cuatro décadas el problema cubano dejó de ser un conflicto de la política exterior norteamericana para adquirir una dimensión doméstica, algo parecido a lo que sucedió con Israel y la población judío-americana. Sencillamente, el *embargo* es

193

la política *que está,* desde la época de Eisenhower y Kennedy, y los dirigentes de la Casa Blanca o del Capitolio ven más riesgos en modificar esa estrategia que en mantenerla.

Sin embargo, aunque el idiota latinoamericano no quiera admitirlo, quien tiene en sus manos la posibilidad de hacer levantar el embargo es el propio Castro. La llamada Ley Torricelli de 1992, que de alguna manera regula la vigencia de estas sanciones, deja abierta la puerta de un progresivo desmantelamiento del *embargo* a cambio de medidas que tiendan a la liberalización económica y a la apertura política. Si Castro entrara por el aro de la democracia, como ocurrió con Sudáfrica, se acababa el *embargo.*

Si en Cuba hay hambre se debe, en esencia, a las presiones norteamericanas.

Antes de 1959 la ingestión de calorías en Cuba, de acuerdo con el citado libro de Ginsburg, sobrepasaba en un 10 % los límites mínimos que marcaba la FAO: 2.500 calorías per cápita al día. Y es natural que así fuese: Cuba posee buenas tierras, el 80 % del territorio es cultivable, el régimen de lluvias es abundante y la productividad del campo había aumentado tanto que, antes de la revolución, el porcentaje de cubanos dedicados a la industria, el comercio y los servicios, cuando se contrastaba con el del que trabajaba la tierra, era más alto que en Europa del Este.

Lo asombroso es que, con estas condiciones naturales, y con una población educada, en Cuba se produzcan hambrunas que afecten a miles de personas hasta el punto de provocar enfermedades carenciales que las dejan ciegas, inválidas o con permanentes dolores en las extremidades.

A la ineficiencia inherente al sistema comunista para producir bienes y servicios, en el caso cubano debe añadírsele el hecho de que el gobierno de Castro pudo permitirse el lujo de ser aún más ineficiente dado el monto asombroso del subsidio soviético: una cantidad tan grande que la historiadora Irina Zorina, de la Academia de Ciencias de Rusia, ha llegado a cuantificar en más de cien mil millones de dólares. Es decir, cuatro veces lo que fue el Plan Marshall para toda Europa, y más de tres veces la suma dedicada por Washington a la Alianza para el Progreso para toda América Latina. Y esa monstruosa cantidad fue volcada sobre una sociedad que en 1959 contaba con seis millones y medio de habitantes, y 33 años más tarde apenas alcanza los once.

Naturalmente, en 1992, cuando ese subsidio desapareció, se produjo una brutal contracción de la economía, la Isla perdió el 50% de su capacidad productiva, y tuvo que dejar sin funcionamiento el 80% de su industria. En la combinación entre la ineficiencia del sistema y el fin del subsidio es donde se encuentra la quiebra económica del castrismo. Culpar al embargo norteamericano de ese descalabro económico es faltar a la verdad y a las pruebas que aporta la más evidente realidad.

La revolución cubana podrá tildarse de ineficiente o de cruel, pero ha resuelto los dos más acuciantes problemas de América Latina: la educación y la salud pública, mientras ha convertido la Isla en una potencia deportiva.

Ese versículo, ese *mantra* es uno de los más recitados por el idiota latinoamericano. Analicémoslo.

No hay que negar que el gobierno cubano ha hecho un esfuerzo serio por expandir la educación, la sanidad y los deportes. Es decir, por brindarle a la sociedad tres servicios, de los cuales, por lo menos dos —educación y salud—, son importantes. Sólo que cualquier persona instruida sabe que los servicios hay que pagarlos con producción propia o ajena. Y como Cuba producía muy poco, los pagaba con la producción ajena que llegaba a la Isla en forma de subsidios. Claro, una vez que terminó el descomunal aporte del exterior, tanto las escuelas como los hospitales se hicieron absolutamente incosteables para la empobrecida sociedad cubana.

Hoy tenemos en la Isla escuelas sin libros, sin lápices, sin papeles, a las que los estudiantes y los profesores muchas veces no pueden llegar por falta de transporte; tenemos edificios a punto, en muchos casos, de colapsar por falta de mantenimiento, y en los que, además, se imparte una enseñanza sectaria y dogmática, muy lejos de cualquier cosa que se parezca a una buena pedagogía.

De los hospitales puede decirse otro tanto: cascarones vacíos en los que no hay anestesia, ni hilo de sutura, a veces ni siquiera aspirinas, y a los que los enfermos tienen que llevar sus propias sábanas porque, o no las tiene la institución, o carece de detergente para lavar las que posee.

Es importante que el idiota latinoamericano, ese ser cabeciduro al que con cierta ternura va dirigido este libro, se dé cuenta de que lo que a él le parece una proeza de la revolución no es más que una disparatada y arbitraria asignación de recursos. Cuba, por ejemplo, tiene un médico por cada 220 personas. Dinamarca tiene un médico por cada 450. ¿Quiere esto decir que los daneses deben hacer una revolución para duplicar su número de médicos, o será que Cuba, irresponsablemente, ha gastado cientos de millones de dólares en educar médicos perfectamente prescindibles si se contara con una forma racional de organizar los servicios hospitalarios?

Cualquier gobierno que emplee alocadamente los recursos de la sociedad en una sola dirección puede lograr una aparente y limitadísima hazaña, pero esto siempre lo hará en detrimento de los otros sectores que necesariamente deja al margen de los esfuerzos desarrollistas.

Es obvio: toda sociedad sana debe emplear sus recursos armónicamente para no provocar terribles distorsiones. Si Paraguay, por ejemplo, dedicara todo su esfuerzo a convertirse en una potencia espacial, es posible que al cabo de 15 años consiguiera colocar en órbita a un azorado señor de Asunción, mas en el camino, insensatamente, habría empobrecido al resto de la nación. A esas hazañas —típicas de la revolución cubana— algunos expertos les han puesto el nombre de «faraonismo».

Pero si absurdo resulta juzgar cuanto sucede en Cuba por la extensión del sistema educativo o de la salud pública, más loco aún es basar ese juicio en el tema de la «potencia deportiva». Es verdad que en las Olimpíadas Cuba gana más medallas de oro que Francia. Pero lo único que ese dato revela es que la pobre isla del Caribe emplea sus poquísimos recursos de la manera más estúpida que nadie pueda concebir. ¿Cuánto cuesta que el equipo de baloncesto cubano derrote al de Italia? ¿Cuánto dinero se emplea en darle a Castro la satisfacción de que *sus* atletas, como quien posee una cuadra de caballos, ganen muchas competiciones? Volvemos al mismo razonamiento: todas las expresiones económicas de una sociedad deben moverse dentro de la misma magnitud para que el resultado posea una mínima coherencia. Es comprensible el orgullo primario que sienten los pueblos cuando triunfan los atletas de la tribu, pero cuando artificialmente se potencia ese fenómeno no estamos presenciando una proeza, sino un disparate: una asignación de recursos absolutamente enloquecida.

Una última y quizás importante reflexión: la Alemania «democrática» *ganaba* más medallas que la «federal». ¿Quería eso decir que el modelo comunista superaba al occidental? Por supuesto que no. Es una perversidad juzgar un modelo político o un sistema por un aspecto parcial arbitrariamente seleccionado. Los racistas de Sudáfrica justificaban su dictadura alegando que los negros de ese país eran los mejor educados y alimentados del continente negro. Franco, en España, pedía que se juzgara a su régimen por ciertos datos estadísticos favorables. Algo parecido a lo que hace el idiota latinoamericano con relación a Cuba.

Dígase lo que se diga Cuba está mejor que Haití y que otros pueblos del Tercer Mundo.

Por supuesto que Cuba «está mejor que Haití» o que Bangladesh, pero a Cuba hay que compararla con los países con los que tenía el mismo nivel de desarrollo y progreso en la década de los cincuenta; por ejemplo, Argentina, Uruguay, Chile, Puerto Rico, Costa Rica o España. Treinta y siete años después de iniciada la revolución, Cuba está infinitamente peor que cualquier de esos países, y lo razonable es juzgar a la Isla por el pelotón en el que se desplazaba antes de comenzar la revolución, y no por el país más atrasado del continente.

Una curiosa comparación es la que pudiera establecerse con Puerto Rico, dado que esta isla también recibía (y recibe) miles de millones de dólares en subsidios norteamericanos. Pero mientras el subsidio ruso contribuyó a crear una fatal dependencia en Cuba, atrasando en términos reales al país de una manera espectacular, en Puerto Rico sucedió lo contrario. Cuba, con once millones de habitantes, en 1995 exportó mil seiscientos millones de dólares mientras Puerto Rico, con sólo tres millones y medio de habitantes, exportó más de veinte mil millones de dólares. Y mientras Cuba padece las consecuencias de tener una economía azucarera que hoy produce lo mismo que producía hace 65 años, Puerto Rico dejó de ser un país agrícola exportador de azúcar, y se convirtió en una sociedad altamente industrializada, en la que se han instalado más de tres mil empresas norteamericanas poseedoras de un alto nivel de desarrollo tecnológico. En 1959, cuando comienza la revolución, los dos países tenían aproximadamente los mismos ingresos per cápita. Treinta y siete años más tarde los puertorriqueños tienen diez veces el per cápita de los cubanos.

Otro país comparable sería Costa Rica. Cuando comenzó la revolución Cuba poseía un nivel de desarrollo económico bastante más alto que el de Costa Rica, mientras los índices de bienestar social eran notablemente mejores en la isla. Casi cuatro décadas más tarde, los ticos, sin revoluciones, sin fusilamientos, sin exiliados, han conseguido educar a toda la población, la salud pública cubre prácticamente todo el país, y con sólo tres millones de habitantes exporta un 20% más de lo que exporta Cuba.

Los norteamericanos no le dejan a Castro ninguna salida. Son ellos los responsables de la decisión tomada por el gobierno cubano de no modificar el modelo político.

No son los norteamericanos los que no le dejan una salida a Castro, sino es el propio Castro quien no quiere salir del palacio de gobierno. Es el viejo caudillo el que no está dispuesto a aceptar un cambio en el que la sociedad pueda elegir otros gobernantes u otro modelo de Estado. Y no se trata, naturalmente, de confusión o perplejidad. El camino de la transformación política es bastante sencillo: decretar una amnistía, permitir la creación de partidos políticos diferentes al comunista y comenzar a establecer las reglas de juego para una contienda electoral pluripartidista. En cierta manera eso mismo fue lo que sucedió en Portugal, España, Hungría, Checoslovaquia, Polonia y otra media docena de países que han abandonado la dictadura. Pero Castro tendría que admitir la posibilidad de perder el poder y pasar a la oposición. Mas si él no quiere adoptar este camino no es por culpa de los norteamericanos, sino de su propio apego al trono. Lo cierto es que, a lo largo de los años, la oposición más solvente dentro y fuera del país se ha mostrado dispuesta a participar en el cambio pacífico, y es Castro, y no Estados Unidos, quien se niega a ello.

Castro no ha caído, en último análisis, porque es un líder carismático querido por su pueblo.

Cuántas personas apoyan a Castro y cuántas lo rechazan dentro de Cuba es algo que sólo se podrá precisar cuando haya opciones múltiples y los cubanos puedan votar sin miedo.

Sin embargo, es razonable pensar que el nivel de apoyo a Castro debe ser mucho más bajo del que quisiera el idiota latinoamericano. ¿Por qué va a amar a Castro una sociedad con hambre, a la que se le paga con una moneda inservible, a la que se obligó durante quince años a pelear en guerras africanas, y hoy se le martiriza con todo género de privaciones? Pensar que los cubanos apoyan a un régimen que genera este miserable modo de vida es suponer que la conducta política de ese pueblo es diferente a la del resto del planeta.

Si en cualquier latitud del mundo bastan la aparición de la inflación, o un alto nivel de desempleo, o la carestía de ciertos productos básicos, para que el apoyo electoral bascule en dirección contraria, suponer que los cubanos apoyan a su gobierno pese a vivir en una especie de infierno cotidiano, es —insistimos— pretender que los seres humanos nacidos en esa isla tienen un comportamiento diferente al del resto del género al que ellos pertenecen.

Por otra parte, el espectáculo (1980) de diez mil personas hacinadas en una embajada para salir de Cuba, o el de los treinta mil balseros que se lanzaron al mar en agosto de 1994, son síntomas suficientemente elocuentes como para demostrarles a los idiotas latinoamericanos que ese pueblo rechaza visceralmente al gobierno que padece. No podía ser de otra forma después de casi cuatro décadas de locura, opresión y arbitrariedad.

VIII

EL FUSIL Y LA SOTANA

La teología de la liberación subraya el aspecto conflictual del proceso económico, social y político que opone a pueblos oprimidos a clases opresoras. Cuando la Iglesia rechaza la lucha de clases se sitúa como pieza del sistema dominante.

Esta declaración cuasi bélica es tan abierta que desarma. La Iglesia como soldado en la lucha de clases. Los representantes del Dios universal en la tierra toman partido por unos en contra de otros. Los agentes del Dios de la paz ululan en favor de la guerra. ¿Quiénes son estos extraños pastores de Marx? Son los herederos de un movimiento surgido a partir de unas reuniones de obispos en Roma —el famoso Concilio Vaticano II— que tenían la muy decorosa misión de poner a la Iglesia al día y devolver al cristianismo una cierta unidad, quebrada desde hace como mil años. Si los pobres Juan XXIII y Pablo VI hubieran sabido lo que, con el tiempo y torciéndole un poco el pescuezo al asunto, saldría de esa Babel eclesiástica, seguro que se habrían vuelto devotos de Krisna. Algunos obispos y teólogos se entusiasmaron más de la cuenta con la estupenda idea de que la Iglesia debe estar dedicada al servicio y no al poder —eso que llaman una teología como «signo de los tiempos», una Iglesia comprometida— y creyeron que había llegado la hora de dedicarse al socialismo con sotana. Varias órdenes oyeron el llamado, pero entre ellas destacó inmediatamente la de los jesuitas, la orden fundada por el prudente militar de Guipúzcoa que en 1521, tras caer herido, decidió que el sacerdocio era un destino más sensato que el castrense. Los progresistas empezaron a dominar la orden desde los tiempos mismos del Concilio II, inspirados por un teólogo, Karl Rahner, que se había convertido en una suerte de estrella en esa reunión y que a través de su discípulo, Johannes Baptist Metz, se dedicaba a enseñar que la teología no podía dejar de ser política.

Hasta aquí, fantástico. Los emisarios de Cristo quieren bajar del cielo a la tierra, meter las narices en el fango del hombre, echar una mano en este mundo donde hay muchos infelices que se pueden morir de hambre esperando la salvación. Es tonto rebatir la teología de la liberación con el argumento de que la religión no debe mezclarse con la política. La religión tiene todo el derecho del mundo de mezclarse con la política, como lo tiene cualquier individuo, organización o institución. A nadie se le puede negar el derecho a prestar una contribución al quebradero de cabeza de cómo organizar una sociedad decente. Aunque el solo hecho de mezclar la vida del espíritu con la política convoca la sombra del oscurantismo inquisitorial y del Estado confesional, no podríamos, sin un grado de idiotez más allá del conveniente, negarle a un cura el mismo derecho que tiene un creyente laico a pensar que una determinada manera de organizar la sociedad resulta más provechosa que tal otra y, por tanto, a trabajar en favor de ella a través de la prédica y la educación.

El problema es otro: el signo de ese compromiso. En el caso de la teología de la liberación, término que acuñó el peruano Gustavo Gutiérrez en 1971 *(Teología de la liberación, perspectivas)* y cuyos fundamentos siguen siendo motores de acción de muchísimos religiosos en América Latina por más que el propio Gutiérrez haya revisado algunos de ellos con los años, lo grave está en dos cosas. Primero, en que ese compromiso en la tierra es por el socialismo y su instrumento, la revolución. Luego, en que apunta a una suerte de fundamentalismo en la medida en que hace una lectura marxista, y da a la muy pedestre lucha a favor del socialismo el cariz excluyente e iluminado de vía hacia la salvación. De esto último —el socialismo como trampolín al cielo— hablaremos luego. De lo otro —el socialismo como tobogán hacia la tierra— lo haremos ahora.

Se trata de bajar a la Iglesia del elitismo nefelíbata hacia la telúrica realidad. Y caer con un evangelio rojo bajo el brazo. La observación brillante que hace esta Iglesia con pretensiones de regresar a la tierra es que aquí abajo el asunto dominante es la lucha de clases: un grupo mayoritario de desposeídos es explotado por un grupo minoritario de privilegiados, microcosmos de otra injusticia más amplia, la de los países ricos contra los países pobres. El contexto en que esta observación se hace es la de los años setenta, cuando la revolución estaba en su apogeo. Pero también es la que hacen los curas que ayudan a la guerrilla en la Colombia de los noventa, los que meten el hombro en favor de Marcos en el México del Tratado de Libre Comercio, los que denuncian al satán que hunde a los muchachos en el hambre de las favelas en Brasil y los que denuncian el diálogo de paz entre la URNG y el Gobierno de Guatemala en Centroamérica. Todos ellos quieren bronca. Por las buenas o por las malas, hay que empujar la dialéctica de Hegel y la aplicación de Marx por el ojo de la aguja contemporánea en América Latina. Lo que la teología «progre» llama «conflictual» —palabreja que ataca los nervios— no es otra cosa que una lectura marxista de la realidad, es decir la división de la sociedad entre opresores y oprimidos, y, por supuesto, denunciar, automáticamente, el despojo de los primeros como condición para la liberación de los segundos. El término «liberación» es en sí mismo conflictivo: convoca ardorosamente la existencia de un enemigo al que hay que combatir para poner en libertad a los desdichados. Es más: la Iglesia no puede ni siquiera optar por la neutralidad suiza. Debe meterse a toda costa en el asunto. Si se abstiene, es parte de la casta dominante. Si opta por liberar a los infelices por una vía distinta de la socialista, también es agente del sistema dominante. La teología de la liberación, como los regímenes comunistas, quiere poner al individuo ante la disyuntiva de ser cortesano o disidente.

La Iglesia fue siempre, desde que hace muchos siglos pasó de la catacumba a convertirse en religión del Estado romano, un factor de poder. Incluso cuando el Estado se volvió laico, preservó poder y su función espiritual no estuvo nunca desconectada de su función social, cercana al Estado. En una América Latina en la que el poder, efectivamente, ha sido injusto y explotador, esto mancha la historia de la Iglesia católica. La teología de la liberación parte de un inobjetable principio: que la Iglesia debe reformarse, pues no sólo ha sido elitista sino que su pasividad ha quitado a las víctimas un instrumento que hubiera sido poderosísimo para conjurar la injusticia. Hasta allí, ¿quién no se hinca de hinojos ante los apóstoles de la liberación? Si con el mismo tono con el que

Roma execra el condón, las iglesias latinoamericanas hubieran asediado a las dictaduras de nuestra historia republicana y los privilegios económicos otorgados por Estados corruptos a sus parásitos mercantilistas con la coraza de legislaciones excluyentes, a lo mejor los autores de este libro estaríamos dedicados a la astronomía. Si la Iglesia católica hubiera tenido más santuarios democráticos como el de la Vicaría de la Solidaridad en Chile durante la época de Pinochet o el que encarna Miguel Ovando y Bravo en Nicaragua, el crecimiento de la Iglesia protestante, por ejemplo, sería menor en América Latina. Lo asombroso es que la teología de la liberación propone, frente a todo eso, el más grande, el más sofisticado, el más cruel de los sistemas de privilegio: el socialismo (en cualquiera de sus vertientes, la revolucionaria o la pacífica). Los curas sandinistas presidieron una sociedad en la que el privilegio de la cúpula gobernante estaba en contraste celestial con la pobreza general del país. El per cápita de Nicaragua —poco menos de cuatrocientos dólares al año— implica que si un nicaragüense promedio quiere comprar una Biblia tiene que hacerlo a expensas de otros productos, por ejemplo alimenticios —y por ende ayunar bastantes más días de los que tendría que incurrir en semejante proeza si no comprara las Sagradas Escrituras—. Ninguna sociedad que ha reemplazado la explotación capitalista por el socialismo ha erradicado el privilegio: siempre lo ha extendido y agravado. Los Mercedes Benz que pone el gobierno de Fidel Castro cuando fray Betto lo visita en la isla se diferencian de los que usa la familia Cisneros en Venezuela sólo en una cosa: en que a los cubanos promedio el Mercedes les está negado por la esencia del sistema —en buena cuenta, les está prohibido— mientras que en Venezuela no hay impedimento para que un día, cuando los gobernantes metan menos la pata, un venezolano de a pie haga un buen negocio y se compre uno.

Los teólogos de la liberación son feligreses de la parroquia de Napoleón, el cerdo mayor de la granja de Orwell: para ellos, unos son más iguales que otros. La lucha de clases religiosa contradice esencialmente el carácter universal del corazón divino: ¿cómo puede el mismo Dios que quiere a los potentados Forbes y Rockefeller, Azcárraga y Marinho, soplar aliento en el oído de quienes quisieran despachar a estos caballeros al más quemante de los infiernos? ¿Quieren decirnos que el Dios de la fraternidad es, en verdad, un fratricida? ¿Es el Dios de la justicia también el Dios de la envidia? Para los apóstoles de la liberación, la lucha de clases ya existe en la historia y hay que asumirla, si no se quiere estar de espaldas a la realidad. Los curas no se han tomado el trabajo de leer un elemental par de estadísticas sociológicas. La primera cuenta que, en América Latina, la urbanización no es sinónimo de industrialización. Los campesinos que en los últimos treinta años han emigrado a la ciudad y han convertido las capitales latinoamericanas en un montón de urbes caóticas ceñidas por correas de pobreza no las han llenado de obreros sino de «informales», es decir, pequeños empresarios. Si todos los inmigrantes fueran obreros, seríamos el paraíso de la industria. Otro dato estadístico hubiera podido despejar las pupilas coloradas de nuestros célebres curitas: el grueso de los trabajadores latinoamericanos no están sindicalizados. En un país como el Perú, fértil tierra de expositores de la lucha de clases, sólo uno de cada diez se tomaron el trabajo de sindicalizarse. La idea de que la lucha de clases está en la historia y de que ello obliga a la Iglesia a asumirla es, pues, impía. La realidad es inmisericorde con los curas.

La Iglesia debe señalar aquellos elementos que dentro de un proceso revolucionario son realmente humanizantes.

Dentro de la revolución, los cuadros con tonsura tienen su función en el organigrama de la toma del poder por la vanguardia socialista encargada de encarnar el paraíso en los nuevos hombres. Deben dedicarse a escoger y resaltar los aspectos humanizantes de la gesta, no vaya a ser que los revolucionarios pierdan de perspectiva aquellas claves que justifican moralmente la acción revolucionaria. La idea es doble: distinguir la función de los clérigos de otras funciones revolucionarias y darle a la gesta un halo de santidad, pues sin el aporte visionario de ellos la revolución corre el peligro de deshumanizarse; también, fingir la moderación y el equilibrio, en la medida en que esos «elementos humanizantes» sugieren la admisión de que pudiera haber otros menos humanizantes que hasta ahora han opacado lo positivo. Con jesuítica maestría, los teólogos de la liberación le venden la revolución al no revolucionario asegurándole que de la mano del clérigo, intérprete definitivo de su contenido, él encontrará en ella humanidad.

Los curas revolucionarios miran el pasado de la Iglesia y lo condenan. Pero de algunas etapas en la historia de la iglesia sacan unos gramos de virtud que, combinados, producen la receta perfecta. Los primeros cristianos tenían una idea demasiado espi-

ritual de la teología, un apego al más allá que los hacía desentenderse del más acá, una lectura demasiado literal de los clásicos griegos en quienes se inspiraban pues, aunque eran tan amantes del mundo
trascendental como ellos, se diferenciaban en que no
tenían en cuenta el contexto de aquí abajo. Pero tenían de bueno que la teología y la vida del espíritu
eran para ellos una misma cosa, algo que la Iglesia
del futuro socialista quiere rescatar. En el siglo XIV
ocurre lo que los curas «progresistas» consideran la
gran catástrofe: se separa la teología de lo espiritual
y ambas funciones pasan a ser desempeñadas por
personajes distintos. Mala cosa. La separación quitó
espíritu crítico, histórico, al pensamiento religioso.
La escolástica lo estropeó todo. La Iglesia se volvió
revelación y explicación, en vez de reflexión. Al darle
la espalda a la reflexión, se la dio también al compromiso y a la acción. En este repaso histórico, sólo dos
pensadores se salvan de las llamas retrospectivas:
san Agustín, que hace «un verdadero análisis de los
tiempos» en el que se mezclan teología y espiritualidad y en el que lo trascendental viene anclado a la
tierra; y, sobre todo, santo Tomás, que en el siglo XII
introduce la razón en la teología y la vuelve ciencia,
sin perder un fondo trascendental. Así pues, la Iglesia de la liberación, al condenar el pasado de una
Iglesia que por momentos fue demasiado espiritual y
en otros escolástica, y que olvidó lo antropológico de
la revelación cristiana, reclama una teología que sea
ciencia y una espiritualidad que encarne en las cosas
de este mundo, la fusión, antiguamente superada, de
Iglesia y política. Con ese bagaje, a la carga. Los
asuntos de Dios son para el teólogo de la liberación,
una ciencia social. Esa ciencia social permite meter

la sotana por los entresijos del misterio revolucionario y transmitir a la humanidad la revelación de la verdad profundamente humanizante de los rojos; la verdad que en los sesenta y setenta llenó los montes de exaltados y justificó la entronización de tantos simios con galones de poder, y cuyos valedores, aún hoy, en muchos de nuestros países, siguen revoloteando nuestros Gólgotas serranos.

Cuando el cura quiere abandonar la sacristía y saltar al charco para acariciar el barro humano, no quiere salir de la sacristía para aprender. Más bien, para enseñar. En palabras de Paulo Freire, icono brasileño de los teólogos de la liberación, para «concienciar». Atrás queda la machacada preocupación por una Iglesia tradicional que metía la escolástica verdad en la garganta de los infieles como la madre embute la sopa en la inapetente criatura. Hay que meterles la cuchara revolucionaria a los infieles para su propio bien aunque se atoren. Hay que revelarles la revolución, explicarles la verdad que ignoran. No ayudarlos a reflexionar o escuchar lo que piensan y quieren. Hay que «concienciarlos». La revolución es humanidad y es imperdonable que ellos, humanos que son, la ignoren.

Siguiendo con el interesado rastreo de los raros chispazos de virtud en la Iglesia oficial, los curas progresistas encuentran que Juan XXIII y Pablo VI ya hablaron en su momento de «liberación de la pobreza». No importa que estos hombres fueran demasiado tímidos en su puesta al día de la Iglesia: ellos dieron las pautas y hay que seguir el camino hasta el final. El teólogo de la liberación necesita encontrar, en ese condenable pasado eclesiástico, alguna legitimidad institucional. Después de meter el hocico en los santos archivos, encuentra la bendición papal. La misión, hoy, es rescatar el espíritu del Concilio II pero liberarlo de complejos y timidez: los modernos Juan y Pablo habrían terminado, si las circunstancias hubieran sido otras, desbrozando la maleza «salvífica» en la Sierra Maestra y acampado en espera del asalto definitivo en los picos helados de los Andes.

No importa que la jerarquía eclesiástica haya denunciado en todos los idiomas la teología de la revolución y que el Papa haya emitido dos instrucciones severas —una en 1984, la otra en 1986— contra esta extraña alquimia ideológica a la que tienen por ciencia teológica. No importa que Juan Pablo reprendiera públicamente al ex ministro de Cultura sandinista Ernesto Cardenal durante su visita a Managua. Perdonemos a estos papas que no saben lo que hacen.

El cura que revela la escolástica revolucionaria también tiene la misión de «liberar» al pobre de un enemigo satánico. En este punto, hay que sacar del refrigerador teológico un cóctel de frutas. Una onza de Hegel —la idea de la conciencia como factor de libertad—, otra onza de Freud —el comportamiento humano condicionado por el inconsciente que reprime nuestra psiquis— y la onza final de Marcuse —la represión social de la colectividad inconsciente a la que hay que rescatar devolviéndole conciencia social—. Este cóctel de frutas —o minestrone, según se prefiera— dialéctico-psíquico-social deriva en el compromiso liberacionista. Hay que liberar al pueblo de la represión que le impide darse cuenta de que es explotado. La revolución es la revelación que los liberará, la humanizante tarea salvadora.

Revolución y no reformismo es la opción de nuestros idiotas ensotanados. Los experimentos de los partidos confesionales del siglo pasado y de este siglo terminaron mal. En América Latina, en tiempos modernos, la cosa fue muy grave. Primero la Democracia Cristiana chilena gobernó contra los pobres y después se cargó al gobierno del nunca mejor llamado «Salvador» Allende y la Unidad Popular. Luego, el salvadoreño Napoleón Duarte se entregó a los gringos y, a cambio de cuatro mil millones de dólares de ayuda económica y militar a lo largo de los ochenta, gobernó contra el pueblo y su vanguardia, el Frente Farabundo Martí de Liberación Nacional. Basta de partidos confesionales y democracias cristianas. Al cielo se llega por el atajo de la revolución.

Los sacerdotes de la Universidad Centroamericana asesinados no eran simpatizantes de los guerrilleros marxistas. Lo único que hacían era hablar con los diferentes sectores.

Centroamérica atrae a los curas de la revolución como la mermelada a las moscas. Ningún lugar los fascina tanto, ningún rincón del mundo les abre tanto el apetito como El Salvador, Nicaragua y Guatemala, escenarios de grandes conflagraciones ideológicas y militares mientras las guerrillas comunistas intentaban barrer a gobiernos amparados en la fuerza de las armas y en castas militares no precisamente cuidadosas del qué dirán. La labor fue paciente, de hormiga, desde los años sesenta, y estuvo alentada por un buen número de curas extranjeros, entre ellos españoles, que emigraron a esos parajes de renovación cristiana para difundir, frente a esos escenarios de innegable miseria, violencia y desesperanza, sus apocalípticas prédicas sobre la llegada de la liberación. En El Salvador la tarea empezó a fines de los

213

sesenta, en la Universidad Centroamericana, donde los curas progresistas pusieron los pelos de punta al arzobispo e intentaron llevar a cabo la idea de Paulo Freire de que hay que educar y evangelizar concienciando. Numerosos testimonios prueban que esta tarea estaba tan bien dirigida y organizada que parecía que una mano invisible —¿la del Señor?— movía los hilos. Las iniciativas eclesiásticas coincidían con los designios políticos del comunismo latinoamericano y hasta el archimaterialista régimen cubano, enemigo de toda espiritualidad disolvente, aceptó desde el primer congreso del partido comunista en el poder usar a la Iglesia como vehículo de propagación revolucionaria. No sólo en Centroamérica —también en otras partes, desde México hasta el Perú— los curas se fueron instalando en los villorrios abandonados por las capitales, horadando la piedra hasta hacerle el forado que sólo a fines de los ochenta llamaría la atención general y sembraría la alarma en las conferencias episcopales del continente.

La táctica fue siempre la misma: denuncia de la falsa democracia y del aparato militar —lo que en escenarios donde la brutalidad castrense ha sido el pan de cada día tenía un evidente atractivo popular— y condena del hambre —otra característica recurrente de la América Latina— sin mencionar nunca los estragos de las guerrillas y los despojos y las miserias de que eran víctimas los campesinos y trabajadores de los territorios «liberados». La prédica ideológica iba acompañada de la evangélica, en abrumadora mixtura, y estaba bien dirigida a un sector con poca educación y mucha sed de consolación y de fe, al que los galimatías ideológicos y los sofismas evangélico-políticos dejaban boquiabiertos. La modorra y el conformismo de la jerarquía católica, que dejó hacer a los curas de la liberación durante muchos años sin oponerles resistencia efectiva, fueron los mejores aliados de los rojos en sotana, agrupados bajo el nombre estruendoso —epíteto homérico incluido— de la «Iglesia popular».

En el caso específico de El Salvador, monseñor Freddy Delgado, que fue secretario de la conferencia episcopal, es una de las pocas excepciones en la jerarquía católica: vio el peligro desde el primer momento y lo denunció. Su testimonio, recogido en un escrito terrible en 1988, lo dice todo acerca de la Universidad Centroamericana, cuyo rector, el célebre padre Ellacuría, dirigió la captura revolucionaria del centro educativo y promovió la impugnación del *statu quo* desde la comprensión, tolerancia y afinidad con los enemigos armados de lo establecido, la guerrilla del Frente Farabundo Martí de Liberación Nacional. En algún caso, como el que relató en su momento el guerrillero salvadoreño Juan Ignacio Oterao, los jesuitas hacían de intermediarios de la guerrilla comprando armas en el extranjero a través de sus cuentas bancarias, evidencia crematística aplastante de que algunos habían mandado el voto de pobreza al diablo. Exactamente igual que en Nicaragua, donde el sandinismo, el comunismo y el cristianismo llegaron a confundir sus reinos hasta que monseñor Obando y Bravo metió el capelo en la teología política de su país y desbarató esa versión menos sofisticada y espiritual. Sólo a fines de la década, cuando el comunismo se había desplomado como un castillo de naipes, los curas, curas al fin y al cabo en tanto que herederos de la única institución humana capaz de sobrevivir dos mil años, hicieron un acomodo táctico y empezaron a hablar de «diálogo». Su posición, claro, no era una forma de pedir que la guerrilla se integrara a la vida civil, como acabó ocurriendo gracias a los esfuerzos del presidente Alfredo Cristiani, sino de conseguir que el gobierno y la subversión acabaran en pie de igualdad, en un empate que pusiera a los comunistas en situación de poder compartido. El «diálogo» que finalmente dejó sin armas a la guerrilla y al gobierno constitucional firmemente en pie —el diálogo de Cristiani— no era lo que tenían en mente Ellacuría y los suyos. Sus tardíos esfuerzos negociadores eran el último eslabón de la cadena táctica, de un paciente trabajo de socavamiento democrático que tenía loco al arzobispo Luis Chávez.

Que esos llamados al diálogo no tenían mucha seriedad queda demostrado, pocos años después, por la actitud de la conferencia episcopal guatemalteca frente a las negociaciones entre el gobierno de Ramiro de León Carpio y la URNG en Guatemala. En agosto de 1995, bajo el piadoso título de *Urge la verdadera paz,* el episcopado guatemalteco explicó que la verdadera paz no llegaría con el cese al fuego entre la guerrilla y los militares, pues ésta haría su aparición cuando hubiera justicia para todos. Nadie puede discutir —sin merecerse un nicho en el infierno— que la paz no resolverá el hambre y ni siquiera la explotación. Pero hablar en tales términos en el mismo momento en que un país agotado por tres décadas y media de guerra civil celebra una paz negociada que por primera vez parece posible, sólo puede confundir, quitándole a la idea de paz su verdadero e inmediato sentido, y disolviendo en una tupida piscina sociológica sin una gota de cloro el asunto grave de un conflicto que ha costado cien mil muertos. Los mismos esfuerzos de equidistancia ha hecho en Chiapas el famoso Samuel Ruiz, el obispo de San Cristóbal al que le late el corazón por los revolucionarios zapatistas, no porque supongan una respuesta al PRI corrupto y socializante, sino porque predican la revolución marxista (con algún aderezo posmoderno como el fax y el Internet).

El asesinato monstruoso de Ellacuría y los suyos en la Universidad Centroamericana, acción de un escuadrón de la muerte contra uno de los símbolos más poderosos del frente popular *de facto,* contribuyó a dar a estos curas un prestigio de mártires que hace muy difícil criticar sus correrías revolucionarias sin parecer que se está condenando la repugnante metodología homicida de sus verdugos. La prensa internacional, las organizaciones de derechos humanos y los gobiernos «progresistas», para no hablar de los gobiernos democráticos conservadores paralizados por el exorcismo de los socialistas, han sido muy veloces a la hora de condenar las muertes provocadas por el poder en Centroamérica. No lo han sido, en cambio, para condenar las innumerables otras, incluyendo, la de Francisco Peccorini, profesor de filosofía de la Universidad de California y látigo implacable de los curas revolucionarios, a quien el FMLN abatió en 1989 cuando entraba a una estación de radio en San Salvador para debatir contra uno de sus blancos favoritos el tema, precisamente, de la «Iglesia popular».

El padre Ellacuría es el pensador que logró la síntesis superior de marxismo y cristianismo.

El 16 de noviembre de 1989 un comando paramilitar entró en una de las residencias de la Universi-

217

dad Centroamericana y ametralló hasta la muerte a seis jesuitas y dos muchachas de la limpieza, inaugurando alrededor del mundo una letanía política que poco tenía que ver con la trágica muerte de Ellacuría, Montes y los otros, y mucho con la propaganda. Al mismo tiempo que los masacraban, un grupo de orangutanes armados había enviado al cielo de la santidad política por la vía más rápida a los curas vascos nacionalizados salvadoreños que llevaban largo tiempo introduciendo, entre las brumas del incienso y las hojas del misal, la tesis revolucionaria. La historia venía de atrás. Mientras que Jon Sobrino, principal colaborador de Ellacuría, se dedicaba a la tarea más bien teológica, el rector, con el *Manifiesto Comunista* bien guardado bajo el solideo, se encargaba de la prédica ideológica apenas disimulada por el velo de la espiritualidad. La batalla política en la Universidad Centroamericana José Simeón Cañas, claramente ganada por los teólogos de la liberación, había sido tan ardua que los bandos enfrentados dormían en residencias separadas. Nadie en El Salvador ignoraba que ese centro de adoctrinamiento proveía la batería ideológica y la cobertura de la dignidad eclesiástica al movimiento contra la «artificial» y «burguesa» democracia salvadoreña del cual el FMLN era una versión guerrillera pero no la única manifestación. La batalla ya había sido ganada para la causa revolucionaria en la Iglesia, lo que había quedado claro desde la muerte del arzobispo Oscar Arnulfo Romero, el hombre que inspiró las jeremiadas más lacrimosas alrededor del mundo y hasta mereció una rítmica y contagiosa necrológica salsera de Rubén Blades, cuando en 1977 sucumbió a las balas paramilitares en su país. Hijo de la fantástica maquinaria propagandística de la izquierda —que en los años setenta, no lo olvidemos, parecía un *juggernaut* capaz de acabar desde dentro con el Occidente libre—, el mito del cura Romero entronizó la primacía de la «iglesia popular» en El Salvador. Se trataba de una mentira impía: Romero no fue nunca un revolucionario ni un partidario de la teología de la liberación. Más bien, un hombre atemorizado acorralado por las monjas y los curas revolucionarios que se le metían histéricamente con cama y todo en la oficina cada vez que había una disputa administrativa, y que con sus acrobáticos asaltos a la curia habían conseguido aislar las posibles fuentes de apoyo que el arzobispo hubiera querido encontrar en el sector más tradicional. El Papa se lo había llevado a Roma a darle un buen tirón de orejas por su debilidad frente a los sotanaroja, y él había regresado dispuesto a dar batalla, atreviéndose incluso a atacar la penetración marxista en la Iglesia. Su muerte, una de las más contraproducentes barbaridades cometidas por los anticomunistas, permitió a la iglesia revolucionaria rendirle culto en el altar del martirio. Desde entonces, los padres Ernesto Cardenal, Miguel d'Escoto y las otras reliquias del santuario sandinista convirtieron su vacilación y timidez en arrojo sacrificado en favor de la iglesia socialista.

Como otros mitos —el del cura guerrillero Manuel Pérez en Colombia, por ejemplo—, los de Romero y Ellacuría expresaron, más que la situación de la Iglesia de América Latina, la gruesa trama de complejos, mala conciencia, racismo a la inversa, sed de aventura y turismo revolucionario de la *intelligentsia* europea y norteamericana. Los jesuitas hispanosalvadoreños eran frecuentes estrellas de la televisión española, en la que encontraban la hospitalidad arrobada de esos feligreses de revoluciones ajenas, los periodistas «progresistas». La savia internacional alimentó bien los esfuerzos internos de los curas revolucionarios hasta que a comienzos de los noventa, aplastados por el peso de los escombros del Muro de Berlín, ellos fueron encogiendo la dimensión de su impacto dentro de los confines marcados por el éxito de la democracia y la revisión ideológica de muchas de las figuras de la izquierda. El propio Ellacuría había empezado a emigrar desde el activismo revolucionario hacia la aparente equidistancia del llamado al «diálogo» entre la guerrilla y el gobierno, táctica inequívocamente leninista en momentos de retroceso objetivo, pero que, de todas formas, tuvo el efecto de detener algo la marea liberacionista. Que los curas guatemaltecos estén hablando ahora con reserva y casi menosprecio de las negociaciones entre el gobierno guatemalteco y la URNG no debe extrañar: el diálogo supuso en El Salvador la derrota definitiva del FMLN, lo que los electores se encargaron de confirmar en las urnas poco después del fin de la guerra, y no hay por qué pensar que las cosas serían distintas en Guatemala.

La perfecta síntesis de marxismo y cristianismo encarnada por el padre Ellacuría, el poeta Cardenal, el obispo Ruiz y tantos otros en América Latina pretendía —y pretende— revitalizar y modernizar a la Iglesia, restregándole un poco los ojos y quitándole las legañas. Lo que ha conseguido, después de los acontecimientos de la Europa central y oriental, es llevar a la Iglesia de la mano hacia esa zona de descrédito que hoy comparten tantas instituciones oficiales en nuestros países. En el caso de la Iglesia, la pérdida de popularidad y respeto institucional ha permitido el avance de otras confesiones, suerte de desafío «informal», desde abajo, a la catedral de la institución católica, espejo de lo ocurrido en el terreno económico en el que tantos latinoamericanos trabajan al margen del Estado y sus leyes. Las sectas evangélicas y el protestantismo se han expandido en países como Guatemala y el Perú a medida que la Iglesia oficial iba perdiendo fuerza. Síntoma de ello es que los recientes llamados del régimen peruano en favor de la vasectomía no han provocado su caída (algunos creyeron que el golpe genital lograría lo que no pudieron lograr los esfuerzos de la resistencia democrática en todos estos años). Cuánto han contribuido a esto los supuestos salvadores de la Iglesia católica, los teólogos de la liberación, es algo que está por estudiarse. Pero la contribución del Ellacuría autor de un libro cargado de humildes intenciones y vicarias misiones, *Conversión de la Iglesia al Reino de Dios,* así como la de sus pares, no debe haber sido desdeñable.

Allí donde se encuentran inicuas desigualdades sociales hay un rechazo del Señor.

Si el socialista común hace de la culpabilidad un eje de su visión del mundo —siempre hay un responsable de los males sociales—, el teólogo de la liberación lleva esta costumbre a niveles celestiales. Así, detrás de cada gamín descalzo en las alcantarillas sociales del Río de las favelas, detrás de cada indio con ojotas que carga sobre los hombros un saco de papas peruanas, detrás de cada vientre haitiano hinchado de desnutrición en el barro humano de Cité Soleil, hay un diablo. Satán se ha convertido, gracias a la sociología teológica de los liberacionistas, en un sistema económico. El mal ha encarnado, por supuesto, en el capitalismo. Cada capitalista latinoamericano esconde en la espalda un trinche diabólico. La manía de asignar al capitalismo, que no es otra cosa que una manera de organizarse espontáneamente la sociedad, cualidades morales —mejor dicho, inmorales—, encuentra, en la teología de la liberación, la conclusión perfectamente lógica: el capitalismo es Belcebú.

Olvidemos por un rato esta curiosa metáfora bíblica que los teólogos progresistas aplican a la realidad (por más que su espíritu no es metafórico sino literal). Esto ya de por sí es grave, porque cuando se invoca a Dios y al diablo para juzgar la política el paso lógico es la hoguera. Dejemos que el fuego eterno arda por algún rincón y vayamos a lo otro: la culpabilidad del capitalista. Se cree que la pobreza de alguien es la riqueza de otro, exactamente igual que cuando el amo mantenía al esclavo en estado semianimal para vivir a expensas suyas. El incipiente e imperfecto capitalismo latinoamericano debe, precisamente, buena parte de su poco ímpetu al fin de la esclavitud. Se ha estudiado mucho la limitación económica que significó la esclavitud para el capitalismo y cómo el nacimiento de éste, con su ritmo, su movilidad y su apetito de tecnología, firmó el acta de defunción de aquélla. Ello no importa a los curas sociales: la pobreza es hija del mal, de la maquinación de un grupo de explotadores, de un mundo en el que la riqueza es una ecuación de suma cero a un extremo de la cual están las víctimas, mientras al otro están los actuales señores de horca y cuchilla. Este pensamiento —la palabra es hiperbólica— es atractivo. El escándalo de la miseria necesita que haya culpables. Sólo es posible aplacar la conmoción que produce la pobreza si hay alguien contra el cual dirigir el odio provocado por la injusticia.

Pero lo cierto es que ni el capitalismo es una maquinación, ni la riqueza de los capitalistas se vertebra con los huesos de los pobres, ni la pobreza tiene en quienes no son pobres a los culpables. Primero, porque el capitalismo es una palabra que simplemente describe un clima de libertad en el que todos los miembros de una comunidad se dedican a perseguir voluntariamente sus propios objetivos económicos. Segundo, porque ese proceso conlleva necesariamente diferencias entre unos y otros: cada individuo tiene objetivos particulares y el medio para llegar a ellos varía según la persona. Tercero, porque no existe alternativa, es decir un sistema que asigne a cada cual una cantidad equivalente de riqueza (si algún sistema no logra ese objetivo igualitario es el socialismo, verdadera junta de satanes que allí por donde ha pasado ha acumulado formidables cantidades de bienes y ha dejado a sus víctimas más desnudas y esbeltas que un Cristo de el Greco).

Claro, si hubiera que dotar de moralidad a la discusión sobre sistemas económicos, los malos no serían los capitalistas sino los socialistas, en todos sus derivados latinoamericanos, que son muchos: el estatismo, el mercantilismo, el nacionalismo. Lo que los curas «progresistas» llaman capitalismo ha sido, de verdad, su caricatura. Subliman a los poderosos al achacarles virtudes capitalistas cuando las suyas han sido en verdad facultades anticapitalistas y parasitarias, capaces de comprar leyes y legisladores,

tener éxito sin competir y cobijarse bajo la mano da-
divosa del Estado. Al oír que se condena al capitalismo al averno, Dios, que no suele decretar el infierno para quienes todavía no han nacido, debe fruncir
el ceño.

Uno se pregunta: ¿cómo puede la Iglesia dividir
en buenos y malos a los hombres si la gracia de Dios
es universal, si todos, ricos y pobres, tienen derecho
a la salvación? Los teólogos de la liberación aman.
Aman tanto a los ricos que para evitarles el destino
quemante del infierno les quieren expropiar sus bienes en vida de tal modo que tengan tiempo de expiar
aquí en la tierra todos sus pecados sociales. Más te
pego, más te quiero, dicen del amor serrano en el
Perú. Los apóstoles de la liberación practican una
versión teológica del amor serrano: más te quito, más
te adoro. Es la envidia social convertida en factor de
la salvación eterna. En vez de pagar una indemnización económica, los curas ofrecen a los expropiados el
más preciado de todos los bonos: el paraíso celeste.
¿Quién no entregaría su fábrica, su mansión, su cha-
cra y hasta sus calzoncillos al Estado liberacionista a
cambio del cielo? La teología de la liberación sitúa así
la noción de justicia exactamente donde la sitúa el
comunismo: en el despojo de lo ajeno, la abolición de
la propiedad privada. Y busca un pretexto delicioso
para justificar la negación de la premisa cristiana del
amor universal de Dios que representa el despojo
contra los que tienen: «amor universal es liberar a los
opresores de su propio poder, de su egoísmo».

La contrapartida del despojo es la caridad. A la
sociedad de las clases sociales creadas por el exclusi-
vismo capitalista ajeno a Dios, se opone el reino de la
fraternidad, un mundo donde la caridad sea el ele-

mento aglutinante de los seres humanos, la única moneda aceptable para la interacción de los bípedos. No entremos a perder el tiempo explicando otra vez que no se puede repartir lo que no existe y que querer partir lo que existe acaba reduciendo a porciones liliputienses la ración de cada cual. Vayamos a otra cosa: la solidaridad como instrumento social. En verdad, a los curas de la liberación se les escapa que el capitalismo resulta ser el sistema más solidario de todos, un mundo donde la caridad —entendida no como dádiva sino como actitud, como mística de las relaciones humanas— es infinitamente mayor que en cualquier otro sistema. Ésta es, por ejemplo, la tesis del último libro de Francis Fukuyama, *Trust, the Social Virtues and the Creation of Prosperity* (lástima que la frase «final de la historia» haya condenado su libro anterior —que ofrecía argumentos muy sensatos sobre la superioridad de la democracia liberal frente a sistemas alternativos—, a tantas diatribas que se ha perdido de vista la tesis central). La idea es indagar acerca de las claves de la prosperidad. Obviamente, el porcentaje mayoritario de ese secreto está en que es un modelo que permite la persecución racional de intereses privados, la búsqueda de objetivos particulares dentro de la libertad. Pero hay también un componente fundamental que es la cultura, el conjunto de costumbres y hábitos de la sociedad. Dentro de esa cultura el elemento clave es la confianza. ¿Imaginan lo que sería el mundo capitalista sin confianza? Sería incalculable el dinero que costaría y el tiempo que se perdería si las personas que participan de un mundo capitalista no se tuvieran confianza alguna. No es necesario seguir a Fukuyama en su argumento de que sociedades como la norteamericana y la inglesa, donde la confianza es mayor que en la francesa y la italiana, hay un capitalismo más robusto y próspero, hecho de grandes corporaciones impersonales en vez de empresas familiares, y de Estados menos intervencionistas. Basta con ver que el capitalismo es el único sistema que para su funcionamiento necesita que unos crean en la palabra de otros y estén dispuestos a emprender actividades económicas con la seguridad de que encontrarán la concurrencia de gentes sin cara y sin nombre que proveerán desde los insumos necesarios y los créditos adecuados hasta la demanda indispensable para la supervivencia de la actividad. En el capitalismo, todos colaboran con todos. El egoísmo capitalista resulta, pues, tan solidario que parece el que predica la Biblia. Lo que es insolidario —una manera angelical de insultar al Señor— es creer que el capitalismo ha llenado el mundo de Oliver Twists.

La caridad cristiana de la teología de la liberación no puede ser más enternecedora: expropiar al rico, castigar al exitoso, arruinar al pudiente para salvarlo del egoísmo que podría condenarlo a las llamas eternas en el juicio final... Ricos del mundo, dad gracias porque hay almas caritativas dispuestas a sacrificarse embolsándose las cuentas bancarias de ustedes y arrebatándoles sus propiedades con el propósito noble, intachable, místico, de evitar que Jesucristo los agarre con las manos en la masa cuando se le ocurra volver por estos parajes. Gracias a los decretos justicieros de los curas revolucionarios, ustedes estarán bien preparados —bien arruinados— cuando llegue la hora de repartir los pasajes al cielo.

Es derecho y deber denunciar como señales del mal y del pecado las privaciones del pan cotidiano.

La Iglesia «progresista» parece haber aprendido más de George Soros, el archimillonario cuyo fondo de inversiones vale dieciséis mil millones de dólares, o del franco-británico Jimmy Goldsmith, tan acaudalado que ha financiado un partido político en el Reino Unido, que del evangelio cristiano. Resulta que abominan de la pobreza. Detestan la penuria, odian las privaciones materiales, hacen ascos a la indigencia. Quisieran beber hasta la última gota de la cornucopia, hincharse de abundancia y prosperidad. ¿Cómo?¿No era la Iglesia una exaltación institucional de la pobreza y no eran sus fundamentos éticos una defensa de la desnudez material? ¿No nos habían enseñado que los pobres heredarán el Reino y no nos habían hablado, con espectaculares metáforas de rumiantes jorobados y varillas de metal, de la casi imposible perspectiva de que los ricos metan el pie en el paraíso? ¿No nos habían explicado que el bolsillo es el enemigo del espíritu?

No, los «progresistas» se cansaron de predicar la pobreza. Ahora —y en esto aprenden del mejor capitalismo— odian la pobreza a tal extremo que le atribuyen un contenido diabólico, es decir toda una dimensión metafísica de horror y maldad que haría las delicias del avaro y acaudalado tío del pato Donald. La «Iglesia popular» está harta de dignificar a la pobreza. Ahora ve en ella la mano de los enemigos de Dios. Esta lectura teológica de realidades provocadas por la incompetencia política y las mediocres instituciones sociales encierra un peligroso germen fundamentalista, no demasiado alejado de los musulmanes que invocan a Dios cada vez que quieren eliminar cualquier disidencia humana contra las normas establecidas por los ulemas y la *Sharia*. Si abordamos la sociedad con los ojos del pecado y la salvación, resultamos convertidos en Dios, atribuyéndonos la divina prerrogativa de dictar sentencia final. Por tanto, exageran un poco los curas de liberación cuando ven en la justicia social un factor de la lucha teológica entre el bien y el mal, entre el pecado y la virtud cristiana, entre los querubines de Dios y los cachos del Diablo. Pero algún progreso han hecho: están de acuerdo en que hay que eliminar la pobreza, en que es absurdo establecer entre la miseria económica y la salvación cristiana una relación de causa y efecto, una ecuación de igualdad. Ni la economía es un factor teológico, ni la pobreza un pasaporte al cielo. Ni Suiza está condenada al infierno de antemano, ni Haití tiene asegurada la eternidad.

Pero si fuéramos a establecer una relación entre la salvación y las instituciones políticas o las políticas económicas, los curas revolucionarios, que hacen bien en predicar la prosperidad, se irían de frente al hipogeo, pues sus propuestas económicas son viejas recetas del fracaso. Es perceptible en toda la teoría económica de los teólogos de la liberación la influencia de la teoría de la dependencia que dominó el panorama político latinoamericano a fines de los sesenta y durante buena parte de los setenta. Hasta la literatura del Concilio II, involuntaria madre de los curas liberacionistas, tiene una cierta huella de la teoría de la dependencia con la idea central de unas naciones pobres que se van distanciando de las naciones ricas, no en razón de su propio fracaso, sino en razón de las ventajas de que gozan (injustamente, se entiende) los ricos. Por eso, pide que el esfuerzo lo hagan los ricos, no los pobres. Queriendo romper en materia económica con el pasado inmediato y su símbolo latinoamericano —el desarrollismo—, la teología de la liberación en verdad prolonga las falacias básicas que están detrás del famoso «desarrollo hacia adentro» de los años cincuenta, tan caro a América Latina y a personajes como Perón. Los disparos de estos teólogos no dan en el blanco: creen que el problema con la tesis del desarrollo hacia adentro era su excesivo economicismo, su falta de perspectiva política, su excesiva confianza en la posibilidad de saltar etapas y modernizarse de la noche a la mañana, y el hecho de que se trataba de una visión proveniente del exterior, especialmente de los organismos internacionales dispuestos a dar una mano para desarrollar un poco más las economías de la periferia. Ninguna de estas objeciones es oportuna viniendo de donde viene: el excesivo economicismo de la teoría del desarrollismo está aun más presente en la visión pesimista de quienes creen que el desarrollo no permite saltar etapas, pues ella olvida con qué velocidad la psicología y la voluntad se adaptan a un medio ambiente de libertad y pueden por tanto impulsar economías cuyo crecimiento no es milimétricamente previsible en un pronóstico de economista; la crítica de la falta de elementos políticos en el desarrollo hacia dentro es hipócrita: la teoría de la dependencia tiene aún menos en cuenta la política, pues cree que ningún país puede tomar la decisión de progresar por estar sujeto a la fatalidad imperialista; la idea de que no es posible saltar etapas, si de lo que se habla es de la escalera que lleva a San Pedro, es inválida en política, pues si algo muestra la experiencia contemporánea, por ejemplo en la cuenca del Pacífico, desde Chile hasta Corea, es que saltar etapas es una característica del capitalismo; finalmente, la preocupación con el carácter «importado» de la teoría desarrollista y su vinculación con los organismos internacionales parece olvidar que la teoría de la dependencia, reiterada por Prebisch y Cardoso, se desarrolló en buena cuenta durante la edad de oro de la malhadada Comisión Económica para América Latina (CEPAL), organismo apéndice de las Naciones Unidas del que Prebisch fue secretario ejecutivo; olvida también que el nacimiento de la Asociación Latinoamericana para el Desarrollo Industrial (ALADI) en 1961, criatura de las tesis de Prebisch acerca de la necesidad de integrar a Latinoamérica para defenderla del acoso imperialista exterior, resultó de la inspiración en el Mercado Común Europeo de la posguerra mundial.

La teoría de la dependencia era, al igual que la idea desarrollista que los teólogos de la liberación han querido superar, deudora de la visión paternalista de la relación entre el Estado y la sociedad, y ponía en la autoridad y el nacionalismo la clave del éxito de los países latinoamericanos. Por lo demás, con su vago tufillo a lucha de clases a escala internacional, era hija también de la idea marxista, y de las tesis de Hobson y Lenin sobre el imperialismo. Toda esta visión es hoy legaña y herrumbre, cuando se ve que el país latinoamericano más exitoso —Chile— es el que menos se «latinoamericanizó» en las décadas recientes (hasta abandonó el Pacto Andino) y el que más internacionalizó su economía. Al mismo tiempo, los países que, como el Perú, intentaron cortar amarras con el mundo —mientras reforzaban el papel preponderante del Estado internamente— chapotearon en la miseria.

El objeto de los odios liberacionistas —el capitalismo— es el único sistema (la palabra, con su connotación de orden deliberado, es poco apropiada) que ha podido expandir la oportunidad y democratizar el beneficio, curioso microcosmos telúrico de la promesa celestial en todo lo que hay en él de movilidad social y acceso ecuménico. Pero tampoco el capitalismo responde a virtudes teológicas: su gesta, lenta y dolorosa, va de los finales de la Edad Media, con sus pujas políticas entre comerciantes y señores y entre nobles y monarcas, hasta el espacio cibernético del Internet, pasando por la revolución industrial y el mercado de los servicios que es la marca distintiva de la economía de nuestro siglo. Nadie inventó, diseñó o decidió ese proceso. Él resultó del tiempo y de multitud de propósitos particulares convergiendo y divergiendo furiosamente en el marco, a veces asfixiante, a veces permisivo, de los Estados y sus leyes y sus relaciones cambiantes, llenas de amor y odio, con las sociedades. Pedir el cielo para el capitalismo sería, por tanto, como pedir, con algunos siglos de atraso, el Premio Nobel para el autor de *Las Mil y Una Noches*: es imposible porque todos lo escribieron. Curiosamente, el capitalismo, paraíso de lo individual, es la más grande obra colectiva de la humanidad.

Los meandros teológicos por los que nos lleva la «iglesia popular» para explicar su adiós a la exaltación evangélica de la pobreza y su grito en favor de la prosperidad de los indigentes son fascinantes. La teología de la liberación quiere ser coherente con la idea de que los pobres heredarán el Reino de Dios en la medida en que la venida de Jesucristo es ya el comienzo del ingreso al paraíso —como se ve, hay más antesalas que para llegar a la oficina de Luis XIV—.

La Iglesia, por lo tanto, debe apresurarse en salvar a los pobres e infligir a los ricos (incluida la clase media) la penitencia anterior a la salvación. En la medida en que la «iglesia popular» trae la salvación a la tierra se parece a esos puritanos emigrantes de Max Weber para los que la salvación estaba en hacerse ricos en la tierra. La pobreza que quiere la «iglesia popular» es la espiritual, no la del pan. La salvación ya está en marcha, hecha realidad por los decretos revolucionarios. Frente al colapso del Muro de Berlín y de buena parte de las fuerzas revolucionarias latinoamericanas, uno se pregunta: ¿Será que el Diablo está a punto de ganarle la partida a Dios y que el primero le ha quemado al segundo el pan en las puertas del horno?

La finalidad de la Iglesia no es salvar en el sentido de asegurar el cielo. La obra de salvación es una realidad actuante en la historia.

Si el camino del infierno está empedrado de buenas intenciones, esta frase lleva directamente a las aguas de la Estigia. La teología de la liberación critica —con razón— que la Iglesia haya concentrado tradicionalmente sus esfuerzos en lograr unas condiciones que le permiten desarrollar su papel de institución social oficial, de bastión del *establishment* político. Al hacer esto, la familia cristiana ha dividido sus funciones entre las clericales —la Iglesia— y las políticas —los partidos confesionales—. Esta situación ha alejado a la Iglesia del pueblo. El fenómeno se vio impulsado en su momento por el divorcio entre el Estado y la Iglesia, que secularizó el ejercicio del poder político y que dividió aún más las funciones entre lo espiritual y eclesiástico, por una parte, y por otra lo político, contribuyendo, a partir del siglo XVIII y la Revolución Francesa, a que la Iglesia se apoltronara. En América Latina, creen los teólogos de la liberación, este divorcio es malo y bueno: malo porque al dejar la función política la Iglesia simplemente flota sobre un orden ya determinado, que es de injusticia y explotación; bueno porque la secularización permite ver que el mundo es de los humanos, del aquí y el ahora, base de la cual partirá la teología de la liberación hasta llegar a la conclusión de que para la salvación no hay que esperar a Godot sino emprender la revolución de una vez.

Como evidencia esta laberíntica reflexión, la teología de la liberación tiene una vergonzante aunque no tan secreta nostalgia por los tiempos anteriores al Estado secular. Quiere un mundo en el que la Iglesia no tenga un papel esencialmente espiritual sino político. Es decir: poder político. Cree que la responsabilidad abrumadora de otorgar la salvación en la tierra sale de la punta de la pluma con la que firman los ministros y presidentes sus decretos. La teología de la liberación es, pues, en estos aspectos, un espejo cristiano del fundamentalismo musulmán, por más que la metodología pueda diferir. La consecuencia lógica de la tesis sería, una vez en el poder, la teocracia, es decir una dictadura política construida sobre la base de la palabra divina interpretada exclusivamente por una platónica elite de curas sabelotodos y escogidos. La excelente idea de meter a la Iglesia en el barro humano —a esa excelente idea debemos la heroica conducta a la Iglesia en países como Polonia durante los años terribles del comunismo— es distorsionada para volver a una concepción teocrática de la función eclesiástica varios siglos después de haberse desmoronado, en el Occidente, el Estado-Iglesia.

La idea de la salvación hecha historia, del cielo encarnado en la conducta de los hombres, es atractiva. También justa: ¿por qué condenar a los pobres a la miseria con la promesa de redención póstuma si es posible hoy en día acceder a la riqueza? El problema es la tentación fundamentalista. Los curas revolucionarios rechazan la existencia de dos historias, una profana, la otra sagrada. Piensan que hechos históricos como el éxodo de los judíos de Egipto expresan a Dios en la medida en que constituyen una forma de justicia en la tierra. Es una «liberación», hecha por humanos, contra el pecado de la explotación de los judíos por los egipcios. El Éxodo de la Biblia sería, pues, el anticipo de la teología de la liberación y los judíos de Israel, los antepasados teológicos de Ellacuría y compañía. La liberación y la salvación se mezclan: Cristo viene a la tierra a salvarnos, en lugar de salvarnos desde otro mundo, cómodo e invulnerable. Cristo también es un mártir político (lo condena el Estado romano como «rey de los judíos»), antepasado liberacionista por tanto del guerrillero Manuel Pérez o el encapuchado subcomandante Marcos. Como Cristo, los guerrilleros con tonsura hacen la pascua: es decir arrancan vida de la muerte. En la medida en que quitan la vida de los explotadores y expropian a los ricos, liberan a los malos de su propio pecado y les ponen la alfombra roja en las puertas del cielo.

Empinándose sobre una base inobjetable —la mediocridad política de la Iglesia tradicional— la teología de la liberación conduce, a través de una serpentina teológica interminable, a la conclusión de que el socialismo es la salvación de la humanidad y de que los revolucionarios, en tanto que agentes de esa salvación, son la segunda venida de Cristo. ¡Líbranos Señor de todo Cristo, amén!

En América Latina, el mundo en el que la comunidad cristiana debe vivir y celebrar su esperanza escatológica es la revolución social.

Esta frase sería impecable si la escatología a la que se refieren los teólogos de la liberación fuera la fisiológica. Lamentablemente, no es la fisiológica sino la teológica. América Latina y la revolución se siguen atrayendo como macho y hembra. Desde la II Conferencia General Episcopal Latinoamericana de Medellín en 1968, en la que se usaron las conclusiones del Concilio II para hacer una interpretación revolucionaria y latinoamericanista del papel de la Iglesia, para los teólogos de la liberación América Latina es una idea tercermundista. El concepto que domina la visión latinoamericana de los padres revolucionarios es el de la periferia enfrentada con el centro, eco estruendoso —otra vez— de la teoría económica de la dependencia. Quieren crear una Iglesia del Tercer Mundo, es decir de los antiimperialistas. La mitología tercermundista se viste aquí con las ropas teológicas para explicarnos que la Iglesia tiene una misión salvadora en la periferia de Occidente. En esto, la teología de la liberación, por muy latinoamericanista que se proclame, es nacionalista: nacionalismo a escala continental. Toda la discusión de Medellín, piedra de toque de la propuesta revolucionaria desde entonces hasta hoy entre los miembros de la «Iglesia popular», es la reivindicación de una nación —la de los pobres latinoamericanos— en la que encarna la virtud contra un enemigo exterior —el país de los ricos en el que encarna el mal.

El elemento añadido en esta reproducción de las tesis de la dependencia es, por supuesto, la escatología. En la liberación —en la revolución— está la salvación. Los teólogos de la liberación rechazan por superado lo que llaman el antiguo concepto «cuantitativo» de la salvación, en el que nos salvábamos casi todos, quienes debíamos pasar la prueba de la vida para alcanzar la gloria ultramundana. A los revolucionarios les irrita esto de la salvación abstracta, situada en el otro mundo. Quieren llegar como Fitipaldi. Prefieren la salvación «cualitativa»: lo que importa es que la experiencia humana sea el teatro donde se resuelve esto de la vida eterna. Es la escatología del aquí y el ahora, abierta a todos, incluso si no son conscientes de Jesús. Por esta vía llena de jesuíticas curvas, se llega a la muy simple conclusión de que Dios está en el exaltado de Chiapas o el barbado Abimael Guzmán.

El elemento aglutinante entre Dios y la tierra es, por supuesto, el cura revolucionario, que ha abandonado la vieja visión de la Iglesia como puente con el más allá para convertirse en puente con el más acá. Para darle a todo esto bendición papal, vuelve al Concilio y a su definición de la Iglesia como «sacramento», lo que interpreta, con un sentido extraordinariamente elástico de las cosas, como un grito de guerra. Al llamar a la Iglesia «sacramento», se ha abandonado su rol como fin en sí mismo, y se la ha convertido en «vehículo», en «signo», es decir, en correa de transmisión de las verdades revolucionarias de las masas guerreras y ululantes. El galimatías teológico apunta, nuevamente, a santificar la revolución. La Iglesia como «sacramento» reparte hostias rojas. La revolución es la nueva epifanía. En la punta del fusil revolucionario, en el decreto expropiador y el estatismo nacionalista está la salvación eterna.

La «Iglesia popular» tiene brazos abiertos. Quiere meter en el saco a los demás, aunque sean de otras confesiones. Sus llamados a la libertad religiosa, claro, no son como los de los primeros cristianos, antes de que en el siglo IV el cristianismo se casara con el Estado, sino una convocatoria de «progresistas». El nuevo «ecumenismo» no es una reconciliación entre las distintas iglesias enfrentadas desde la separación de los «orientales», sino un llamado a la alianza revolucionaria, siempre enfrentada al enemigo de clase. Ecumenismo sin burgueses.

Cuando los padres de la teoría de la dependencia hace rato que abandonaron su mentalidad insular (Cardoso, por ejemplo, hoy presidente de Brasil) y cuando algunos de los padres de la teología de la liberación rechazan el marxismo como análisis central de la realidad latinoamericana (el propio Gustavo Gutiérrez entre ellos), los soldados de Dios siguen haciendo estragos en las almas de América Latina.

IX

«YANQUI, GO HOME»

Entre todos los síntomas externos del idiota latinoamericano, probablemente ninguno sea tan definitorio como el del antiyanquismo. Es difícil llegar a ser un idiota perfecto, redondo, sin fisuras, a menos de que en la ideología del sujeto en cuestión exista un sustantivo componente antinorteamericano. Incluso, hasta puede formularse una regla de oro en el terreno de la idiotología política latinoamericana que establezca el siguiente axioma: «Todo idiota latinoamericano tiene que ser antiyanqui, o —de lo contrario— será clasificado como un falso idiota o un idiota imperfecto.»

Pero el asunto no es tan sencillo. Tampoco basta con ser antiyanqui para ser calificado como un idiota latinoamericano convencional. Odiar o despreciar a Estados Unidos ni siquiera es un rasgo privativo de los cabezacalientes latinoamericanos. Cierta derecha, aunque por otras razones, suele compartir el lenguaje antiyanqui de la izquierda termocefálica. ¿Cómo es posible esa confusión? Elemental. El antiyanquismo latinoamericano fluye de cuatro orígenes distintos: el cultural, anclado en la vieja tradición hispanocatólica; el económico, consecuencia de una visión nacionalista o marxista de las relaciones comerciales y financieras entre «el imperio» y las «colonias»; el histórico, derivado de los conflictos armados entre Washington y sus vecinos del sur, y el sicológico, producto de una malsana mezcla de admiración y rencor que hunde sus raíces en uno de los peores componentes de la naturaleza humana: la envidia.

A este tipo de idiota latinoamericano —el más atrasado en la escala zoológica de la especie— le molestan las ciudades limpias y cuidadas de Estados Unidos, su espléndido nivel de vida, sus triunfos tecnológicos, y para todo eso tiene una explicación casi siempre rotunda y absurda: no es una sociedad ordenada, sino *neurótica,* no son prósperos sino *explotadores,* no son creativos, sino *ladrones de cerebros* ajenos. En la prensa panameña —por ejemplo— se ha llegado a publicar que los jardines cuidados de la zona del Canal y las casas pintadas —y luego entregadas a los panameños— no formaban parte de la cultura nacional, lo que justificaba su transformación en otro modo de vida gloriosamente cochambroso y caótico, pero *nuestro.*

Los yanquis, para el idiota latinoamericano, desempeñan, además, un rol ceremonial extraído de un guión nítidamente freudiano: son el padre al que hay que matar para lograr la felicidad. Son el chivo expiatorio al que se le transfieren todas las culpas: por ellos no somos ricos, sabios y prósperos. Por ellos no logramos el maravilloso lugar que merecemos en el concierto de las naciones. Por ellos no conseguimos volvernos una potencia definitiva.

¿Cómo no odiar a quien tanto daño nos hace? «No odiamos al pueblo gringo —dicen los idiotas— sino al gobierno.» Falso: los gobiernos cambian y el odio permanece. Odiaban a los gringos en época de Roosevelt, de Truman, de Eisenhower, de Kennedy, de Johnson, de Nixon, de Carter, de Clinton, de todos. Es un odio que no cede ni se transforma cuando cambian los gobiernos.

¿Es un odio, acaso, al sistema? Falso también. Si el idiota latinoamericano odiara el sistema, también sería anticanadiense, antisuizo o antijaponés, coherencia totalmente ausente de su repertorio de fobias. Más aún: es posible encontrar antiyanquis que son filobritánicos o filogermánicos, con lo cual se desmiente el mito de la aversión al sistema. Lo que odian es al gringo, como los nazis odiaban a los judíos o los franceses de Le Pen detestan a los argelinos. Es puro racismo, pero con una singularidad que lo distingue: ese odio no surge del desprecio al ser que equivocadamente suponen inferior, sino al que —también equivocadamente— suponen superior. No se trata, pues, de un drama ideológico, sino de una patología significativa: una dolencia de diagnóstico reservado y cura difícil.

En todo caso, a lo largo de este libro hay diversos análisis y numerosas referencias al antiyanquismo originado en interpretaciones torcidas de las cuestiones económicas y culturales —véanse, por ejemplo, el capítulo dedicado al «árbol genealógico» del idiota o las constantes advertencias sobre el papel real de las transnacionales—, de manera que centraremos las reflexiones que siguen en los conflictos «imperiales» entre Estados Unidos y sus vecinos del sur, para lo cual acaso resulte apropiado comenzar por la amarga frase latinoamericana tantas veces escuchada:

Estados Unidos más que un país es un cáncer que ha hecho metástasis.

Cualquiera que se asome a un mapa estadounidense del verano de 1776 —tras la proclamación de la independencia— y lo contraste con otro trazado en el invierno de 1898 —una vez terminada la guerra Hispano-Norteamericana—, puede muy bien llegar a la conclusión de que Washington es la capital de uno de los imperios más voraces del mundo contemporáneo. En ese siglo largo Estados Unidos dejó de ser un país relativamente pequeño —algo más de la mitad de lo que es hoy Argentina—, formado por trece colonias avecindadas en la franja costera media del Atlántico americano, y pasó a convertirse en un coloso planetario «de costa a costa», con territorios en el Pacífico, en el Caribe y en la proximidad del Polo Norte.

Según la lectura *progresista* de los hechos que explican este «crecimiento», a la que es tan adicto nuestro entrañable idiota latinoamericano, lectura basada en una interpretación ideológica totalmente descontextualizada, Estados Unidos, mediante la fuerza o la intimidación, despojó a Francia de la inmensa Louisiana, decretó la Doctrina Monroe para enseñorearse en el Nuevo Mundo, le arrancó a México la mitad de su territorio, obligó al Zar ruso a venderle Alaska, y atacó a España en Cuba, Puerto Rico y Filipinas, sin otro objeto que anexarse los restos de un decadente imperio español totalmente incapaz de defenderse. Una vez cometidas estas fechorías, a punta de pistola, o a punta de intervenciones y de conspiraciones encaminadas a sostener sus intereses económicos, han hecho y deshecho a su antojo en el Tercer Mundo, y especialmente en América Latina. Desde esta perspectiva, George Washington, Jefferson, Madison, Adams y el resto de los padres de la patria, abrigaban designios imperialistas desde el momento mismo en que se fundó la república.

¿Cuánto hay de ficción y cuánto hay de verdad en esta muy extendida percepción de Estados Unidos?

Naturalmente, a los autores de este libro no les interesa exculpar a Estados Unidos de los atropellos que hayan podido cometer —y algunos, ciertamente, han cometido, como se verá—, pero sí están convencidos de que una interpretación victimista de la historia —en la que nosotros somos las víctimas y los norteamericanos son los verdugos— no contribuye a enmendar la causa profunda de los males que aquejan a nuestras sociedades. Por el contrario: contribuye a perpetuarla. Acerquémonos, pues, a los hitos fundamentales del «imperialismo americano», no con la mirada extemporánea de hoy, sino con la visión que entonces prevalecía y en la que se fundaron los hechos que estremecen la conciencia moral de nuestros iracundos idiotas contemporáneos.

Los imperialistas norteamericanos comenzaron su despojo del Tercer Mundo con el exterminio, saqueo y explotación de los aborígenes.

Es cierto —¿quién puede dudarlo?— que los indios de lo que hoy llamamos Estados Unidos fueron aniquilados o desplazados por los europeos, pero hay matices dentro de esa inmensa tragedia (todavía inconclusa tanto al sur como al norte del Río Grande) que vale la pena examinar. Y el primero es la fundamentación de la supuesta legitimidad europea para apoderarse del continente descubierto por Cristóbal Colón.

España y Portugal —por ejemplo— basaron la legitimidad de su soberanía americana en las concesiones adjudicadas por la autoridad papal a unas naciones católicas que se comprometían en la labor de evangelización. Inglaterra —cuya monarquía se desembarazó de Roma en el XVI— y Francia, en cambio, la buscaron en los derechos derivados de «descubrimientos» de aventureros y comerciantes colocados bajo sus banderas. Holanda, siempre tan capitalista, la dedujo de la metódica compra de territorio a los indios, como nos recuerda la transacción que situó a la isla de Manhattan bajo la soberanía holandesa por el equivalente de unos pocos miles de dólares. Rusia, autodesignada heredera de Bizancio, que a nada ni nadie se encomendaba, la obtuvo de su condición de imperio incesante e inclemente que en apenas doscientos años, mediante el simple expediente de enviar expediciones militares/comerciales a las fronteras limítrofes, sin prisa ni tregua fue convirtiendo el originalmente diminuto principado de Moscovia en el mayor Estado del planeta, fenómeno que persiste hasta nuestros días, pese a la poda efectuada en el poscomunismo.

Ese dato —la legitimidad— es importante para entender los conflictos con México en la primera mitad del siglo XIX, pero vaya por delante la más obvia de las conclusiones: tanto o tan poco derecho tenían los estadounidenses a instalar una república en Norteamérica como los descendientes de los españoles a hacer lo mismo en el sur. Y si hubo (y hay) alguna diferencia en el trato dado a los indios, es probable que los «anglos», que no los esclavizaron, ni los convirtieron en mano de obra forzada, ni intentaron catequizarlos por medio de la violencia o la intimidación —aunque no dudaron, a veces, en masacrarlos o en confinarlos en «reservas»— hayan sido algo menos crueles que los españoles o que nosotros, sus descendientes criollos.

¿Que las coronas inglesa y francesa, primero, y luego los estadounidenses, barrieron con las «naciones» indias? Por supuesto, pero no parece que los mayas, los incas, los mapuches, los patagones, los guaraníes o los siboneyes tuvieran mejor destino bajo España o bajo las repúblicas hispanoamericanas. Al fin y al cabo, por cada *frontier man* que perseguía y desplazaba a los indios en el norte, en el sur existía un equivalente que hacía más o menos las mismas cosas y por la misma época, aunque ningún presidente norteamericano llegó a vender a sus propios indios como esclavos, vileza que cometió el general Santa Anna con varios miles de mayas yucatecos que acabaron sus vidas en los cañaverales cubanos —Cuba era entonces una colonia de España en la que persistía la esclavitud— en castigo por el carácter rebelde de esa etnia.

El primer zarpazo imperial contra el Tercer Mundo lo dio Jefferson.

Aunque George Washington se despidió de su segundo mandato presidencial con un discurso en el que proclamaba la voluntad estadounidense de no participar en las habituales carnicerías europeas, dando muestras de una tendencia aislacionista que intermitentemente persiste hasta hoy día en la política norteamericana, ya en 1804 y 1805 se produjo lo que un notable idiota latinoamericano ha llamado «el primer zarpazo imperial del águila americana en el Tercer Mundo». Al margen de que las águilas no suelen tener zarpas sino garras, es útil recordar cómo y por qué un presidente tan pacífico y pacifista como Jefferson, dato que, como triunfalmente acreditan los himnos patrióticos estadounidenses, envió a su incipiente marina a bombardear Trípoli casi doscientos años antes de que Reagan hiciera lo mismo contra Gadaffi, y prácticamente por las mismas razones.

Desde el siglo XVI, y hasta mediados del XIX, la costa norte de África, en lo que hoy se denomina el Magreb —Marruecos, Argelia, Túnez— fue un nido de piratas alimentado por las satrapías locales. Estos piratas obtenían buena parte de sus ingresos de extorsionar a los navegantes que se aventuraban a pasar por el Mediterráneo occidental y, naturalmente, dividían sus ganancias con las autoridades respectivas. Los norteamericanos, sometidos a este chantaje, desde 1796 pagaban religiosamente su tributo para evitar el abordaje y saqueo de sus naves, pero el Pachá de Trípoli, Yusuf Karamanli, decidió aumentarlo, a lo que el gobierno norteamericano respondió con una total negativa. Poco después, en octubre de 1803, la fragata *Philadelphia* fue abordada por los piratas y, tras remolcarla triunfalmente hasta la bahía de Trípoli, exigieron un cuantioso rescate.

En lugar de pagar, el gobierno norteamericano envió una expedición comando a rescatar el buque al mando del teniente Stephen Decatur —un *Rambo* de la época a quien se atribuye la frase «mi patria con razón o sin ella»—, quien, junto a 83 voluntarios, se embarcó en el velero *Intrepid* (como Dios manda), entró de noche en la bahía de Trípoli, rescató a sus compañeros y, en vista de que la fragata *Philadelphia* no podía navegar, la incendió para que no pudieran utilizarla sus enemigos. Decatur no perdió un solo hombre en la aventura y vivió una larga vida de espectaculares hazañas militares.

El segundo episodio de esta «saga» tuvo lugar un año más tarde, en lo que sin duda fue la primera intervención norteamericana encaminada a desalojar a

un gobierno —el de Yusuf— que perjudicaba delibe-
radamente los intereses nacionales de Estados Unidos. En efecto, la diplomacia americana consiguió
convencer al hermano mayor de Yusuf —a la sazón
exiliado en Egipto— de que encabezara una fuerza
militar reclutada por Estados Unidos para eliminar
a Yusuf del poder.

Y así fue: cuatrocientos hombres —una mezcla de
mercenarios árabes y los primeros «marines» de la
historia— partiendo de Alejandría, en Egipto, atrave-
saron sigilosamente el desierto en una marcha de casi
dos meses, hasta llegar a la fortaleza de Derma, ins-
talación militar situada en el desierto libio que fue tomada en apenas 24 horas, y en la cual resistieron ataques constantes durante 45 días. Mientras tanto,
varias fragatas norteamericanas bombardearon Trípoli hasta obligar al Pachá Yusuf a firmar un tratado
de paz.

Estados Unidos es el mayor depredador del mundo.

La frase, rotunda y definitiva, se le atribuye al argentino Manuel Ugarte. ¿Qué hay de cierto en ella?
La primera «metástasis» de Estados Unidos —la adquisición de la Louisiana en 1803— fue un acto que
casi tomó por sorpresa al propio gobierno norteamericano, y estuvo a punto de destruir la delicada alianza
entre los trece estados que originalmente formaron la
«Unión». Las tensiones que produjo esta súbita expansión de la nación —Estados Unidos duplicó su superficie tras la firma del tratado con Francia— tenían un doble origen. Por una parte, no existía en la
Constitución americana la menor previsión imperial.
El texto se había redactado bajo el criterio de que las

trece colonias originales conformarían para siempre el suelo de la república; y —por otra— este enorme territorio incorporado a la joven nación podía romper el balance de fuerzas entre los estados, entonces y hasta la Guerra Civil (1861-1865) muy celosos de su poder regional.

El porqué Francia cedió por unos cuantos dólares a Estados Unidos la soberanía de la Louisiana —un territorio gigantesco de límites imprecisos, dato muy importante en el futuro—, dice mucho sobre el criterio que entonces imperaba en el mundo sobre las tierras coloniales y, en especial, sobre el carácter de «botín» o «propiedad del soberano» que caracterizaba a las zonas conquistadas por las armas o por las alianzas políticas. Napoleón, que en 1800 les había arrancado a los españoles el control de la Louisiana, sólo tres años más tarde «traspasaba» este territorio (seis veces mayor que la propia Francia) a Estados Unidos con el propósito fundamental de fortalecer a un adversario de Inglaterra, su gran enemiga.

En aquella época, Florida, Cuba, Louisiana o cualquier colonia, de la noche a la mañana podían pasar de las manos de una metrópoli a las de otra sin que nadie se escandalizara, porque, sencillamente, todavía no había cuajado del todo en el mundo occidental la idea estado-nación que se afianzaría en la segunda mitad de la centuria, y mucho menos tratándose de las colonias americanas, territorios considerados como apéndices prescindibles de las naciones europeas. De ahí que Jefferson —más interesado en Cuba que en la Louisiana— intentara sin éxito comprar la isla a los españoles, más o menos como unos años más tarde, en 1819, tras las guerras de «persecución» emprendidas por Jackson contra los semino-

les, Madrid, sin demasiado entusiasmo y después de
varias escaramuzas militares, decidiera «venderle» a
Estados Unidos por cinco millones de dólares la totalidad de la Florida, pues para eso existían las colonias: para ser explotadas mientras era posible, o
para intercambiarlas como fichas en el tablero internacional de las pugnas geopolíticas cuando no se les
encontraba un mejor destino.

En 1803 nadie sabía exactamente los límites de
la Louisiana porque ese territorio, al sur de Estados
Unidos —como ocurría en el noroeste con relación a
Inglaterra, en la frontera con Canadá, vagamente
denominada Oregón— era el confín más remoto del
imperio español en América, y los mapas erraban por
miles de kilómetros, lo que explica que muchos norteamericanos —Jefferson entre ellos— creyeran que
la casi despoblada Texas formaba parte de la tierra
comprada a los franceses, supuestamente un semide-
sierto que se extendía hasta el Pacífico, confusión
que no se dilucidó hasta 1819, es decir, precisamente
hasta la víspera de que España perdiera la soberanía
sobre ese territorio casi deshabitado y vagamente de-
limitado, al proclamarse en 1821 la independencia de
México.

¿Por qué Jefferson «forzó» los límites de la constitución y adquirió la Louisiana? En esencia, por razones de estrategia militar y no por nada que se le pa-
reciera a la codicia económica imperial que suponen
nuestros desinformados idiotas. Al contrario: como
suele suceder, la adquisición de la Louisiana provocó
una sustancial caída de los precios de la propiedad
rural (entonces casi todo era rural) y el per cápita
norteamericano disminuyó un veinte por ciento. Las
motivaciones eran de otra índole: mientras Napoleón

quería unos Estados Unidos fuertes, capaces de hacerle frente a Inglaterra, los norteamericanos de entonces temían a los franceses y a los indios, pues estos últimos hacía muchas décadas que habían abandonado los arcos y flechas, dominaban los enfrentamientos con pólvora y balas, y aunque carecían de estructuras sociales y políticas complejas, eran capaces de establecer pactos militares con las potencias europeas, como se había visto en la propia guerra de independencia americana, cuando los franceses consiguieron alistarlos en su bando para hacer frente a los británicos.

La Doctrina Monroe es el acta oficial de nacimiento del imperialismo americano.

En 1823 el presidente James Monroe, entonces al final de su segundo mandato, coloca la piedra de fuste de lo que algún renombrado idiota latinoamericano ha llamado «el acta oficial de nacimiento del imperialismo americano». Craso error de análisis. Un examen más serio de esa «doctrina» y de las causas que sugirieron su proclamación más bien apuntaría en la dirección contraria: es la doctrina del antiimperialismo.

En ese frío diciembre, en el que Monroe declaraba oficialmente que los europeos no eran bienvenidos en tierras americanas —en las del sur y en las del norte—, Francia, el Imperio austríaco y —sobre todo— Rusia, habían constituido una Santa Alianza para fortalecer las monarquías absolutistas acosadas en Europa por las ideas liberales y en América por el establecimiento de repúblicas independientes. Esa Santa Alianza, encabezada por los «Cien mil hijos de San

Luis» aportados por los franceses, había entrado a
sangre y fuego en España para restaurar los poderes
dictatoriales de Fernando VII y eliminar del gobierno
a los liberales que tres años antes habían obligado al
monarca a aceptar una Constitución que recortaba
notablemente su autoridad.

Monroe y su gabinete, pues, tenían muy buenas
razones para tratar de alejar a los europeos del continente. Una década antes, durante la peligrosísi-
ma Guerra de 1812, los ingleses habían regresado a
Washington, ya capital de Estados Unidos, para in-
cendiarla, y no era tan descabellado suponer que las
potencias reaccionarias intentaran destruir el foco
republicano que había inspirado la mayor parte de
las revueltas en el Nuevo Mundo. Al fin y al cabo, los
rusos, aprovechando las confusas fronteras de la
zona norte de América, habían descendido por la costa del Pacífico hasta lo que es hoy San Francisco,
mientras los ejércitos españoles derrotados en el continente se reagrupaban en Cuba, colonia ibérica regi-
da bajo estatutos de plaza militar en estado de sitio.
De manera que la constitución de un gran ejército
formado por el bloque de las monarquías absolutistas
que intentara reconstruir el imperio español en América era bastante más que una quimera: se trataba
de un peligro real para Estados Unidos. Obviamente,
esa Doctrina Monroe —*América para los americanos*— que tanto irrita a nuestros idiotas latinoamericanos contemporáneos, no fue percibida de igual manera por los libertadores de nuestras repúblicas. Por
el contrario, fue saludada jubilosamente por quienes
encontraban en Washington una clara coincidencia
de intereses e ideales. Y un aliado natural para defenderlos.

Con el decurso del tiempo esa «doctrina», como lo veremos, fue utilizada en sentido parcialmente diferente a su formulación original, pero en la mayor parte de los casos es probable que el resultado final haya sido conveniente para Hispanoamérica, diga lo que diga el inefable idiota a quien con toda devoción va dedicado este libro.

Pobre México, tan lejos de Dios y tan cerca de Estados Unidos.

La melancólica frase, adjudicada a Porfirio Díaz (entre otros), refleja la comprensible actitud de los mexicanos. Y es natural que así sea: entre 1835 y 1848 la mitad norte del territorio mexicano pasó a formar parte de Estados Unidos. Sin embargo, cuanto allí sucedió tiene una explicación mucho más compleja que el consabido espasmo imperial al que se atribuye el traspaso de territorio.

Para comenzar, las fronteras de los países latinoamericanos surgidos en el primer cuarto del siglo XIX no se delimitaron hasta bastante tiempo después de haber sido expulsada España del continente sudamericano. El perímetro por el que hoy conocemos a Argentina, Perú, Ecuador, Colombia, Venezuela o Brasil es bastante diferente al que tenían al alcanzar la independencia. Centroamérica, que hoy está formada por cinco repúblicas independientes, entonces estaba políticamente integrada a la Capitanía General de Guatemala, entidad que —a su vez— se sujetaba a la autoridad del virreinato de México, lo que no impidió que en 1821, poco después de haberse constituido el nuevo estado mexicano, se declarara independiente.

Pero si esto ocurría en el sur de México —poblado y evangelizado desde el siglo XVI—, en el norte el cuadro era de un absoluto descontrol, acelerado por el caos y por las enormes pérdidas provocadas por la guerra de Independencia entre 1810 y 1816, período en el que medio millón de mexicanos murieron de forma violenta de una población que apenas alcanzaba los cuatro millones.

En 1819, tras la «compra» de la Florida —más para acabar de cerrar el trato con España que por verdadera convicción—, Estados Unidos había aceptado la soberanía de Madrid sobre el territorio casi vacío de Tejas —entonces escrito con x—, como la frontera oeste de Louisiana, pero inmediatamente comenzó (más bien siguió) la invasión de inmigrantes norteamericanos a la región, fenómeno que, lejos de detenerse, se aceleró con el establecimiento de la convulsa república mexicana dos años más tarde. En 1836, cuando, tras una breve guerra, se declara la República de Texas, de los treinta y cinco mil pobladores de la enorme región, treinta mil son norteamericanos, y de los cinco mil mexicanos restantes, una buena parte prefería vivir bajo la bandera de la Unión que bajo el desorden permanente, las rebeliones, y los atropellos del general Santa Anna, empeñado en centralizar en la distante capital los asuntos de aquella región, remota y abandonada.

Apenas diez años más tarde se repite el fenómeno, aunque en esta oportunidad es más evidente el surgimiento de un supersticioso sentimiento de superioridad racial y cultural en Estados Unidos, que pronto cobraría el nombre de «Destino Manifiesto» —ser los amos y señores de todo el continente, desde Alaska a la Patagonia, en virtud de un borroso designio divino—, precisamente alimentado, entre otras razones, por la facilidad con que México fue derrotado por los tejanos, pese a tener más o menos las mismas dimensiones que Estados Unidos, aproximadamente la misma población y un ejército seis veces mayor. Ese mismo año, 1846, Gran Bretaña se ve obligada a firmar el Pacto de Oregón y a delimitar la frontera noroeste de Estados Unidos en su actual posición, lo que confina a Rusia en el rincón norteño de Alaska, en aquel entonces poco más que un semihelado coto de caza y pesca, dato que aclara por qué dos décadas más tarde (1867) el Zar decide vender este territorio a Estados Unidos por un precio módico, operación, no obstante, que les pareció onerosa a unos norteamericanos que acababan de salir de una espantosa guerra civil. La llamaron, para burlarse, «la compra del hielo».

Sólo faltaba, pues, delimitar el suroeste. En el momento en el que el presidente Polk —el único gobernante americano realmente imbuido de una percepción imperial de la política exterior— admitió a Texas dentro de la Unión (1846), el general Santa Anna le declaró la guerra a Estados Unidos, oportunidad que aprovecharon los norteamericanos (probablemente la esperaban con ansiedad) para infligirle a México otra severa derrota e imponerle en el tratado de paz la pérdida de Nuevo México y California, esta última, una zona del país en la que la mínima vigencia mexicana se limitaba a la presencia de unas avanzadillas culturales de carácter religioso, heroicas y solitarias, conocidas como «misiones». México, en efecto, tras perder por el sur la vital región centroamericana, había perdido, por el norte, la mitad de su territorio, pero ésa era la mitad que España nunca tuvo del todo, porque no le alcanzaron las fuerzas o el tiempo para una verdadera colonización.

La guerra entre España y Estados Unidos fue el enfrentamiento entre la espiritualidad de Ariel y el materialismo de Calibán.

Tras la Guerra de México (1846-1848) —la primera vez que Estados Unidos salía a pelear en serio fuera de sus fronteras—, y durante medio siglo, el «intervencionismo» norteamericano cesó casi totalmente, pero a mediados de 1898 esa situación cambió de manera radical. En esas fechas, la marina de Estados Unidos destruyó las flotas españolas atracadas en Manila —Filipinas— y en Santiago de Cuba, poniendo fin a cuatrocientos años de dominio europeo sobre Cuba, Puerto Rico y varios millares de islas, islotes y cayos desperdigados por el Pacífico.

Para entender las razones que explican estos hechos —generalmente ignoradas o tergiversadas por nuestros idiotas de siempre— hay que tener en cuenta, en primer lugar, la atmósfera internacional en que se inscribieron, y —en segundo término— ciertas evoluciones de naturaleza tecnológica que generaron un modo distinto de percibir el «equilibrio de poderes», norte de todas las estrategias geopolíticas desde el siglo XVIII.

Los años 1885 y 1886 marcan el momento estelar del imperialismo europeo en el planeta. Inglaterra, Francia y Alemania se reparten lo que hoy llamaríamos el Tercer Mundo. En Berlín se reúnen oficialmente las potencias para precisar las «zonas de influencia» en las que África quedará dividida. Inglaterra vive la gloria de su período victoriano, y el escritor Rudyard

Kipling proclama «la responsabilidad del hombre blanco», esto es, llevar a los pueblos oscuros y atrasados el fulgor de la civilización y las ventajas del desarrollo. Y prácticamente nadie, a derecha o a izquierda, cuestiona esta visión racista de los imperios. Marx, por ejemplo, la apoyaba, pues cómo creer en la victoria final del proletariado allí donde ni siquiera existía. Primero era necesario crearlo, y eso sólo resultaba posible por la enérgica labor de las metrópolis blancas, especialmente las de origen anglogermánico.

Estados Unidos, que siempre se autopercibió como una prolongación mejorada de Europa, y no como una cosa diferente (fenómeno que sí les ocurría a los hispanoamericanos), por un lado, participaba de esta atmósfera, pero por el otro temía el desborde imperial de las potencias europeas sobre América Latina, peligro que podía materializarse por el sencillo expediente de ocupar los países morosos para cobrar cuentas pendientes.

También por aquellos años apareció publicado un libro de estrategia militar que leyeron todos los políticos de la época, escrito por el oficial norteamericano Alfred Thayer Mahan, y en el que se defendía la necesidad de contar con una gran marina —como Inglaterra— para poder defender las rutas comerciales y «proyectar» el poder militar en todos los rincones del globo. Pero como ya la navegación a vela comenzaba a ser cosa del pasado, y los grandes acorazados de hierro necesitaban enormes cantidades de carbón para navegar, era indispensable contar con un rosario de bases de aprovisionamiento —las «carboneras»— capaces de suministrar el combustible.

Grosso modo, son estos factores de fondo, unidos a la impopularidad que despertaba España en Estados Unidos como consecuencia de los horrores cometidos en la guerra que sus tropas sostenían contra los insurrectos cubanos (1895-1898), a lo que se suma la explosión del acorazado norteamericano *Maine* en la bahía de La Habana —suceso de origen desconocido, pero atribuido a los españoles—, lo que precipita la confrontación entre Washington y Madrid. Todo encajaba: la causa —expulsar a España de Cuba y detener la matanza— era sumamente popular; los nacionalistas/imperialistas, con Teddy Roosevelt a la cabeza, veían una oportunidad única de heredar un imperio planetario a un bajísimo costo y —de paso— llevar el progreso, la democracia y la justicia a pueblos que habían vivido infelizmente sojuzgados por el decadente imperio hispanocatólico. Por último, ese gesto convertía a Estados Unidos en la potencia indiscutible del Nuevo Mundo... pero colocaba sobre Washington la responsabilidad de mantener la ley y el orden en su «traspatio», tarea ingrata, probablemente imposible de llevar a cabo, pero perfectamente seductora para una joven y optimista potencia que se creía capaz de cualquier hazaña tras una historia en la que no había conocido las derrotas.

Estados Unidos ha respaldado a todas las tiranías latinoamericanas.

La ilusión no duró demasiado. En efecto, tras la Guerra Hispano-Americana, Estados Unidos conoció la sangrienta revuelta en Filipinas —que le costará 6.000 bajas—, archipiélago al que concedió la independencia en 1946, y durante el primer tercio de siglo, exactamente hasta la presidencia de Franklin D. Roosevelt, intervino militarmente varias veces en

Cuba, República Dominicana, Haití o Nicaragua, generalmente por la misma razón: «invitado» por una de las dos facciones —o por las dos, como ocurrió en Cuba en 1906— a poner orden en medio de una trifulca local originada por un fraude electoral, para evitar que una potencia extranjera se cobrara a cañonazos una deuda pendiente, o por querellas fronterizas, situación que a fines del XIX estuvo a punto de provocar una guerra entre Washington y Londres por «culpa» de Caracas.

Naturalmente, no todas las intervenciones tenían el mismo origen: la de Panamá, en 1903, sin duda, fue un acto imperial motivado por la necesidad que tenía Estados Unidos de comunicar por mar las dos costas americanas —proyecto que era más fácil de llevar a cabo con una débil república controlada desde su inicio que mediante una laboriosa negociación con Colombia, país del que se segregó el territorio del Istmo valiéndose de un viejo sentimiento independentista local—, mientras la de México (1916) fue una mera (e inútil) operación de castigo contra Pancho Villa fundamentada en el «derecho de persecución». Pero el espíritu general que animaba a los gobiernos norteamericanos de aquellos años, de MacKinley a F. D. Roosevelt, fue siempre el mismo: disciplinar a esos pueblos díscolos y oscuros del sur, aparentemente incapaces de autogobernarse eficientemente. Kipling también mandaba en el *State Department*.

El patrón intervencionista era siempre el mismo, y partía del criterio simplista de que el problema consistía en la falta de una legislación adecuada que diera origen a instituciones sólidas. De acuerdo con este diagnóstico —basado en la experiencia americana—, los interventores echaban las bases de un sistema sanitario moderno, creaban unos rudimentarios mecanismos de recaudación fiscal, reorganizaban el poder judicial, adiestraban un cuerpo de policía militar y organizaban unas precarias elecciones. Precisamente, de esos cuerpos de policía militar surgieron jóvenes y avispados oficiales como Anastasio Somoza y Rafael L. Trujillo, luego convertidos en dos dictadores sanguinarios de triste recuerdo.

Tras el *crash* norteamericano del 29, pero especialmente tras la elección del segundo Roosevelt, todo eso cambió. La «política de buena vecindad» inaugurada por el popular presidente demócrata era una franca retractación de lo que habían hecho durante más de treinta años, pero no por un ejercicio de reflexión moral, sino por fatiga y frustración. Habían comprobado que el orden, el respeto por la ley y la eficiencia no podían ser impuestos por los *marines*. Por el contrario, lo que con frecuencia se lograba era beneficiar a unos políticos inescrupulosos a expensas de otros más o menos parecidos. De ahí que el corolario de la doctrina diplomática de Roosevelt fuera la cínica frase sobre Somoza atribuida a su Canciller: «Sí, es un hijo de puta, pero es *nuestro* hijo de puta». Y esa complaciente indiferencia fue lo que prevaleció en Washington hasta que la Guerra Fría volvió a provocar otra ola intervencionista.

El imperialismo intervenía en Centroamérica en defensa de la United Fruit.

En efecto, probablemente la «política de buena vecindad» (una especie de «benevolente negligencia», como se le ha llamado) se hubiera convertido en la norma diplomática norteamericana con relación a América Latina de no haber comenzado la Guerra Fría tras la derrota del eje nazifascista en 1945. Hasta esa fecha, los comunistas de América, que se habían vuelto «pronorteamericanos» cuando Stalin en 1941 les dio la orden, volvieron a la tradición antiyanqui de siempre, y es en ese contexto, hecho de suspicacias, paranoias y —también hay que admitirlo— de instinto de conservación, donde arraiga el intervencionismo norteamericano en el período que abarca desde el derrocamiento del guatemalteco Jacobo Arbenz en 1954, hasta (en cierta medida) la invasión de Panamá en 1989, pasando por Bahía de Cochinos en 1961, la financiación de la oposición armada nicaragüense (1982-1990), y la invasión de Granada (1983). El caso de Haití, como se verá al final, forma parte de otra etapa diferente: la actual.

La más extendida interpretación del golpe militar fraguado contra el coronel Jacobo Arbenz —y a la que le gusta afiliarse con entusiasmo al idiota latinoamericano— nos dice que la conspiración que lo derrocara se debió a las reformas económicas radicales introducidas por Arbenz, pero la verdad histórica es otra: al margen de que la United Fruit —«mamita Yunai»— pudiera sentirse perjudicada por la reforma agraria, lo que movió a la CIA a armar una expedición militar contra ese gobierno legítimamente electo fue la compra de armamento checo y los fuertes vínculos de Arbenz con el comunismo, dato —por cierto— que en aquel entonces denunció con energía toda la «izquierda democrática» latinoamericana —Rómulo Betancourt, Pepe Figueres, Raúl Roa, posteriormente canciller del castrismo por más de una década—, entonces embarcada en la cruzada anticomunista.

Curiosamente, el «éxito» de la CIA en Guatemala y la incapacidad de ese organismo para distinguir matices —todo era rojo y todo era igual— fue lo que precipitó el fracaso, siete años más tarde, de los planes anticastristas forjados durante la administración de Eisenhower, cuando los mismos funcionarios que habían ideado la campaña contra Arbenz desempolvaron el mismo modo de actuación contra un gobierno y un líder totalmente diferentes, conduciendo al presidente Kennedy a su primer gran fiasco en la —desde entonces— famosa Bahía de Cochinos o Playa Girón.

Que no hubiera «otra Cuba» —episodio de la Guerra Fría que incluía bases de submarinos soviéticos en Cienfuegos, en el sur de la Isla, y hasta una estación de espionaje cercana a La Habana que todavía se mantiene— fue luego el *leitmotiv* de la política intervencionista de todas las administraciones norteamericanas en la zona. Política que no se basaba en juicios ideológicos, como prueba el caso de Guyana, país que vivió sin sobresaltos un largo período de radicalismo económico que no le impidió tener relaciones normales con Estados Unidos.

No obstante, es conveniente advertir que, desde la desaparición de la URSS, el intervencionismo político norteamericano ha disminuido al extremo de haberse hecho pública una no tan secreta «orden ejecutiva» del presidente Clinton prohibiendo las acciones encubiertas de la CIA en América Latina desde principios de 1995. Lo que no supone que Estados Unidos se cruzará de brazos cuando crea que peligra la «seguridad nacional», motivo que explica la intervención en Haití en 1994. ¿Acaso porque la dictadura haitiana podía ser un «peligro» para los poderosos

Estados Unidos? Por supuesto que no. La intervención se produjo por dos razones: para impedir el éxodo salvaje de *boat people* rumbo a las costas de la Florida y por los evidentes vínculos entre los militares haitianos y el narcotráfico internacional.

Ese ejemplo —el haitiano— señala cuál va a ser la política de Estados Unidos en el futuro inmediato con relación a América Latina: sólo actuarán para «defenderse» de estos dos tipos de «peligros» definidos por sus estrategas: las migraciones incontroladas o las bandas de narcotraficantes, como lo demuestra la decisión del presidente Clinton de «descertificar» a Colombia el 1 de marzo de 1996, privándola de ventajas arancelarias, por las vinculaciones de la clase política con el cartel de Cali, y las contribuciones de esta organización mafiosa a la campaña electoral del presidente Samper.

X

QUÉ LINDA ES MI BANDERA

El nacionalismo latinoamericano es, como los caballos y los jesuitas, o como el derecho y el castellano, una importación europea. Sólo que el nacionalismo es la importación que más caro nos ha costado. El que una filosofía inventada para justificar el aislamiento de una nación con respecto a las otras haya circulado tan extensamente por el mundo y se haya colado por las fronteras sin respetar los aranceles mentales, no es la única ironía. En América Latina el nacionalismo nació con la independencia y se consolidó a lo largo de la república, con un permanente fondo de música marcial y un inconfundible olor a gorila, y obtuvo, a mediados de este siglo, derecho de ciudad en materia económica cuando, haciéndonos eco de una tendencia tercermundista internacional, surgió la famosa teoría de la dependencia.

Si es cierto, como dicen, que el nacionalismo es una invención francesa de los siglos XVII y XVIII (que Napoleón potenció en el XIX), los latinoamericanos tenemos un Luis XIV acuclillado en el fondo del alma. Nuestro nacionalismo saltó pronto del cuartel a la academia y de la academia a eso que los cursis llaman el inconsciente colectivo, y a lo largo de dos siglos de barbaridades políticas no es fácil distinguir entre aquellas que fueron de inspiración nacionalista y aquellas que no lo fueron. Expresión, en algunos casos, de inseguridades políticas, disimulo; en otras, de perversos designios autoritarios, y mezcla, en muchos momentos, de ignorancias y complejos frente al poderoso y el rico, nuestro nacionalismo ha producido personajes fascinantes y monigotes grotescos, figuras señeras y oligofrénicos peligrosos, pero en todos los casos ha contribuido, a veces con buenas intenciones, a veces sin ellas, a nuestra apasionada historia de amor con el tribalismo político y el infantilismo económico. El nacionalismo ha sido la menos patriótica de nuestras gestas, aunque muchos latinoamericanos se han embarcado en ellas con el entusiasmo y la fe de los cruzados de las sagradas causas.

Si el nacionalismo, a secas, es un aporte esencialmente europeo a nuestro comportamiento político, el caudillismo nacionalista, en cambio, es una de las contribuciones de América Latina al mundo. Él está presente desde la independencia, cuando la política adquiere una dimensión evidentemente heroica amparada en la fuerza militar. A partir de entonces surge una generación de caudillos que se eternizan en el poder en el siglo XIX, muchos de ellos vinculados al mundo rural. Allí están el doctor Francia, en Paraguay, o Santa Anna, en México, el sepulturero de su propia pierna, ceremonia gloriosa en la que hizo desfilar medio país ante su extremidad amputada, o Juan Manuel de Rosas, en Argentina, ejemplo perfecto de que el conflicto entre centralismo y federalismo que marcó a tantas de nuestras repúblicas era, en el fondo, un cuento chino, pues él hizo carrera como gaucho de provincias y gobernó como ogro centralista.

El caudillo pronto se enriqueció porque se volvió constitucionalista, desesperado por legarle a la humanidad, no hijos para prolongar la dinastía, sino constituciones para perpetuar, de esa manera jurídica, las «bondades» de su paso por el poder. En el Perú, por ejemplo, Ramón Castilla estampó tres constituciones. No todos fueron dictadores. En Uruguay, un José Batlle y Ordóñez fue demócrata. Y con él surgió otra de las características caudillistas: el Estado-benefactor. El caudillo es un padre de la nación, que quiere enseñar a su hijo a leer y escribir, cuidar de su salud, protegerlo contra la inclemencia de la vida diaria y la incertidumbre de la vejez, ponerlo sobre ruedas para que pueda desplazarse. El caudillo es un benefactor que gasta el dinero de todos, incluyendo el que no existe —y que un buen día descubre bajo la forma demoníaca de la inflación— para proteger a la sociedad inválida. La protege también, por supuesto, contra los charlatanes que quieren conducirla por el camino equivocado, asegurándose de que todos los posibles detractores compartan una acogedora prisión con los roedores más hospitalarios, o se den un largo paseo por el exilio.

El caudillo encarna al Estado —lo personifica— pero también encarna a la sociedad en su conjunto. El caudillo es la nación. Cuando el caudillo se enfada, la sociedad se enfada. Cuando está triste, la sociedad se amohína. Cuando él, el macho, está contento, ella, la hembra, sonríe. Mientras más amantes pasan por la cama del jefe, más se admiran los bíceps políticos del caudillo, más asustan sus fobias y más alegran sus filias. El humor del caudillo es el marco jurídico, político, institucional, que sirve de referencia diaria al país. Frente a la ausencia de instituciones sólidas, el caudillo emerge con su fuerza viril. La larga duración del gobierno del caudillo compensa la inestabilidad de sociedades a medio hacer. El caudillo se vuelve lo único permanente, un verdadero proyecto nacional en sí mismo.

Mientras sus policías secretas disuaden, con métodos más o menos amables, las audacias de la disidencia, ellos petrifican en empresas públicas, esas pirámides egipcias de nuestro panorama político, toda su sed de grandeza. Empiezan a hablar de «áreas estratégicas» y, aplicando la mentalidad militar al mapa económico de sus naciones, Vargas en Brasil, Perón en Argentina, Arbenz en Guatemala, Torrijos en Panamá, Allende en Chile, Castro en Cuba, desde posiciones más o menos socialistas, pero sobre todo, patrimonialistas, empiezan a extender el abrazo del oso del Estado por todos los centros de creación de riqueza de la sociedad. Nunca se acogotó a una víctima con más amor: el abrazo del Estado es también la asfixia de la sociedad. Todo esto, por supuesto, con el telón de fondo del adversario exterior, ayudado por el enemigo interior de la patria. El antiimperialismo está en el corazón del caudillo. Las guerras entre naciones latinoamericanas a lo largo de nuestras repúblicas caben literalmente en una mano, pero nuestros caudillos han librado miles, acaso millones, de guerras verbales contra el vecino de frontera, el enemigo de los pobres o el coloso del norte. El nacionalismo del caudillo es político, militar y económico al mismo tiempo. La teoría de la dependencia de los cincuenta y sesenta es la contraparte de nuestros Mirages y nuestros tanques.

El caudillismo recorre toda nuestra geografía política, incluyendo dictaduras y democracias, partidos políticos y políticos a secas. Los grandes caudillos liberales como Jorge Eliécer Gaitán en Colombia han tenido mucho más de caudillos que de liberales, y un Haya de la Torre en el Perú fue una personalidad tan egocéntrica al interior del APRA que sólo fue posible un nuevo liderazgo a partir de un culto cuasi místico a la memoria del jefe. Un Balaguer en la República Dominicana ha demostrado que el caudillismo, al convertirse en un interés creado para la casta de poder que rodea al caudillo, genera una inercia tan difícil de revertir que un anciano ciego puede eternizarse sin problemas en el gobierno, y no siempre mediante el uso del fraude (refinada costumbre electoral de la que Balaguer, como buena parte de nuestros caudillos, es devoto).

Echemos un vistazo a algunos especímenes de nuestro vasto panteón caudillista, y comencemos por el más grande de los latinoamericanos, Simón Bolívar, víctima, frecuentemente, de los saqueadores de tumbas ideológicas que no cesan de tergiversar, omitir o simplemente deformar sin pudor la verdad histórica.

El Libertador Simón Bolívar es el más grande antiimperialista de América, el defensor de nuestro ser autóctono enfrentado a la invasión cultural de los poderosos.

Ninguna figura ha merecido tantos ditirambos nacionalistas como Simón Bolívar. El perfil brillante del héroe de la gesta independentista latinoamericana ha sido reducido casi a la caricatura por el trazo inflamado, desinformado y a veces falsificador de nuestros patriotas, que hacen una lectura a caballo entre Carlyle, con su fascinación por el hombre-providencia, y Marx, con su revolución proletaria. Para empezar, Bolívar no nació pobre sino rico, lo que de alguna manera constituye su blasón de orgullo: no convocó a la guerra en busca de fortuna, sino del poder y la gloria. Sus antepasados habían sido jugosamente recompensados por la Corona española por su contribución a la construcción del puerto de la Guaira y la creación de plantaciones. La infancia del Libertador —como la de Jefferson o Washington— fue abanicada por esclavos —algo usual entre los venezolanos de su época y condición social—, circunstancia que se repite en el caso de su esposa, una frágil mujer de ascendencia caraqueña a quien conoció en Madrid —destino obligado de la burguesía colonial—, y quien muriera muy joven de fiebre amarilla a poco de regresar a Caracas junto a su entonces desconocido marido.

Es totalmente falso ese Bolívar protomarxista que intenta vendernos nuestro infatigable idiota. El problema racial lo obsesionaba. Quería evitar, a toda costa, la guerra de clases y de colores. Ni en su condición ni en su filosofía política tenía Bolívar la idea de acabar con los poderosos. No, su gesta no era clasista sino de otra índole, hija de un movimiento ideológico surgido esencialmente entre los criollos, es decir entre los hijos de la España imperial en las colonias. Bolívar no fue el antecesor del PRI mexicano, de la alianza Popular Revolucionaria Americana de Haya de la Torre, de Perón, ni de ningún antiimperialismo contemporáneo. Su batalla contra España no era una batalla contra lo extranjero, ni contra Europa, pues a ese mundo debía todo aquello por lo cual combatía, juzgando que el colonialismo español era un residuo de una época anterior a las ideas libertarias de la Ilustración que se resistía a ceder al paso de los tiempos. No fue sólo una ironía que los independentistas se levantaran contra España en nombre de Fernando VII cuando éste fue avasallado por Napoleón: era un gesto de reconocimiento a las reformas liberales españolas amenazadas por el imperialismo francés y sus títeres hispanos (que luego Fernando VII, al volver al poder, diera un volantín de trapecista, se olvidara del liberalismo y volviera a descubrir los formidables encantos del absolutismo es otro asunto). Esta afinidad entre Bolívar y el sector liberal de España estuvo presente en hechos tan significativos como la rebelión del ejército español que había reunido Fernando VII en Cádiz para ir a dar una buena zurra a los independentistas. En esa renuncia a cruzar el charco había no sólo la proverbial pereza hispana: también existía un rechazo al viejo régimen. Hasta en su campaña militar, pues, fue Bolívar un deudor de Europa y de España. Sus ejércitos estaban llenos de mercenarios europeos, como demuestra la famosa Legión Británica que participó en tantas de sus batallas y en no pocas de sus hazañas, mientras buena parte de la patriotísima población autóctona peleaba del lado de la Corona española, especialmente en Venezuela y Perú, pues en Colombia las cosas sucedieron de otro modo.

También es mendaz su supuesto antiyanquismo. Si alguna canción nunca hubiera tarareado Bolívar es «yanquis, go home». Como le ocurriera a Miranda, su fascinación por Estados Unidos había alcanzado alturas sublimes tras su viaje a Boston, Filadelfia, el estado de Columbia y Charleston en 1806, en plena etapa formativa. Y buena parte de su credo estaba fundado tanto en los ideales libertarios de la Constitución norteamericana como en la convivencia de sus regiones dentro del Estado federal (la realidad mostraría luego que no fue un discípulo demasiado aplicado de ambas lecciones, pero la culpa por ello está bastante bien repartida). Los independentistas eran partidarios de lazos estrechos con Gran Bretaña y Estados Unidos.

Cuando nuestros ilustres idiotas braman contra el imperialismo yanqui suelen rastrear los orígenes de ese mal hasta la Doctrina Monroe de 1823, olvidando que Bolívar celebró, junto con la mayoría de independentistas latinoamericanos, la política de Monroe y de John Quincy Adams como una salvaguarda contra el peligro de nuevas intervenciones europeas en las Américas. Al fin y al cabo, la primera potencia extranjera que reconoció a las juntas revolucionarias en plena ebullición fue Estados Unidos, lo que ganó la gratitud de Bolívar y los suyos. No sólo en lo político eran los independentistas poco xenófobos: también en lo económico, como lo demuestra el hecho de que una de las primeras medidas que adoptaban allí donde lograban establecer su dominio era abrir los puertos al comercio mundial. Aunque en última instancia los esfuerzos integradores de Bolívar apuntaban a la consecuencia práctica de crear una potencia independiente, no hay duda de que Estados Unidos fue una inspiración, y de que El Libertador estuvo en muchas cosas bastante más cerca del *yanquis come home* que del lema contrario. Los nacionalismos particulares de los países latinoamericanos tienen, por otra parte, poco que ver con el empeño de Bolívar, que fue siempre el de la unidad continental. Aunque concentró sus esfuerzos especialmente en la Gran Colombia, territorio que debía fundir a Venezuela, Colombia y Ecuador, su sueño abrazaba un perímetro más amplio, como lo demuestra su esfuerzo, con motivo del congreso de Panamá convocado por él mismo en 1826, por meter de una vez al rebaño latinoamericano en el mismo corral. El sueño bolivariano, que tenía toques de nacionalismo continental (o, como diría un comisario europeo de la era Maastricht: *supranacional*) estaba directamente en entredicho con los tiranuelos que hicieron desmoronarse el castillo bolivariano gracias a sus pequeños apetitos de poder que se cubrían de poesía nacionalista. Es más: mucho del credo integracionista bolivariano venía del hecho, que él conocía bien, de que las rivalidades nacionales habían tenido a los europeos practicando la diplomacia de la trompada y el cabezazo durante siglos.

Bolívar fue el precursor de la revolución latinoamericana y el heraldo de la liberación de los pueblos americanos.

El idiota latinoamericano cree que Bolívar era algo así como un protorrevolucionario marxista. En sus sueños ve al Libertador agazapado en la maleza de la Sierra Maestra, envuelto en cananas cerca del río Magdalena o encendiéndole una mecha a Somoza en el trasero. No se ha tomado el trabajo de consultar la historia. Si lo hubiera hecho, habría descubierto, por ejemplo, que Marx, hombre a quien el Tercer Mundo, y en particular América Latina, le inspiraban bostezos de hipopótamo, tuvo el mayor de los desprecios por Simón Bolívar, a quien, citando a Piar, el conquistador de Guayana, llamó el «Napoleón de las retiradas». En una carta a Engels se expresa acerca del Libertador con un ardor pasional del que seguramente no se excluía cierto racismo: «Es absurdo ver a este canalla cobarde, miserable, ordinario, puesto por las nubes como si fuera Napoleón.» Su recuento del paso de Bolívar por el escenario lo hubiera podido suscribir Fernando VII: «Detestaba —escribió en un artículo de 1858 para la *New American Cyclopedia* —cualquier esfuerzo sostenido, de modo que su dictadura pronto condujo a la anarquía militar. Los asuntos más importantes quedaron en manos de favoritos, quienes malbarataron las finanzas.»

Aunque no se trate de una completa falsedad, estamos, sin duda, ante una manipulación de los hechos. Es verdad que Bolívar vivió disperso entre las muchas y a veces contradictorias presiones de su gesta, que lo llevaban a saltar de un lado al otro, de una responsabilidad a otra, con mucha frecuencia, quitándole tiempo para contribuir a la estabilidad institucional de los países liberados. Es verdad, también, que dejó muchas veces en el poder a lugartenientes para proseguir con su peregrinaje político-militar por las Américas, lo que sin duda facilitó las múltiples conspiraciones de que fue víctima a manos de compañeros de lucha que tenían un sentido bastante transeúnte de la lealtad. Y, por último, es una realidad histórica que las repúblicas independientes fueron una catástrofe financiera, lo que no puede achacarse exclusivamente a la guerra, pues a ello contribuyeron, varios años después de terminadas las batallas, la ineficiencia e irresponsabilidad de los propios gobiernos. En todos estos hechos la responsabilidad de Bolívar debe ser matizada: era necesario que Bolívar viajase para completar su tarea, era lógico dejar en el poder a gente de confianza, y hubo ocasiones en las que el Libertador, en el más puro estilo de monsieur Camdessus y su Fondo Monetario Internacional, batalló por una cierta ortodoxia financiera, como cuando exhortó dramáticamente a los colombianos, hacia el final de su vida, a eliminar la cuantiosa deuda pública. Pero, en todo caso, Bolívar, el revolucionario, era despreciado por el padre de la revolución proletaria.

Si algo era Bolívar, era la encarnación de aquello que los revolucionarios supuestamente detestan: el caudillo militar, aunque nadie que conozca su obra puede negarle talento político.

No obstante, digamos que no era el rey de la coherencia. La misma mezcla de actitudes que tenía frente a Napoleón —admiraba su creación de códigos legales y su destreza militar, pero lo asustaban su cesarismo y su coronación como emperador— se refleja en su propia biografía. Bolívar habló muchas veces del gobierno de las leyes por encima del gobierno de los hombres, y en el famoso discurso de Angostura alertó contra el peligro de depositar demasiada autoridad en un solo hombre, pero ello no impidió que «aceptara» ser declarado dictador en Caracas en 1812, o en Lima, una década más tarde, cuando los peruanos, viejos cortesanos de incas y virreyes, lo declararon también dictador, pero añadiendo, por si las moscas, el finísimo adjetivo de «vitalicio» a su designación.

El Libertador —también es cierto— expresó en primera instancia sus reticencias a ser nombrado presidente de la Gran Colombia por el congreso de Cúcuta, pero no se hizo rogar demasiado y pronto se resignó al manto de la autoridad total, dejando a Santander en su lugar y partiendo a la conquista del sur. El hombre que decía no ser «el gobernante que quiere la República» no parecía un cultor obsesivo de la congruencia entre la palabra y los hechos. En los últimos años de su vida su pudor democrático, en el ambiente levantisco de entonces, no fue tenaz. Tras rechazar las propuestas de San Martín en favor de la monarquía constitucional, Bolívar pidió para América Latina gobiernos con poderes ejecutivos cuasimonárquicos, incluyendo un Senado hereditario —parecido a la nobleza hereditaria inglesa— en el que hubiera potentados, más algunas migajas de representación electoral para matizar las cosas. No era un hombre que creyera demasiado firmemente en la capacidad de los hombres para gobernarse libremente a través de instituciones espontáneas. Había desarrollado una nostalgia por un cierto orden impuesto en medio del laberinto. Es por ello una ironía, sólo en apariencia, el que hacia el fin de sus días una de las acusaciones más reiteradas contra Bolívar, quien se opuso a la monarquía, fuera precisamente la de «monárquico», y que Santander, al final, lo acusara de gobernar «caprichosamente», en lugar de hacerlo con apego a la Constitución. En todo caso, Bolívar tenía de revolucionario premarxista o de partidario de la lucha de clases lo que Fidel Castro de lampiño.

No hay que menospreciar las limitaciones que enfrentaba Bolívar para plasmar sus deseos. Existe el peligro de achacarle, retrospectivamente, muchas de las deficiencias políticas que surgieron, no de su cabeza, sino de las resistencias de su tiempo a hacer suyas algunas de sus ideas. Bolívar intentó, por ejemplo, entronizar la libertad religiosa y el Estado no confesional en la Constitución boliviana de 1825. No lo logró, y los bolivianos hicieron del catolicismo la religión oficial del Estado. Pero hechas las sumas y las restas, como él mismo admitió en una bella metáfora —«el que sirve a una revolución ara en el mar»—, su esfuerzo fue un fracaso. Cuando en 1826 y 1827 se desgajan todas las partes de la Gran Colombia, está claro —como él mismo previera— que no sólo ha naufragado el sueño de la unión: ha fracasado igualmente el sueño de una región gobernada de acuerdo al derecho con instituciones civilizadas y paz. Se ha inaugurado la larga noche de dictaduras caudillistas sentadas sobre el poder de la fuerza militar, degeneraciones del caudillismo independentista al servicio de ideales diferentes a los del Libertador, pero no del todo ajenos a la práctica que los propios revolucionarios del XIX habían entronizado: la fusión de lo militar y lo político, de la fuerza y la ley. Cuando Bolívar dijo de Colombia que «este país caerá en manos de la multitud desenfrenada para después pasar a tiranuelos» estaba diciendo una verdad. Pero no olvidemos que hubo durante la independencia una presencia demasiado notable de tiranuelos, de desenfreno, de laberinto y de multitudes anárquicas. La obra de Bolívar, concebida para juntar a los americanos, concluyó en el extremo opuesto. Lo que de la mano del Libertador trató de ser epopeya —y a veces lo fue— tras su muerte derivó, primero, en farsa, y luego en tragedia. El primer gran caudillo nacionalista de América fue la primera gran víctima del nacionalismo americano. La herencia de aquella época, mezclada con otras, germinó en las repúblicas americanas de las últimas dos centurias. Algo hay en Rosas, Santa Anna, Gómez, Vargas, Cárdenas, Perón y todos nuestros caudillos nacionalistas, que viene de aquellos tiempos.

Pancho Villa es uno de los grandes forjadores de la dignidad de México, un gran abogado de los intereses del pueblo, un héroe de la gloriosa revolución mexicana.

Pancho Villa es el macho latinoamericano perfecto. Nació pesando siete kilos (de los cuales buena parte provenían, sin duda alguna, de la región situada al sur del ombligo) y aunque era bajito, feo y regordete, la leyenda lo hace erguido sobre un caballo, encabezando con tal prestancia a sus *dorados* que le decían el «Centauro». Aunque nació en el centro de México, semejante lugar no era propicio para las hazañas del valiente nacionalista, por lo que pronto dejó esas tierras para emigrar al norte, en especial Chihuahua, región convenientemente situada en las narices de Estados Unidos para que el héroe de la patria latinoamericana inflara el pecho en las barbas de Wilson y el general Pershing. Aprendió a leer —gran toque romántico— en la cárcel donde lo metió Victoriano Huerta, lugarteniente de Madero, por su personalidad demasiado díscola y revoltosa en el caos que siguió a la caída de Porfirio Díaz. Como buen macho, tenía honor, tanto honor que mató al hijo de un hacendado por propasarse con su hermana. Era abstemio como un santo, por lo que se atragantó grotescamente con la copita de brandy que le dio Emiliano Zapata la primera vez que se vieron, ya avanzada la Revolución, en Ciudad de México. Era capaz de los indispensables desplantes que encienden la imaginación patriótica de las Américas, como cuando propuso a Venustiano Carranza, que se había hecho con el poder en medio del río revuelto revolucionario, y que veía a los tres mil hombres de Villa como «un peligro», que ambos se suicidaran: ¡qué macho! Y, por supuesto, el mito estaría incompleto sin esa muerte gloriosa, en Chihuahua, en 1923, peleando como un toro contra ocho sicarios que le descerrajaron doce balazos en el torso y cuatro en la cabeza. Uno de los matones cayó abatido por el valeroso revolucionario. Que tres años después alguien desenterrara su cabeza para que las gentes dejaran de decir que seguía vivo, es un colofón ideal para la biografía cuasidivina del héroe mexicano. La nación necesita héroes, aunque haya que hacer un retoque retrospectivo a la figura caricatural del bandido bigotudo que nunca dejó realmente de ser el asaltante de caminos de su juventud, y esculpirle una estatua de mármol.

Quizá sus únicos méritos fueran aquellos que nunca se destacan: su individualidad terca, que lo llevó a pelear contra todos, y que lo hacía enemistarse con los caudillos a los que había ayudado en el llano, una vez que ellos llegaban al poder. Alguna destreza militar tuvo el capitán de quince hombres que de la noche a la mañana se volvió coronel de tres mil, y el estratega que demostró un dominio de la logística ferroviaria, elemento clave para el movimiento de tropas en ese territorio amplio y abrupto que es el mexicano, gracias a su habilidad para mantener una provisión constante de carbón. Tampoco es despreciable su zigzagueante capacidad para burlar el fuego de la aviación enemiga en las montañas. Pero todas estas cualidades militares también eran hijas de su condición de bandido, de su conocimiento práctico del terreno, adquirido durante su intensivo cursillo juvenil de pistolero del norte.

Si Pancho Villa es la dignidad mexicana hecha carne, un héroe de la nación, los mexicanos deberían salir corriendo hasta Tierra del Fuego. Mucho en él era fraudulento, empezando por su identidad, que escondía el verdadero nombre con que nació, impropio para pasar a la historia: Doroteo Arango. Es verdad que participó en el esfuerzo contra Porfirio Díaz, el viejo dictador mexicano, y que estuvo del lado del demócrata Francisco Madero, un ingenuo y decente caballero que no sabía en lo que se metía cuando se le ocurrió pedir democracia para su país, y le salieron bandoleros por los cuatro costados para auparlo al poder y, acto seguido, sacarlo de allí a empellones. Pero no eran convicciones democráticas sino anárquicas y cuasigansteriles las que llevaron a don Pancho Villa, por ejemplo, a tomar Ciudad Juárez en beneficio del ascenso de Madero al poder. La guerra, las guerras, eran su elemento natural. Era un hombre que saqueaba todo aquello que se le ponía en el camino, de acuerdo a la impecable filosofía —digna de los más elevados cánones de gerencia corporativa— de que había que tener contentos a los muchachos. Tan es así que hasta los propios revolucionarios tuvieron que meterlo en la cárcel por revoltoso. No era particularmente magnánimo con las tropas federales a las que capturaba, y tenía la delicada costumbre de hacer que se fusilaran unos a otros. Aunque lo guió un cierto sentido justiciero en su afán por vengar a Madero tras la caída de éste a manos de la eterna traición revolucionaria, y aunque existe la noción de que favorecía la restauración de las reformas políticas que Porfirio Díaz había revertido, atribuir a Pancho Villa sublimes principios de política y economía es como atribuir a Atila dotes de manicurista. En esa revolución permanente, las nobles invocaciones democráticas o constitucionalistas —como la de Carranza, por ejemplo, que se enfrentó al traidor Huerta con la Constitución en la mano— duraban lo que duraba llegar al poder. Con poco sentido de su propia bestialidad —y algo de aire romano—, Villa, adalid de la patria, se daba el lujo de llamar a los yanquis «bárbaros».

El gran antiimperialismo de Villa, como el de muchos de los revolucionarios, merece gentiles matices. Para empezar, Carranza toma el poder, en pleno caos revolucionario, en buena cuenta gracias al apoyo de Washington, que hasta ocupa temporalmente Veracruz para ayudar al caudillo (al que en ese momento apoya también Pancho Villa), incluso, un estricto embargo de armas decretado previamente por Wilson había debilitado al régimen imperante. En alguna ocasión Pancho Villa creyó conveniente, ante el asedio enemigo, cobijarse en suelo... norteamericano. Cuando en 1913 se cuela en Texas no es precisamente para reclamar a los yanquis el territorio perdido el siglo anterior, sino para evitar que las tropas federales de México lo vuelvan a lanzar al calabozo como un saco de papas. La historia nacionalista prefiere olvidar estos detalles y recordar sólo el ataque de Pancho Villa contra Texas en 1916. Aquí también la historia es un poco tuerta: la razón por la que Villa ataca a Estados Unidos no es el nacionalismo. Su objetivo es desacreditar a sus adversarios domésticos, Carranza y el comandante de sus tropas Álvaro Obregón, haciéndolos aparecer como débiles frente al gigante del Norte. El horizonte de Villa no era internacional sino mexicano, y ni siquiera nacional sino regional, particularmente norteño, por más que, como todos, quisiera de tanto en tanto hacer sentir su peso en la capital.

Tampoco su valor estaba a prueba de debilidades. En varias ocasiones, con buen sentido fugitivo, echó a correr a campo traviesa para no morir como un roedor. La más famosa de todas sus huidas, pero no la única, fue la de 1915, en Celaya, cuando Álvaro Obregón le dio una soberana paliza y lo hizo galopar, como si le hubiera puesto una mecha donde la espalda pierde su nombre, hasta Chihuahua. Por último, nuestro héroe revolucionario era bastante más dado a las actividades burguesas que a las proletarias. Su apetito de comerciante despuntó muy temprano, y ya en 1908 don Pancho Villa, cansado de sus trotes de vaquero, abrió una carnicería a la que dedicó esfuerzo y a la que le sacó jugosas ganancias (no hace falta añadir que la carne provenía toda del ganado que robaban sus hombres). Cuando sintió por fin el llamado de la lucha, en plena sublevación en favor de Francisco Madero, en nuestro caudillo indómito pesaron los inmarcesibles ideales libertarios... y también la voluntad de sacrificio metálico, pues lo hizo a sueldo de unos hacendados. Pero ¿quién se atreve a decir que esto desmerece su gloria? ¿No dijo acaso Maquiavelo que los mejores guerreros eran los *condottieri*? Años después, tras abandonar el galope revolucionario, nuestro revolucionario se dedicará con ahínco... ¡al negocio de la propiedad! Don Pancho, el vengador de los campesinos despojados de sus *ejidos* por Porfirio Díaz y sus aliados extranjeros, acabará sus días, pues, convertido en mayestático terrateniente.

Augusto C. Sandino fue un mártir de la independencia nacional nicaragüense y de los intereses de los campesinos y el pueblo.

La palabra *sandinismo* se introdujo en el lenguaje político de media humanidad en los años ochenta, pero la mayoría de los que usaban el término —incluyendo los latinoamericanos— ignoran todavía que viene de un sujeto de carne y hueso que tenía ese mismo nombre: Augusto C. Sandino. Lo más curioso es que no fue, en su momento, ningún desconocido. Más bien, un tenaz aguijón en la grupa del mastodonte norteamericano y, para los movimientos revolucionarios internacionales que sacudieron al mundo entre mediados de los años veinte y mediados de los treinta, una suerte de referencia mágica, una contraseña entre revoltosos. El Kuomintang chino, arrollador por aquel entonces, y totalmente incapaz de situar la sierra de la Segoviana en un mapa, llegó a bautizar a una de sus divisiones con el nombre del nicaragüense. En América Latina, Haya de la Torre creía que este montaraz caballero encarnaba al hombre indoamericano de sus sueños.

Era el pájaro tropical perfecto. Tenía vocación espiritual, prefiriendo —de boca para afuera— los efluvios invisibles del alma a los estorbos de la materia. En vez de católico —esa religión de explotadores— era masón, reencarnación maravillosa de las logias que tanto contribuyeron a cargarse al imperio español. Para añadir exotismo a los colores de su plumaje, era medio adventista. Un disidente del espíritu. Política y misticismo: receta mágica para salvar a la nación. Era también, como no podía ser de otra manera, un romántico de la política, alguien dispuesto a compensar con arrojo y audacia los inconvenientes de la desventaja militar o la soledad política. En su biografía de salvador de la patria no falta, por supuesto, la anécdota del hombre que en 1926, tras un período en el exterior huyendo de la justicia, se interna por la frontera y se desplaza a tientas hasta las alturas de la Segoviana para montar un ejército, un puñado de muchachos dispuestos a pelear como leones contra el intervencionismo yanqui y contra el cómplice interno. Pronto estableció su escondite en *El Chipote,* en las montañas del noroeste nicaragüense —la vocación orográfica de la política latinoamericana es, por lo visto, patológica—, y desde allí lanzó las más nacionalistas y encendidas soflamas: «Soy nicaragüense, mi sangre es india, mi sangre contiene el misterio del patriotismo sincero.» Abundaba la retórica, ese toque escarlata infaltable en el pavo real latinoamericano. Para los enemigos, lanzaba truenos como éste: «El que quiera entrar aquí, que firme antes su testamento.» La salvación nacional estaba cobijada bajo el parapeto montañoso y serrano de don Augusto C. Sandino.

Cualquier examen levemente taxidérmico de este espécimen revela algunas realidades menos dignas que la imagen creada por el idiota internacional. Es verdad que Sandino tuvo relación con el campo desde la cuna. Pero hay un ligero problema: no era la relación de un campesino con la tierra sino la de un terrateniente con su feudo. Su padre, Gregorio Sandino, era dueño de una propiedad no demasiado grande, pero lo bastante como para que necesitara un implacable administrador. ¿Quién era ese administrador? No faltaba más: su propio hijo. La madre de Sandino era, sí, una sirvienta —Margarita Calderón—, pero el muchacho descubrió bien pronto que se vive más cómodamente en el regazo de papá. Además de dedicarse a llevar una apacible vida de terrateniente cerca de Granada, don Augusto decidió cambiar la ignominia del apellido servil de su madre por el plutocrático apellido paterno. Así, dejó de llamarse Augusto Calderón para llamarse Augusto Sandino. Un pequeño aditamento vino a coronar su nueva vida: inspirado por la rica biblioteca de libros clásicos de su padre, Augusto decidió introducir el imperial nombre de «César» entre el Augusto y el Sandino. Así se creó Augusto César Sandino.

Ya que este hombre y sus turiferarios contemporáneos hablan tanto de su sangre india —la obsesión globular de la política latinoamericana no es menor que la orográfica—, es curioso constatar, con una rápida inspección intravenosa, que don Augusto Sandino tenía una composición sanguínea distinta de la que creía. Su raza no era india sino mestiza, y su proveniencia cultural no era indígena sino «ladina», es decir resultado del mestizaje entre la cultura que estaba presente antes de la llegada del hombre blanco y la cultura que vino con las carabelas. Tanto la madre como el padre de Sandino pertenecían a ese mundo occidentalizado, específicamente europeizado, que constituye desde hace muchos años el grueso de la población nicaragüense. Su reivindicación india contra el mundo invasor era, pues, poco fundada: ni él era indio ni la mayoría de los que peleaban con él en las montañas eran indios, ni Nicaragua es un país indio. Sandino y los suyos eran, más bien, mestizos, gentes que compartían culturalmente mucho más con sus enemigos que con las raíces a las que querían apelar (su particular modo de hacer política refuerza este parentesco cultural, por lo demás). Su romanticismo no debe hacer olvidar su matonería y su vocación por las armas. No olvidemos que su primer exilio en 1920 no es político sino debido a un acto de delincuencia común: había herido a un rival de un balazo en una reyerta campestre en Niquinihomo.

Este icono del socialismo emergente en la América Latina de los veinte y treinta era, además, un alma débil frente a los abalorios del capitalismo. Durante su largo viaje por Centroamérica en los años veinte, cuando huía de la justicia, se dedicó a trabajar en compañías fruteras importantes —verdadero símbolo de la explotación centroamericana para el idiota continental—, hasta terminar, una vez en Tampico, México, como un pulcro ejecutivo petrolero: jefe de ventas de gasolina en la empresa Huasteca. Luego volvió a su país para alzarse en armas y deslizó este pasado inconveniente por el tubo del olvido. Pero sólo por un tiempo: cuando en 1929, luego de pasar algunos años defendiéndose en las montañas contra los ataques enemigos, regresa a México en busca de solidaridad, adonde va a mendigar dinero —en vista del frío con que la muy retórica pero muy práctica revolución mexicana lo trata— es a las empresas de bienes raíces.

El antiimperialismo de Sandino era parte esencial de su cruzada nacionalista. Este antiimperialismo se le contagió —no podía ser de otra manera— en su primer periplo mexicano. Luego, la infinita torpeza de los gringos en Nicaragua dará una estupenda inyección a Sandino. Pero ¿era éste un antiimperialista hasta la muerte incapaz de vender la bandera antiyanqui a cambio de ventajas políticas, un superhombre de la pertinacia? ¿O tenía sus pequeñas debilidades humanas?

Cuando Sandino irrumpe en el panorama nicaragüense, el país lleva muchos años viendo entrematarse a liberales y conservadores, que han entronizado el golpe de Estado y el balazo como instrumento para la alternancia en el poder. Ambos bandos, además, han utilizado a Estados Unidos para sus respectivas causas. La dictadura de diecisiete años del «liberal» José Santos Zelaya había encendido el odio de los conservadores, mientras que la posterior dictadura semidinástica de los Chamorro había sublevado a los liberales. Todo esto había desembocado en 1926 en un nuevo episodio de las guerras civiles nicas. Por tanto, la irrupción de Sandino contra el *establishment* parece absolutamente incuestionable. Es el grito exasperado, impoluto, del país profundo contra la corrupción y la violencia política del país oficial. Hasta aquí todo bien. Pero las negativas de Sandino a aliarse con la oposición liberal en los primeros tiempos muy pronto ceden, pues descubre las virtudes de la componenda y el pacto. Tras su ridículo ataque a la guarnición de Jícaro, se refugia en la costa atlántica para aliarse con los liberales. Aunque Juan Sacasa y su jefe militar, José María Moncada, desconfían de él, terminan haciéndolo general liberal. Éstos no son liberales de verdad. Tienen una larga historia de dictaduras... y violencias. Pero lo más curioso de la alianza entre Sandino y los liberales no es el pasado de éstos sino su presente al momento de constituirse: los liberales están en permanente negociación con Calvin Coolidge, el presidente de Estados Unidos, quien finalmente será el responsable de lograr la tregua nicaragüense. Más tarde, cuando en 1932 Sacasa es presidente de Nicaragua, Sandino hace un acuerdo definitivo con los liberales —que tienen excelentes relaciones con EE.UU. y cuya Guardia Nacional, que se resisten a reformar, ha sido creada por el imperialismo— para abandonar la lucha y aceptar a cambio el dominio de un puñado de tierras. Su visión política, aparte de pedir la salida de los gringos y una renegociación del acuerdo para la construcción de un canal interoceánico, es en el fondo bastante modesta. (Por supuesto, en los años de la lucha, Sandino, consciente de que el idiotismo político no es exclusivo de la región al sur del Río Grande, había nombrado a su propio hermano embajador extraoficial en Estados Unidos.) El nacionalismo antiimperialista de don Augusto C. Sandino era, pues, un modelo de pragmatismo...

La torpeza yanqui en Nicaragua no es, desgraciadamente, un invento nacionalista. Ella parió, en buena parte, el mito de Sandino. No hay, para la mitología revolucionaria, una imagen más deliciosa que el bombardeo aéreo llevado a cabo por los *marines* durante años contra los territorios de un Sandino fugitivo y a salto de mata en la escabrosa Segoviana. Cuando en 1928 dieciséis días seguidos de bombardeos acaban, no con la vida de Sandino, sino con las de decenas de cabras, mulas, vacas y caballos, dejando, en palabras del propio Sandino, «el ambiente lleno de buitres», Washington ha creado las bases para enviar a don Augusto a la posteridad política. La prensa gringa se encargará del resto. Practicando lo que, por lo visto, es una antigua costumbre, los periodistas peregrinarán durante mucho tiempo a los escondites silvestres de Sandino, donde admirarán boquiabiertos al muchacho envuelto en el rojo y el negro. Un exquisito ejemplar del idiota norteamericano, Carleton Beals, escribirá en *The Nation* a propósito de Sandino: «...carece por completo de vicios... tiene un sentido inequívoco de la justicia...». Alguien con un poco menos de beatería hubiera podido notar, por lo menos, que el revolucionario no había perdido el gusto por la indumentaria burguesa, pues se las arreglaba en plena montaña, para engominarse el pelo como cantante de tango y llevar pañuelo de seda, mientras sus tropas los llevaban de algodón (los Ortega rescatarían esta fina costumbre muchos años después).

Culpar a Estados Unidos de lo que pasaba en Nicaragua era una transferencia de culpas bastante optimista. Los políticos nicas habían arrastrado a Washington, que no necesitaba demasiados estímulos para ello, a la política nativa, y cuando los norteamericanos se marcharon, hacia 1930, derrotados por un caos centroamericano suficiente como para deprimir al imperialismo más entusiasta, fueron los propios nicaragüenses, en particular los de la Guardia Nacional en la que ya destacaba Somoza, los que sumieron al país en el pantano político. No fueron los yanquis, sino la Guardia Nacional, es decir los nicaragüenses, los que mataron a Sandino en 1934, al salir del palacio presidencial, cuando ya había dejado las armas (apenas conservaba un pequeño grupo de guardaespaldas personales) y se había convertido en un político del sistema burgués dedicado a hacer *lobbying* en defensa de sus causas. No menos importante en todo ello fue la debilidad del gobierno liberal para hacer frente a las fechorías militares.

Perón convirtió a la Argentina en una nación moderna, libre y orgullosa.

Si Perón es, como creen sus partidarios, el alma de Argentina, lo que Argentina necesita rápidamente es un exorcismo para sacar de allí dentro semejante súcubo. De todas las figuras del nacionalismo latinoamericano, probablemente ninguna ha generado tanto fanatismo cuasimístico, ni fascinado tanto al mundo por los fondos oscuros de su sistema de poder, como Perón. Por ello, no es suficiente, como quería Borges, omitir su nombre para desterrar su memoria: si cada argentino tiene un Perón en el fondo del alma, hay que sacarlo de allí, si es posible con una benigna cruz, o si no, con un agudo escalpelo.

La nación argentina fue, a comienzos del siglo XX, la historia feliz de América Latina; un caso —no exento de barbaridades políticas, es verdad— de prosperidad y modernización. Tras abandonar Perón el poder en 1955, la barbarie había vuelto al centro del escenario político y la economía se había deslizado por una pendiente más resbaladiza que la gomina del general.

Es particularmente curioso que se queme incienso a Perón en razón de su nacionalismo, cuando, como ocurre con buena parte de los argentinos, sus raíces eran europeas, y lo que es mucho más significativo, él mismo se encargó en su momento de que esas raíces se conocieran. Así, no sólo quería exhibir su origen español e italiano sino también que se supiera que su bisabuelo había sido senador de Cerdeña. Alguna lengua traviesa llegó a asegurar que Perón era en realidad Peroni... No menos curioso es que se intentara convertir el origen social de Perón en una leyenda proletaria. En su día, su padre se había instalado con él en una estancia con ovejas cerca de la costa atlántica en la provincia de Buenos Aires, culminación perfectamente burguesa de una vida de trabajo constante.

A juzgar por su leyenda, tenía la fortaleza de Sansón y la determinación de Ulises. El perfecto macho latinoamericano, la poderosa encarnación viril de la nación argentina. A lo mejor lo era en sus ratos libres. Pero ciertamente no todo el tiempo. Algunos episodios clave de su biografía revelan a un espíritu bastante más quebradizo y dubitativo de lo que nos han contado. Cuando en octubre de 1945 renunció a sus varios cargos en el Gobierno militar al que entonces servía, don Juan Domingo Perón, que había tratado de huir por el río, fue enviado a la prisión de la isla de Martín García. A las pocas horas se estaba quejando ensordecedoramente de su pleuresía, escribiendo cartas suplicantes al presidente y pidiendo que lo dejaran marcharse al exilio. Sólo Evita impidió que negociara alguna forma de claudicación. No es un dato menor: la historia de su marcha triunfal a Buenos Aires en hombros de las masas trabajadoras y su inmediata victoria electoral, que cambiarían el curso de Argentina, hubieran podido no producirse si Eva no bloquea su rendición. Por otra parte, en 1951, en pleno gobierno, unos rumores de golpe de Estado llevaron a Perón a salir corriendo de la Casa Rosada para refugiarse en la Embajada de Brasil, de donde su mujer tuvo que sacarlo de las orejas para que volviera a su sitio.

El nacionalismo latinoamericano tiene un esencial componente militar desde comienzos de las repúblicas. Perón fue heredero aplicado de esa tradición. Su formación fue militar desde muy joven, pero, a diferencia de lo que ocurre en los países civilizados, su ascenso en el escalafón castrense no pasó por la escalera del mérito sino por la del cuartelazo y la logia. Cuando terminó sus estudios militares y entró al Ministerio de Guerra tenía el rango de capitán. Gracias al golpe de Estado contra Hipólito Yrigoyen fue posible colocar más galones sobre el hombro de Perón en los años treinta y, luego, en los cuarenta (especialmente gracias a un militar con nombre digno de vodevil, Edelmiro Farrell, el ministro de Guerra que, como buen latinoamericano, decidió enfilar los cañones contra su propio gobierno golpista y hacerse con el poder total). La política era indisociable de lo militar en la delicada sensibilidad peronista, y lo militar indisociable de la organización fascista, con su mezcla de teatralidad, corporativismo y populismo. Sus referencias europeas eran la Italia de Mussolini, la

Alemania nazi y la España de Franco, países que visitó oportunamente, y su ejercicio del poder demostró que su tremebunda sentencia —«Mussolini es el hombre más grande del siglo»— debía ser tomada en serio. Cuando en 1946 Perón tomó el poder con el cincuenta y seis por ciento de los votos, puso en marcha su más ilustrado aprendizaje autoritario y se dedicó a controlar la prensa, crear un poder judicial adicto, inundar la escuela pública con el culto a su personalidad y dar el visto bueno imperial a bandas de matones para que abordaran los desafíos de la disidencia. Todo ello mezclado con logias mitad místicas, mitad militares, y una densa atmósfera ocultista. La defensa de la nación era un régimen dictatorial de inspiración fascista (con un toque de milonga y birlibirloque porteños).

El elemento central en el peronismo eran los trabajadores y sus sindicatos. Ese ángulo proletario también se hacía eco, por cierto, del fascismo. La historia republicana argentina había sido hasta entonces, en cierta forma, la del caudillismo centralista contra el caudillismo regionalista. Perón cambia los términos de la pugna y reemplaza ese conflicto con el de la ciudad contra el campo. Ya en la dictadura militar anterior a su gobierno, en la que había servido, Perón había creado desde el poder una base social muy amplia. A ello había contribuido la cataclísmica Eva, mujer de radio, buena conocedora de los instrumentos de la agitación y la propaganda. Una vez presidente, Perón aceleró el proceso, desatando una lenguaraz y onerosa demagogia en favor del sindicalismo (la sensatez fiscal de Perón era inversamente proporcional a la capacidad de sus glándulas salivares), lo que hizo crecer, por ejemplo, a la CGT de trescientos mil trabajadores a cinco millones. La alianza de lo militar y lo social no se había dado en esos términos en América Latina. Fue una creación del peronismo. El general olvidó la calculadora y se dedicó a subir salarios a diestra y siniestra. Fomentó, bajo el eufemismo de la negociación colectiva, el asalto de los trabajadores contra el capital, dándoles un lugar de privilegio en su organización corporativista del poder. A la larga, el tiro salió por la culata: la amenaza proletaria puso los pelos de punta a los militares y en 1955 éstos mandaron a Perón al exilio.

El populismo y el corporativismo infligieron el más patriótico de los infortunios a un país que durante la Segunda Guerra Mundial había alcanzado una enorme prosperidad gracias a la angustiada demanda de carne y trigo en toda Europa. El nacionalismo de Perón era tal que su política agraria hizo esfumarse a la carne del menú nacional durante cincuenta y dos días, dejó al campo exangüe y acabó con todas las reservas acumuladas durante el agitado comercio de los tiempos de la guerra. Las nacionalizaciones, emblemas de una época latinoamericana que casó el nacionalismo político con el estatismo económico, alcanzaron con Perón niveles sublimes. Cuando asumió el poder, un sesenta por ciento de la industria dependía del capital extranjero y un tercio del dinero producido por las empresas salía del país en calidad de remesa extranjera. Pero la confianza internacional en la economía argentina era vista como una forma exquisita de la afrenta imperialista. Por tanto, el general echó mano del gas, la electricidad, los teléfonos, el Banco Central, los ferrocarriles y todo lo que tuviera huella forastera. Acompañó estas capturas destinadas a engrosar el botín patriótico de excitante retórica nacionalista. A los gringos les había arrebatado los teléfonos (ya les había infligido antes la humillación de su victoria electoral, tras la oportunísima intervención de Estados Unidos por intermedio del subsecretario de Estado, Spruille Braden, a quien se le ocurrió soltar en pleno Buenos Aires un mamotreto antiperonista de 131 páginas conocido como «el libro azul», que alguien poco familiarizado con el coeficiente intelectual de los asesores de Perón, podría haber atribuido fácilmente a su comando de campaña). A los británicos les arrebató los ferrocarriles. Aunque el imperialismo norteamericano era el gran ogro, Argentina tenía, por su historia, una particular deuda de odio contra Inglaterra, pues ella había osado intercambiar carbón, petróleo y maquinaria británica por carne y trigo argentino. La famosa sustitución de importaciones y el control de cambios dejaron a la industria sin poder importar insumos, la falta de competencia secó la energía creativa de los industriales y la inflación, producto de una política de gasto social convertida en una navidad permanente, pronto redujo a polvo el pequeño crecimiento industrial producido al comienzo del gobierno peronista como reacción inmediata al keynesiano estímulo a la demanda. Los controles de precios, que habían arruinado a la agricultura, también ataron las manos de la industria. El gran líder nacionalista redujo la economía nacional, que pocos años antes se codeaba con las más grandes del mundo, a proporciones tercermundistas.

Perón, en honor a las masas, descamisó a la Argentina. Ni los balconazos palaciegos; ni los alaridos exigiendo un asiento en el Consejo de Seguridad de las Naciones Unidas; ni el remoto recuerdo del joven

Perón que, siendo agregado militar en Chile, había intentado robar secretos militares chilenos para cumplir con su patria; ni los quinientos millones de pesos que repartió para las viviendas sociales (el peronismo era firme devoto de este homérico epíteto que desde entonces se ha generalizado), salvaron a la nación. En 1974, al morir el general y con él su brevísimo regreso a la presidencia luego de un largo exilio español, la patria, atragantada de tanta gloria nacional, se había asfixiado.

El general Velasco puso fin al entreguismo que había predominado a lo largo de la república peruana.

Detrás del nacionalismo latinoamericano, como hemos apuntado, suele haber siempre un par de botas, charreteras y música marcial. El nacionalismo peruano fue encarnado, en este siglo, por el general Velasco Alvarado, de quien se contaba que alguna vez, al empezar un Consejo de Ministros, dijo: «Yo pienso que...» y sus ministros, embargados por el prodigioso acontecimiento, estallaron en aplausos. Velasco no era ni un líder superdotado ni un hombre demasiado alejado del estadio primigenio del *Homo sapiens*, por lo que la existencia de su régimen se debió a factores más complejos que los de su propia capacidad de liderar. En buena cuenta encarnaba al «nuevo» militarismo latinoamericano, de signo «progresista». Lo curioso es que estos militares peruanos que dieron el golpe contra el presidente Fernando Belaunde en 1968 eran los mismos que poco antes habían liquidado sin misericordia a la guerrilla procastrista en el altiplano. Primero acabaron con la guerrilla y, para completar la misión de salvataje nacional, acabaron luego con su presidente democrático y su gobierno constitucional.

Con un agudo sentido de la dignidad nacional, establecieron una dictadura que expropió periódicos, amordazó sindicatos, redujo el poder judicial a una farsa, encarceló y exilió opositores y llevó a cabo una política económica socialista bien aceitada por una retórica populista y castrense. Algunos gestos de sublime sabor patriótico distinguen este período particularmente conmovedor de la cruzada vernacular: la abolición oficial de la Navidad y el destierro del enemigo más temible de la patria: el pato Donald.

Buen ejemplar de esa extraña característica peruana que consiste en no entregarse nunca con entusiasmo demasiado consistente a una causa, Velasco no se atrevió a llegar al comunismo. Coqueteó con él, le dio cabida privilegiada en su gobierno, le entregó dos áreas que ocupaban un lugar remoto en su lista de prioridades —la cultura y la prensa— y hasta estableció relaciones con Cuba, a pesar de que muy pocos años antes ese gobierno había sembrado guerrilleros en las montañas del Perú. También expropió haciendas para llevar a cabo la reforma agraria —hecha de burócratas inflados de patria— que llevó a millones de peruanos a salir corriendo del campo con dirección a las ciudades para engrosar el ancho mundo de la urbe marginal. Pero no llegó a abolir del todo el capitalismo, porque los empresarios peruanos, incluso aquellos que habían sido más golpeados por el velasquismo, encontraron la manera de negociar su supervivencia. Marianito Prado, eximio representante de la oligarquía peruana, a quien el régimen expropió industrias, se apareció en la boda de la hija del general con un regalo más grande que el tórax blan-

quirrojo de Velasco, y éste moderó ligeramente sus
impulsos revolucionarios. El grupo que controla en la
actualidad el primer banco peruano, por ejemplo,
debe su éxito inicial —luego consolidado— en buena
cuenta a la época de la dictadura militar revolucionaria.

Velasco creó cerca de doscientas empresas públicas, que a comienzos de los noventa todavía costaban
dos mil quinientos millones de dólares anuales a los
peruanos, y con ello se dio maña para arruinar la pesca y la minería, dos áreas en las que el capitalismo
peruano había logrado tener éxito. Era un firme convencido de que el amor a la patria se tiene que expresar en el número de empresas públicas que se establecen: cada empresa pública es una ofrenda, una
oblación, en el altar de la nación. Con semejante número de ofrendas, el Perú se ahogó de incienso.

El patriotismo de Velasco obtuvo una expresión
simbólica nada más asumir éste el gobierno con la
expropiación de los yacimientos de Brea y Pariñas,
que pertenecían a la International Petroleum Company, subsidiaria de la Standard Oil de New Jersey,
obsesión predilecta de los antiimperialistas incaicos.
La tragedia de Velasco es que se encontró frente a la
Casa Blanca de Nixon y Kissinger, quienes, demasiado pragmáticos para crear un nuevo Castro en Sudamérica, trataron al régimen peruano con una irónica condescendencia. Así, a pesar de la gritería de la
Standard Oil para que Washington sancionara al
Perú, los asesores de Nixon no se dieron por entera-
dos y desinflaron las pretensiones de Velasco. Éste,
desesperado para que le hicieran caso, detuvo dos
barcos yanquis a los que acusó de haber penetrado
las patrióticas «200 millas territoriales» del Perú y

luego se negó a recibir a Nelson Rockefeller, enviado de Nixon. Lo único que logró fueron vagas presiones norteamericanas, alguna amenaza pública, y una secreta negociación en la que su gobierno finalmente pagó a los gringos el dinero de la expropiación. El antiimperialista furibundo resultó ser una mansa palomita. El hombre que había acusado a Belaunde de entregarse a la International Petroleum Company a pesar de que Belaunde, a tono con los tiempos, estaba en proceso de «renacionalizar» parte de la economía, acabó pasándole al imperialismo un chequecito por debajo de la mesa... El imperialismo, por supuesto, devolvió el gesto expresando comprensión por las medidas socialistas de Velasco.

La patria estaba a salvo y los peruanos, en la ruina. Un patriota de signo opuesto al de Velasco se cargó al régimen en 1975 y empezó —con toda la lentitud posible, no fueran a salir las cosas mal— la marcha hacia la democracia, que llegaría en 1980.

XI

EL IDIOTA TIENE AMIGOS

Nuestro perfecto idiota no está solo. Tiene amigos. Amigos poderosos o influyentes en Estados Unidos y en Europa que toman las inepcias, las falacias, las interpretaciones, excusas y espejismos del idiota latinoamericano, las difunden en sus respectivos países y las devuelven a América Latina debidamente estampilladas por la conciencia universal. Parece increíble que mentiras truculentas, fabricadas en casa por ese rústico populista que es nuestro amigo el idiota, vengan desde los grandes centros de la cultura universal acompañadas, como los vinos, de un certificado de autenticidad. Pero así ocurre. Así ha ocurrido siempre con las fábulas nacidas en América Latina, tal vez desde los tiempos de Cristóbal Colón.

¿Quiénes son esos amigos internacionales del perfecto idiota latinoamericano? ¿Otros idiotas? No, no lo son necesariamente, salvo cuando se refieren a nuestro continente, del cual suelen convertirse en voceros a través de informaciones, de editoriales de prensa, de reportajes escritos o televisados, de libros de ensayos, de pronunciamientos políticos o intervenciones diplomáticas. Pues entre ellos hay de todo. Periodistas, en primer término, y no exclusivamente de periódicos de izquierda que, por razones ideológicas, estuviesen fatalmente inclinados a compartir las mismas enajenaciones del perfecto idiota: también encuentran inexplicables espacios y licencias para insertar sus inefables boberías en diarios tan respetables como *Le Monde, The Times, El País, The New*

York Times o *Il Corriere della Sera*. Hay, por otra parte, escritores, filósofos, sociólogos, políticos y diplomáticos cuya visión de América Latina es tan desatinada, tan ordinariamente pavimentada de estereotipos y de infundios, de deformaciones y peligrosas simplificaciones, como la que sesenta años atrás, en plena época brutal del estalinismo, tenían de la Unión Soviética, por ejemplo, tantos homólogos suyos. El mundo cambia, pero estos casos de daltonismo político se repiten incansablemente. Y sobre todo en lo que respecta a América Latina, convertida por obra de esta confabulación de idiotas en el paraíso de la desinformación.

¿Cómo explicar que gentes cultas y sin duda capaces de economizarse disparates cuando hablan de su propio país carezcan de toda perspicacia crítica cuando se trata del continente latinoamericano? Tal vez el propio Revel y, entre nosotros, Carlos Rangel, son los dos analistas políticos que, excavando entre todas las explicaciones posibles, han encontrado las más sagaces y profundas. Según ellos, nuestro continente fue tomado desde siempre, por muchos europeos, como un depósito de aquellos sueños y utopías irrealizables en su propio ámbito. «La mayor parte de los testigos extranjeros, y los europeos en particular —dice Revel—, son ampliamente responsables de los mitos de América Latina... Nuestra percepción (de este continente) pertenece casi al campo exclusivo de la leyenda. Desde sus orígenes, el gusto de conocer estas sociedades, de comprenderlas o simplemente de describirlas, ha sido aplastado por la necesidad de utilizarlas como soporte de nuestras propias alucinaciones. El mal no sería tan grande si nuestras leyendas no fueran, a lo largo de la histo-

ria, el veneno que nutre a los propios latinoamericanos.»

Hubo, en este siglo, una época por muchos aspectos fulgurante en la cual, a un lado y otro del Atlántico, florecieron a la vez los más radicales enjuicia-
mientos del orden de cosas existente, la rebeldía de
los jóvenes y las utopías revolucionarias. Fueron los
años sesenta y lo que ellos alcanzaron a proyectar en
la década posterior. Con las postales románticas de
Fidel y sus barbudos bajando de la Sierra y entrando
en La Habana, del Che Guevara muriendo en Bolivia
y de cientos de muchachos incorporándose a los focos
guerrilleros en selvas y montañas, América Latina se
convirtió en esos años en un continente de moda en
Europa y en Estados Unidos. Allí parecían materializarse los sueños de esa nueva generación que se dejaba crecer el pelo, cantaba las canciones de los Beatles,
rechazaba con los hippies la sociedad de consumo,
condenaba la guerra en el Vietnam invadiendo las
esplanadas de Washington o alzaba barricadas en
las calles de París durante el famoso mayo del 68
francés.

Todo eso se desvaneció como el humo, de modo
que quienes entonces tenían veinte años debieron re-
signarse con el tiempo a usar el cabello corto y a ves-
tirse de manera convencional, a dejar fluir las horas
monótonamente en oficinas, fábricas, cafés, metros o
salas de redacción, dentro de las modestas y en fin de
cuentas muy poco excitantes perspectivas de las sociedades industriales. Para estos frustrados rebeldes, América Latina representaría una vez más el lugar del planeta donde, según ellos, en razón de la
miseria, de las desigualdades y de arrogantes privilegios de capitalistas y terratenientes, se mantienen

vivas las quimeras revolucionarias de su juventud. Así han hecho del Che Guevara un mito y otro de Castro, y en vez de la realidad atroz que padecen los cubanos, siguen viendo en Cuba lo que representaba para ellos —y para muchos de nosotros— en los dorados años sesenta, y han acogido como verdades de a puño todas las mentiras y coartadas del tercermundismo.

Hechizados por el mito del «buen revolucionario», como sus compatriotas lo fueron, siglos atrás, por el mito del «buen salvaje», los viajes al continente de muy poco les sirven, pues sólo ven allí lo que les permita confirmar sus creencias. Y quieren, de paso, que aceptemos para nuestros países lo que ellos no aceptarían para el suyo. Es seguro, por ejemplo, que un Régis Debray, un Günter Grass o un Harold Pinter no admitirían que en Francia, en Alemania o en Inglaterra sólo tuviese existencia legal el Partido Comunista, que en los periódicos solo escribieran los que hiciesen profesión de fe marxista-leninista, que las huelgas estuviesen prohibidas y que se configurara el delito de opinión asimilando cualquier crítica al gobierno a «actividades contrarrevolucionarias», penalizándolas con la detención y la cárcel. Pero cosa curiosa: demócratas y, más exactamente, socialdemócratas en casa, apenas cruzan el Atlántico y los pica el primer mosquito del trópico, descubren que en nuestras tierras sus propios valores y principios democráticos son puramente formales y que vale la pena renunciar a ellos con tal de que los niños coman y se eduquen y los enfermos tengan atención médica. Para ellos la democracia es, pues, un lujo de países ricos. Curiosa forma de colonialismo ideológico.

La misma letanía podría uno oírsela, mientras

arrojaba al aire con suficiencia el humo de su cigarro, a un funcionario del partido de Felipe González, a un socialista francés amigo del señor Mitterrand, a un socialista alemán o a un dirigente del PDS italiano, para no hablar de esa vasta fauna de reporteros enviados por la prensa o la televisión europea que, impregnados de la misma visión tercermundista, llegan a nuestros parajes para ilustrar los estereotipos que ya llevan en su cabeza. Pues siempre verán nuestro mundo, como el de las antiguas *banana republics*, dividido entre ricos muy ricos y pobres muy pobres, entre blancos e indios, entre horrendos gorilas militares y bravos guerrilleros, entre explotadores y explotados. Si nosotros, con igual irresponsabilidad, hiciéramos lo mismo, podríamos pintar un cuadro truculento de Francia parecido al que ellos hacen de nuestras sociedades, presentando el cruel contraste entre los opulentos comensales de Maxims y los mendigos del metro, y a los obreros y estudiantes desfilando en las calles y a la policía, como a veces ocurre, dándoles palo sin piedad. Esa agreste polarización de nuestro paisaje político y social, que ignora matices e interpretaciones distintas a las que les confiere la explicación tercermundista, nos hace víctimas del único colonialismo que ellos no denuncian y que corre por cuenta suya: el de la información.

Los países que estos periodistas europeos describen, conforme a sus propias ficciones y esquemas, no se parecen a los países donde vivimos. Con frecuencia, estos alegres viajeros pasan opiniones como informaciones amparándolas con el uso generoso del condicional (*según se dice, parece que,* etc.) Hablan siempre de la represión gubernamental y no de los desmanes del terrorismo. Los miembros de grupos armados, aun si asaltan, asesinan o secuestran son piadosamente llamados por ellos insurgentes, y si en cualquier momento son dados de baja o detenidos se convierten entonces en inermes campesinos o estudiantes cuya desaparición o encarcelamiento es objeto de denuncia por parte de las organizaciones de derechos humanos. Nunca recuerdan que un gobierno nuestro tiene un legítimo origen en las urnas: nuestras democracias son para ellos puros valores de fachada, simples caricaturas. Allí donde hay guerrillas, corresponde al gobierno el papel del villano autoritario que combate a rebeldes idealistas con la ayuda de tétricos *grupos paramilitares.*

El más fiel arquetipo de esta clase de periodistas «expertos» en Latinoamérica es el italiano Gianni Minà. Autor de una entrevista torrencial a Fidel Castro (que, según su compatriota y colega Valerio Riva, merecería figurar en el *Guinness* por haber sido, en la historia del periodismo mundial, la más larga entrevista hecha de rodillas), se precia de haber realizado más de treinta viajes al continente latinoamericano, con obligada escala en La Habana, y de tener, gracias a ellos, un profundo conocimiento de nuestros problemas. A lo mejor así lo creen sus editores, los directores de los diarios donde publica centenares de artículos y de los canales de televisión donde suele presentarse, pero lo patéticamente cierto es que esos viajes sólo le han servido para apuntalar sus fábulas, pues sus habituales interlocutores en Europa y al otro lado del Atlántico son únicamente los latinoamericanos que las comparten; de esta manera, sus diálogos no son sino variantes del mismo litúrgico monólogo. Es un sobreviviente de esa especie extinguida de dinosaurios que soñaron con ver convertida la Cordillera de los Andes, treinta años atrás, en una prolongación de la Sierra Maestra, y por algo su último libro lleva el título apesadumbrado de *El continente desaparecido.* (En realidad, el que desapareció fue el suyo, su continente de fábulas, y no el nuestro.)

Si aludimos a él en este capítulo, es porque dicho libro, publicado en Italia en 1995, merece un gran reconocimiento de parte nuestra, pues recoge un muestrario muy completo de todas las ideas adulteradas sobre América Latina que propaga en el ámbito internacional el amigo del idiota, hasta el punto de que el nombre de este libro le debía corresponder al libro de Minà a más justo título. Es una vasta pradera de lugares comunes, desde la cual un coro de voces doloridas nos recuerda reiterativamente la miseria del continente latinoamericano y los millones de niños que allí mueren por desnutrición y falta de atención médica para indicarnos un solo culpable: la economía de mercado; y, aunque parezca extravagante, una sola solución: el socialismo conforme al modelo cubano. Rara vez se ha visto una más atrevida obra de ficción, un verdadero Disneyworld, o mas bien *Jurassic Park,* de literatura política a propósito de América Latina. Pasemos revista a sus divertidas atracciones.

Apenas trasponemos el umbral del libro, oímos el rugido que profiere contra el Banco Mundial, la famosa entidad a la cual sirvió por tres años y medio a título de consultor, un caballero llamado Pierre Galand. Presentado por Minà como Secretario General del llamado OXFAN de Bélgica, su condición de tecnócrata internacional parecería dar un viso de verosimilitud y de sello nobiliario a las diatribas que a lo largo y ancho del continente profieren contra el Banco Mundial y contra el Fondo Monetario Internacional nuestros amigos, los perfectos idiotas. Sólo que en su carta de renuncia a sus funciones consultivas en dicho Banco el señor Galand usa el mismo lenguaje tremebundo de cualquier populista nuestro en una tribuna pública. Oigámoslo:

«Según vuestro punto de vista, los únicos gobiernos buenos son aquellos que aceptan prostituir sus economías a los intereses de las multinacionales y de los omnipotentes grupos financieros internacionales... África muere y el Banco Mundial se enriquece. Asia y Europa Oriental ven sus riquezas saqueadas y el Banco Mundial apoya la iniciativa del Fondo Monetario y del GATT que autorizan el saqueo de sus riquezas materiales e intelectuales... En sus discursos, el Banco Mundial habla de los sacrificios que exige la estabilización estructural para que las naciones se inserten en un mercado mundial globalizado, como si se tratara de un desierto que debe atravesarse para llegar a la tierra prometida del Desarrollo. No quiero ser cómplice de esta inexorable fatalidad. Y prefiero continuar sosteniendo a las organizaciones de campesinos sin tierra, de los niños de la calle, de las mujeres que en las ciudades asiáticas no quieren vender su cuerpo...»

Leyendo esta carta en su sala de juntas —si es que alguna vez la leyeron—, los directivos del Banco Mundial debieron de quedar atónitos, tanto como si en pleno invierno una estrepitosa guacamaya del trópico se les hubiese colado por las ventanas. Ya hemos visto (en el capítulo sobre la pobreza y las explicaciones que a propósito de ella da nuestro tierno idiota) la insensata enajenación que consiste en presentar a las empresas trasnacionales como la moderna versión de los filibusteros que en el siglo XVII asolaban el Caribe y la infinita fatiga que produce recordarle al idiota continental y a sus amigos en Europa que Etiopía y otros cuantos países africanos se mueren de hambre, en efecto, pero no por obra del Banco Mundial, sino de bárbaros dictadorzuelos que comparten las tesis tercermundistas del señor Galand, precisamente porque ellas les suministran una coartada, desviando la atención popular de su propia deshonestidad, rapacidad e incompetencia y echándoles la culpa a otros de los males provocados por ellos. No es la presencia de trasnacionales en su territorio lo que los arruina sino precisamente lo contrario: la falta de ellas, el hecho de que es muy escuálida la inversión nacional y extranjera, nulo el ahorro y el desarrollo de la empresa privada. No son los técnicos del Fondo Monetario los que saquean sus supuestas riquezas, sino camarillas políticas y militares, tribales, corruptas y perfectamente ineptas y, para colmo, generalmente de inspiración marxista, que oprimen a sus infortunados pueblos.

Tampoco la penuria de algunos países de Europa Oriental es atribuible al Banco Mundial o al Fondo Monetario Internacional como parece creerlo el pintoresco señor Galand, sino a las secuelas dejadas por más de cuarenta años de esa economía estatizada que él y el señor Minà parecen empeñados en recomendarnos como alternativa ideal. Habría que revestirse de nuevo de una franciscana paciencia para recordarles que el Estado dirigista no ha producido entre nosotros riqueza sino pobreza. Pues el Banco Mundial no ha hecho otra cosa que comprobar una triste verdad; nuestros Estados no pueden luchar contra la pobreza si no se reforman; si no ceden espacios al sector privado para administrar mejor lo que ellos administran mal, con desorden e ineficiencia; si no sanean las finanzas controlando los desatinos y excesos del gasto público, la inflación, las irresponsables emisiones de moneda, y si no acuden a empresarios privados para enderezar empresas estatales que andan a la deriva. En otras palabras, la verdad de Perogrullo que tanto ofende a los perfectos idiotas de los dos continentes es que sin desarrollo económico no hay erradicación posible de la pobreza, y que una de las condiciones esenciales para que este desarrollo pueda producirse a mediano y largo plazo es un orden en las finanzas públicas.

Todo esto les parece a nuestros amigos una travesía insoportable del desierto, para emplear la expresión del señor Galand. Seguramente para todos ellos sería mejor ahorrarse esfuerzos y partir al asalto del cielo, es decir de la utopía, que ofrece a nombre de un Estado redentor pan, tierra, techo y prosperidad como si esas cosas estuviesen al alcance de un decreto, de una ley o de una toma del poder por la vía armada. Por ese camino, en realidad, no se va al cielo sino al infierno, y allí se quedará el señor Galand, lejos del infame Banco Mundial y al lado de los campesinos sin tierra, de los niños de la calle y de las mujeres que, aunque ello no sea de su agrado, tienen que vender su cuerpo para comer, como en La Habana de sus sueños, a lo largo del Malecón.

En América Latina, 180 millones de seres humanos sobre 400 millones viven bajo el umbral de la pobreza y 88 millones en la abierta miseria. Cuba es la excepción.

Gianni Minà, *El continente desaparecido*

Después de cien años de efectiva hegemonía de la economía de mercado en América Latina, el panorama es desolador. El 70% de la población vive más allá del límite de la pobreza y el 40% (de ella) en la miseria. Un millón de niños desnutridos muere cada año en el continente. Cuba se ha atrevido a desmontar este mecanismo que hace de este continente, pero también de África y de Asia, continentes necrófilos. En nuestros países se nace para morir. En Cuba no.

FRAY BETTO, ídem

Fray Betto es un dominico brasileño, apóstol de la teología de la liberación y amigo de Castro, a quien le ha hecho una entrevista tan célebre y torrencial como la de Minà (y, entre paréntesis, también de rodillas). En pocas líneas, hay que reconocérselo, el barbudo fraile dominico sintetiza no sólo la tesis central cien veces expuesta en el libro de Minà, sino el pensamiento a propósito de América Latina de muchísimos intelectuales europeos de la llamada «gauche divine» o «izquierda caviar». Todos ellos se duelen de la miseria que descubren en América Latina; miseria evidente y desde luego insoportable. El perfecto idiota latinoamericano lo sabe y se sirve de ella, como un mendigo de sus llagas, para atraer su atención y venderles, de paso, un falso diagnóstico y un falso remedio del mal. Y obtiene lo que busca, no hay duda. Pues esos intelectuales, periodistas, sociólogos, antropólogos, cineastas o cantantes de la izquierda europea, no sólo, en ensayos, reportajes, cifras, imágenes, poemas o canciones, aluden vehementemente a nuestra pobreza, sino que, con una mezcla de candor, de enajenación ideológica y de supina ignorancia, deciden que sólo nos queda, como única redención, el castrismo, el sandinismo, el zapatismo, el maoísmo y hasta el senderismo; cualquier cosa, menos la boba democracia que ellos mismos tienen en casa, y el vil capitalismo, sinónimo de explotación.

Semejantes tonterías no resisten, obviamente, el menor análisis. En primer lugar, no es cierto, como dice fray Betto, que la economía de mercado tenga en América una hegemonía de cien años. Con excepción de las tímidas tentativas liberales que desde hace muy poco se han introducido en la política económica y social de algunos países, no hemos tenido ni una economía de mercado propiamente dicha, ni una sociedad realmente abierta, de corte liberal. Lo que ha habido hasta ahora en América Latina es mercantilismo o sistema patrimonial; es decir, noble hermano Betto, un sistema en el que una clase política burocrática, su clientela electoral y sus aliados —empresarios sobreprotegidos y una elite sindical ligada a las empresas del Estado— administran el país como si fuera patrimonio suyo. En ese supuesto Estado Benefactor, generador de desorden, despilfarro, inflación y corrupción, está la clave de lo que a usted y a nosotros nos preocupa por igual: la miseria de grandes zonas de la población. De modo que no nos venda usted como solución lo que es causa o en todo caso parte del mal.

En segundo lugar, y en honor a la rigurosa verdad, no es cierto que nuestra pobreza no cesa de agravarse como reza el refrán que repiten a coro los idiotas nuestros y los idiotas foráneos. Pese a los equivocados modelos de desarrollo, al populismo, a los Estados ineficientes, clientelizados y corruptos, y gracias al espíritu empresarial que en medio de tantas dificultades se abre paso, el continente ha sostenido en la segunda mitad del siglo un crecimiento promedio del cinco por ciento anual, no conseguido, según lo recuerda Revel, por ningún país europeo. Ciertamente, dice él, «es un crecimiento con dientes de sierra, con diferencias enormes según los años, y una distribución muy desigual entre los países, como entre las regiones y las capas sociales... Sin embargo, este crecimiento existe. De 1950 a 1985, el ingreso real por habitante ha doblado, en dólares constantes, pasando de mil dólares anuales a un poco más de dos mil, lo que era el nivel de Europa Occidental hacia 1950, y el triple del ingreso de las regiones más pobres de África y de Asia». Y la conclusión: «Las disparidades en el nivel de vida, la miseria de una parte de la población, la quiebra estrepitosa de las finanzas públicas, la inflación que desorganiza la vida cotidiana y esteriliza la inversión no derivan de un subdesarrollo fundamental. Estos males provienen más bien de un despilfarro de origen político.»

Desde luego, el mayor disparate del reverendo Betto, de Minà y de buena parte de la izquierda europea es poner como ejemplo y solución de estos problemas al más pobre de los países de América después de Haití: a Cuba. El capítulo sobre la revolución cubana contiene la respuesta a sus alegres desvaríos sobre esta experiencia; no es del caso reiterarla. Sólo agregamos esto: es una lástima que todos ellos viajen a la isla como invitados de Castro. Disfrutando de esta hospitalidad, que los coloca en el área de los privilegiados del sistema y no del cubano común y corriente, no pueden saber hasta dónde es grande la penuria de éste. Debe de ser triste, fray Betto, no poder beberse una cerveza cuando aprieta el calor en la playa porque semejante gusto sólo pueden dárselo los turistas que tienen dólares. (El dólar que usted tanto detesta como símbolo de un poder imperial es, de paso, el rey de la isla.) Debe de ser triste ver a esos turistas comiendo a su antojo en La Bodeguita del

Medio mientras los habaneros deben limitarse a poner sobre su mesa, en casa, un plato de arroz o de frijoles negros y un vaso de agua con azúcar, expuestos por tanta frugalidad a la avitaminosis y a la neuritis óptica. Debe ser más triste aún ver cómo la hermana o la prima de ese cubano tiene que salir en las noches al Malecón para ofrecerse a algún turista, pues con un salario equivalente a cinco dólares por mes su familia no puede sobrevivir. Debe de ser no triste sino patético no poder decir en voz alta lo que se piensa, ni siquiera dentro de la propia casa, por miedo a los micrófonos, las delaciones y el castigo; o, como la poetisa María Elena Cruz Varela, ser golpeada por los esbirros de la Seguridad de Estado por haber firmado un manifiesto solicitando una apertura democrática, ser tomada por el pelo, arrastrada escaleras abajo y obligada a tragar los poemas recién escritos al grito de «¡que te sangre la boca, coño, que te sangre!». Debe de ser no sólo triste sino humillante para los cubanos de la isla saber que los extranjeros y hasta sus compatriotas del exilio pueden fundar empresas en Cuba, pero no ellos, con lo cual quedan convertidos en ciudadanos de segunda categoría en su propio país, cosa nunca vista en ninguna parte, salvo en Suráfrica con la población de color durante el *apartheid*. Ante todas estas realidades tremendas y comprobables, una frase suya, fray Betto: «Cuba es el único país donde la palabra dignidad tiene sentido», tiene un significado completamente distinto al que usted le da: la dignidad corre por cuenta del pueblo cubano para afrontar la indignidad que le inflige el régimen castrista.

El levantamiento de Chiapas muestra que la vía armada no está terminada.

MINÀ

Como todas las experiencias políticas e ideológicas pasadas no habían obtenido resultados permanentes y significativos, hemos sostenido que el único que podría ayudar a América Latina a dar un paso significativo hacia un mundo distinto, más equitativo, más honesto y humano, sería el indígena porque él era el origen de esta tierra.

MONSEÑOR SAMUEL RUIZ,
obispo de Chiapas, México

¿Se dan ustedes cuenta? Nuestros amigos protagonistas de este libro, no tienen remedio. Giran en círculo; sus utopías, en acero inoxidable, se resisten a las evidencias meridianas que las contradicen. Desaparecido el comunismo en la antigua URSS y en Europa, averiada la ortodoxia castrista por la necesidad de dar un poco de oxígeno capitalista a la agónica economía de Cuba, naufragado el sandinismo bajo el peso de sus monumentales errores, herida de muerte la ilusión maoísta en la plaza de Tiananmen, el propio Vietnam comunista convertido a la fe de la economía de mercado, el levantamiento de Chiapas vino providencialmente en su ayuda. «Es la primera guerrilla del siglo XX», pronosticó con temeraria alegría nuestro amigo Carlos Fuentes, réplica autóctona de la *gauche divine* de que hablan los franceses o de la «izquierda caviar» como se le define en español. En todo caso él comparte sus refinamientos y sus coqueterías ideológicas; todo eso suministra, en el mundo sofisticado de la *intelligentsia* europea, un elegante salvoconducto. Haciéndole eco, Minà, los periodistas de *Il*

Manifesto y otros huérfanos de las quimeras revolucionarias de América Latina, saltan en un solo pie de alegría. La lucha armada no esta concluida y derrotada, ya lo decíamos, escriben. El gran Emiliano Zapata ha resucitado.

De nuevo, sobre una realidad innegable —la pobreza y abandono de los indígenas de las selvas lacandona y chiapaneca de México, la explotación de que han sido víctimas por parte de caciques políticos del PRI— se alza una fábula acreditada por el perfecto idiota y sus amigos de Europa, eternos fabricantes de mitos en nuestro continente. En Chiapas no hubo, como se han apresurado a decirlo, un levantamiento espontáneo y desesperado de indígenas sin tierra, a la manera de las grandes revueltas agrarias del pasado, sino una operación político-publicitaria minuciosamente preparada con gran antelación por miembros de grupúsculos de izquierda que, como el llamado Comandante Marcos, un profesor de la Universidad de Xochimilco, de indios o de campesinos no tienen un solo pelo, y que, con ayuda del fax y valiéndose sobretodo de la fatiga producida en el país por la larga dictadura política del PRI, han buscado engañosamente presentar su aventura como una revuelta popular contra la supuesta «política neoliberal» de los dos últimos gobiernos mexicanos.

Se trata, desde luego, de una burda deformación de la realidad. En primer término, porque si hay algo contrario al liberalismo es la estructura política del PRI y sus prácticas venales. En segundo lugar, porque la miseria de los indios lacandones no es debida a ninguna política liberal o neoliberal, sino al corrupto estatismo que por más de cincuenta años ha imperado en México, una de cuyas secuelas, en el caso de la región de Chiapas, es el de haber dejado que gobernadores y caciques o empresarios madereros ligados al partido oficial se enriquecieran impunemente explotando a los indígenas y deforestando su ámbito natural. Pero en este caso, como en ningún otro, los promotores de la aventura, los perfectos idiotas mexicanos y sus homólogos en el mundo, han podido no sólo dar nuevo aire al viejo estereotipo de la revuelta armada de los campesinos sin tierra, sino, de paso, satanizar al modelo liberal presentándolo como una fuente de injusticias sociales. Así también, gracias a este episodio providencial un Carlos Fuentes puede presentarse en los centros académicos de Estados Unidos como el sofisticado defensor de los indios desposeídos y el detractor del capitalismo salvaje. Y, haciéndole eco, un Régis Debray, que no ha acabado de pagar la cuenta de sus continuos errores a propósito de América Latina y de la revolución cubana, o el escritor inglés John Berger, vuelven a ocupar espacios privilegiados en la prensa europea señalando a Marcos como un nuevo Robin Hood y descubriendo, maravillados, en su pobre retórica tercermundista, a un nuevo talento literario del continente. Nada que hacer: es un regreso senil a sus mitos de juventud.

Son los viejitos verdes de la revolución latinoamericana encaprichados con sus polvorientas pasiones. Si en vez de perseguir tales mitos, estudiaran de cerca lo que está ocurriendo en México, se darían cuenta de que Marcos se sirve de los indios lacandones para hacer llegar al mundo sus mensajes políticos, sin hacer nada concreto por resolver sus problemas y aspiraciones más inmediatos, cosa que sería factible si la suerte de tales indígenas fuera su real preocupación. A fin de cuentas, poco peso deben tener para él acueductos, escuelas o puestos de salud en una selva apartada, si el proyecto que persigue está impregnado, como el que tenía Abimael Guzmán o el del cura Pérez en Colombia, de delirios ideológicos y sueños estrambóticos de liberación. Todos ellos, ya lo hemos visto de sobra, sólo dejan en el continente estrépito, sangre y la pobreza de siempre.

La ensoñación de monseñor Ruiz es de otro orden: seráfica. Como el mito del «buen revolucionario» está fracasado —parece decirnos, cuando habla de «experiencias políticas e ideológicas» que no han obtenido «resultados permanentes y significativos»—, regresemos atrás, al mito del «buen salvaje». El que pregonaban en Francia, sucesivamente, Montaigne y Rousseau. «Allí (entre los indios) —decía el primero— no hay ricos ni pobres, ni contratos, ni sucesiones, ni participaciones. Las palabras mismas que significan la mentira, el disimulo y la avaricia son desconocidas.» Monseñor debe haberse creído esta fábula y nos propone volver, de mano de los indios lacandones, a esta sociedad ideal, más sana, más justa y humana, a ver cómo nos va. Tratándose de un clérigo de la teología de la liberación, es paradójicamente un avance este regreso que nos propone a la Edad de Oro (o más bien a la Edad de Piedra), saludado con júbilo por el señor Minà, pues supone, al menos, que dejó de creer en el marxismo como medio de llegar a un mundo sin opresores ni oprimidos. (Fray Betto y el propio Marcos no deben de estar de acuerdo.)

Será difícil, sin duda, llevar a la realidad esta ahora nueva y a la vez viejísima utopía. Los mexicanos comunes y corrientes, mucho lo tememos, no van a estar muy de acuerdo con monseñor Ruiz en sustituir a los economistas de Harvard por los aborígenes de la selva chiapaneca, poniendo en manos de estos últimos y del señor Marcos la economía nacional. Es posible que esta idea, en cambio, seduzca a algunos intelectuales mexicanos, a sus amigos europeos de la «izquierda caviar» y a los periodistas como Minà, para quienes, más que exportadores de café, de azúcar o bananos, somos exportadores de sueños. ¿Cómo habría sido su vida, qué alimento le habrían dado a su imaginación ya sin alicientes desde que Castro se puso una corbata para visitar el Palacio del Elíseo, si aquel 1 de enero de 1994 no se hubiese producido lo de Chiapas?

Lo sé, es embarazoso para todos, descubrir en el informe de Amnesty 1993, después de haber hablado por años del gulag cubano, que aparte de Costa Rica, probablemente es Cuba con sus trescientos prisioneros de conciencia —cito textualmente el libro— y con algunos opositores políticos detenidos, a menudo para interrogarlos, por parte de las fuerzas de Seguridad, el país del continente donde se violan menos los derechos humanos.

GIANNI MINÀ, *El continente desaparecido*,
pág. 258

Esta afirmación no es, desde luego, de Amnesty International, sino del propio señor Minà, que encuentra la manera de atribuirle a la mencionada organización de derechos humanos lo que nunca ha dicho. Amnesty ha denunciado en sus informes los atropellos cometidos por Castro, a tal punto que éste ha terminado por prohibir la entrada de sus miembros a la Isla. Es el señor Minà el que, considerando muy modesta la cifra de los prisioneros políticos, establece para Cuba un veredicto absolutorio colocándola en segundo lugar entre los países continentales que mayor respeto tendrían por los derechos humanos.

Es un concepto simplemente escandaloso. Pues si hay un país donde desde hace más de treinta años se violan flagrante y constantemente tales derechos es éste, y ahí están, para demostrarlo, las revelaciones de Armando Valladares y otros terribles testimonios escritos por cuantos han pasado por los calabozos de la isla. En ninguna otra parte del continente ha quedado, como allí, legalmente establecido el delito de opinión, asimilando cualquier crítica, cualquier tentativa de solicitar en el país una forma de pluralismo democrático, a punibles actividades contrarrevolucionarias. ¿Habrá algo más escandaloso que el juicio público que culminó con la sentencia de muerte para el general Arnaldo Ochoa, Tony de la Guardia y otros funcionarios del régimen, tenebrosa mascarada que recuerda los procesos de Moscú y de Praga bajo el estalinismo? Ante semejantes realidades, los amigos internacionales del idiota, disfrazados de defensores de los derechos humanos, aparecen encubriendo o excusando tenebrosos atropellos. Allí ya no hay candor, sino abierta mala fe.

La aspiración de los balseros es la misma de millares de mexicanos y de latinoamericanos que intentan entrar en Estados Unidos, a pesar de la situación social y de trabajo de aquel país, que con frecuencia los rechaza. Nadie, sin embargo, se atreve a pensar que estos inmigrantes cruzan la frontera indocumentados por una decisión política.

GIANNI MINÀ, *El continente desaparecido*

Suponer que los balseros cubanos abandonan la isla por razones que nada tienen que ver con el régimen de Castro es otra alegre temeridad. Bastaría prestar atención a lo que declaran, o declaraban cuando, luego de una terrible odisea, llegaban a territorio norteamericano. Todo el mundo sabe que huyen de Castro y lo que él representa para el pueblo cubano en términos no sólo de hambre y penuria sino también de represión política. Buscan no sólo medios de sobrevivencia sino otra cosa que han perdido en su isla de infortunios: la libertad.

Ciertamente muchos otros latinoamericanos intentan entrar legal o ilegalmente en Estados Unidos. Pero, en sus países de origen, ninguna autoridad les impide tener un pasaporte y viajar al exterior cuando quieran. Excepto los haitianos —ellos sí exclusivamente en razón de su miseria— no necesitan, para ello, valerse de cuatro tablas y un neumático, y desafiar la voracidad de los tiburones. Hacen lo mismo que el señor Minà: toman un avión. *Voilà la petite différence.*

¿De qué nos sorprendemos? Las fábulas sobre nosotros llevan en Europa algo más de quinientos años. Colón veía sirenas en el Caribe y creyó encontrar el paraíso terrenal en la desembocadura del Orinoco. En el mismo mar, cinco siglos después, otro italiano, el señor Minà, no ve balseros desesperados sino ingratos buscadores de fortuna que dejan detrás otro paraíso descubierto por él. No hay nada que hacer: el idiota internacional es un soñador incurable.

XII

¡AHÍ VIENE EL LOBO FEROZ!

«Un fantasma recorre el mundo», decía Marx en su célebre *Manifiesto* refiriéndose al comunismo. Hoy, en el universo del perfecto idiota, ese fantasma que provoca espanto, odios y denuncias es el liberalismo. ¡Cuántos apóstrofes le llueven! Con idénticas razones, lo condenan comunistas, socialdemócratas o demócratas cristianos; jefes de Gobierno tan diversos como Castro, Rafael Caldera o Ernesto Samper; periodistas tan supuestamente bien informados como el director de *Le Monde Diplomatique*, tribales coroneles africanos o sofisticados escritores como Carlos Fuentes; guerrilleros, catedráticos, sociólogos, economistas, congresistas y sindicalistas de izquierda; obispos de la teología de la liberación, jóvenes maoístas o viudos octogenarios del cepalismo, y naturalmente los Galeanos, Benedettis, Dorfmans y demás evangelistas de nuestro perfecto idiota, para no hablar de su última figura emblemática, el comandante Marcos. Todos alzan su voz en un coro unánime de diatribas contra esta herejía de los tiempos modernos.

¿Qué es lo que hasta tal punto los enfurece y escandaliza? Cosas obvias; en fin de cuentas, verdades de Perogrullo que a primera vista no merecerían ser satanizadas. Lo dicho en este libro, replicando las fábulas del perfecto idiota latinoamericano: que no es el Estado sino los particulares los que crean la riqueza; que la riqueza de un país se ha hecho o se puede hacer mediante el ahorro, el esfuerzo, las inversiones nacionales y extranjeras, creando, desarrollando y multiplicando empresas en el marco de una economía de mercado; que los monopolios públicos y privados son fuentes de abusos y que es mejor instrumento de regulación y de protección del consumidor la libre competencia; que las excesivas regulaciones, los controles de cambios, de importación y exportación, las barreras arancelarias y los subsidios son generadores de indebidos privilegios y de corrupción. Todas estas cosas, y otras más que concurren a la propuesta liberal en el continente latinoamericano, provienen de nuestra propia experiencia continental y no exclusivamente de los textos de don Adam Smith. En otras palabras, están refrendadas por la realidad y tienden a propagarse en vista del fracaso del sistema patrimonialista que hemos tenido hasta ahora y de los desastres provocados por las aventuras populistas o revolucionarias.

Si se tratara de un problema rigurosamente técnico, sin interferencias ideológicas, hasta el perfecto idiota terminaría aceptando como evidencia que el modelo liberal rinde mejores resultados. Pero la ideología, como las religiones, se alimenta de dogmas de fe. Lo hemos dicho: es una dispensa intelectual, una manera de explicarse el mundo y la sociedad a partir de confortables presupuestos teóricos sin acudir a la comprobación. Cuando algo viene a poner en tela de juicio el dogma que sirve de base a todo un código de interpretaciones hasta entonces inamovible y, más aún, a todo lo que ese código ha proyectado en un destino individual o en el de un grupo o partido, la reacción es virulenta; la misma, por cierto, que produjo Galileo revelando que la Tierra era redonda y que giraba alrededor del Sol. ¡Los herejes deben ir a la hoguera! El anatema reiterado hasta el cansancio, casi de manera litúrgica, es una de las contribuciones valiosas que Stalin le hizo al marxismo leninismo y que por vía de contagio ha pasado a una buena parte de la izquierda. Obedeciendo a esa pauta, los anatemas que se lanzan contra el liberalismo —o contra el neoliberalismo, para darle su nombre satánico—, son gruesos, pocos, pero, a fuerza de ser remachados diariamente, tienden a clavarse en la conciencia pública para júbilo de nuestro idiota. Pongámoslos sobre el mantel a manera de postre.

El neoliberalismo representa el capitalismo salvaje. Debemos oponerle el Estado Social.

Es un simple juego de máscaras para encubrir la realidad. La máscara terrorífica nos corresponde, y la bonita máscara se le da al Estado dirigista y benefactor que ya hemos descrito en otra parte de este libro y que no ha producido en el continente sino desastres. Estado social era el que pretendía representar el justicialismo de Perón, por ejemplo, con su famosa tercera vía equidistante del capitalismo sin alma y del comunismo soviético. En el capítulo sobre caudillos y nacionalismo hemos visto los desastrosos resultados de esta experiencia: un país que en las primeras décadas del siglo tenía un nivel de vida comparable al del Canadá, hizo en menos de veinte años una vertiginosa involución hacia el subdesarrollo del llamado Tercer Mundo; su situación, después del paso de Perón y de las bárbaras dictaduras militares que lo sucedieron, no era mejor que la de un país como la Argelia poscolonial.

El peronismo representó ciertamente la apoteosis del llamado Estado Social; es decir, de aquel que sacrifica el desarrollo a políticas redistributivas creyendo con ello remediar injusticias y desigualdades sociales. Hemos visto cómo Perón consiguió abrir un descomunal déficit fiscal allí donde había un considerable capital de fondos propios y de reservas monetarias acumulados durante los años de la Segunda Guerra Mundial. Esta catástrofe fue provocada mediante una política de estímulo al consumo, de nacionalización de florecientes empresas de servicios públicos como los ferrocarriles, de creación de empresas estatales perfectamente improductivas y sobre todo de adulación al establecimiento sindical argentino concediéndole cuanto pedía. Entretanto Evita, su esposa, hacía del Estado una entidad de beneficencia, a nombre de la llamada justicia social, regalando casas (cinco mil, en sólo el primer semestre de 1951) y millones de paquetes con medicinas, muebles, ropas, juguetes y hasta dentaduras postizas. Los Perón actuaron como los herederos que despilfarran de la manera más loca una cuantiosa herencia recibida. Toda esa feria de ilusiones representada por el Estado Social concluyó en corrupción, bancarrota económica, inflación galopante, pobreza y, como reacción, sangrientas dictaduras militares.

La idea básica de cuantos proponen este engendro (ya lo hemos visto en los capítulos sobre la pobreza y el Estado) es que la razón última de nuestros problemas económicos y sociales radica en una injusta relación entre los que todo lo tienen y los que no tienen, razón por la cual corresponde al Estado (a su famoso Estado Social, sinónimo de Estado Benefactor) eliminar esta injusticia con leyes redistributivas y aumentando, por medio de nacionalizaciones y controles de todo género, las atribuciones y límites del sector público. Fue lo que hicieron en el Perú, cada cual en su momento, el general Velasco Alvarado y el señor Alan García, con los resultados que en otras páginas de este libro ya hemos descrito. También el sandinismo obedeció a la misma concepción del Estado social y todo lo que consiguió fue llevar a Nicaragua a la ruina. El nivel de vida de la población en 1989 era casi tan paupérrimo como el de Haití; el consumo había bajado en diez años de sandinismo en un 70%, el poder de compra del pueblo nicaragüense en un 92% y la inflación llegaba a niveles astronómicos. De una situación similar se salvó finalmente Bolivia, porque el presidente Víctor Paz Estenssoro, libre de enajenaciones ideológicas, dio al Estado y a la economía un viraje de ciento ochenta grados adoptando un modelo de intenciones liberales en sustitución del que, bajo la emblemática bandera «social», habían impulsado con desastrosas consecuencias los idiotas de su propio país. El suyo es, por cierto, uno de los más valiosos casos de honestidad intelectual que se conozcan en el continente, tratándose del gran dirigente histórico de la llamada revolución boliviana del MNR, cuyas fórmulas, aplicadas fuera de aquel contexto particular, sirvieron de modelo para calamitosas experiencias estatistas y nacionalistas.

¿Cuál sería, pues, el capitalismo salvaje? ¿El que predominó hasta hace muy poco tiempo, llamado «sistema patrimonial» por un Octavio Paz, o el que los liberales hemos querido sustituir? Aun en aquellos países del continente latinoamericano que no alcanzaron a vivir las desastrosas experiencias populistas de la Argentina o del Perú, el modelo de desarrollo hacia adentro y de economía dirigida dieron lugar a formas y consecuencias del mercantilismo varias veces citadas en los capítulos precedentes de este libro: monopolios, privilegios, corrupción, trabas de todo orden, burocracia, empresas de servicio público ineficientes y costosas, corroídas por el clientelismo político, y, como corolario de todo ello, inflación, empobrecimiento y extorsión de inermes usuarios por cuenta de altísimas tarifas e impuestos. Cualquiera que examine honestamente semejante estado de cosas, comprenderá que lo salvaje no es cambiarlo a través de propuestas de privatización y políticas de apertura, sino mantenerlo.

Del modelo liberal hay experiencias positivas y nuevas en América Latina: las de Chile, y aún la que empieza a abrirse paso en Bolivia, se desarrollan bajo buenos auspicios y parecen irreversibles, aunque, naturalmente, tratándose de vías hacia el desarrollo y la modernidad, sus beneficios irán apreciándose con el tiempo. Sólo el populismo ofrece remedios súbitos y engañosos para sustraer a un pueblo de la pobreza y el atraso. Es un simple ejercicio demagógico, porque nadie puede enseñar ejemplos plausibles en nuestro continente del llamado Estado o capitalismo social que propone. Fórmula retórica, antifaz de ideologías obsoletas, por más que uno busque en el mapa o en la historia continental, sólo encuentra bajo este rótulo demagógico, en el pasado, pero también en el presente, un muestrario de desastres. ¿Será capitalismo social o economía social de mercado la que pretende introducir Castro en su infortunado país? ¿Será una buena réplica al liberalismo la experiencia agónica del octogenario doctor Caldera en Venezuela? ¿Dónde se ve en Colombia, país crucificado por el clientelismo político y la corrupción que él conlleva, rasgos convincentes de ese redentor capitalismo social?

¿No será ésta la vieja música de siempre tratando de presentarse como novedad?

El neoliberalismo no sólo representa la eternización de la dependencia, la fragmentación de nuestros países y el aumento sin freno de la pobreza, la marginalidad, la pérdida de recursos naturales, el intercambio desigual y la brecha tecnológica y científica. También representa sistemas políticos en los que la participación del pueblo en las decisiones no existe de hecho, o descansa sobre tan aterradoras injusticias sociales que los tornan vulnerables.

Declaración del IV Encuentro Latinoamericano y del Caribe reunido en La Habana en enero de 1994.

Presidido por Fidel Castro, este Encuentro contó entre sus participantes no sólo con representantes de los partidos comunistas continentales y de otras organizaciones del mismo perfil ideológico, sino a dirigentes de organizaciones guerrilleras como la Unión Camilista-Ejército de Liberación Nacional (UC-ELN) y la Coordinadora Guerrillera Simón Bolívar de Colombia, que han hecho del terrorismo un arma de lucha y del secuestro y la alianza con los traficantes de droga un negocio muy productivo. Sus atentados a los oleoductos han producido gravísimos daños ecológicos. Obviamente, para estos espeluznantes huérfanos del comunismo, cuyo razonamiento ha sido analizado en el capítulo sobre la revolución, todos los males que ellos le asignan al neoliberalismo han sido resueltos en Cuba por el Líder Máximo. No ha habido allí incremento de la pobreza, sino el bienestar más absoluto, y el sistema político, basado en el partido único, la presidencia vitalicia y la ausencia total de oposición, es para ellos el único que realmente representa una efectiva participación del pueblo en las decisiones. Como van jubilosamente en contravía de la realidad, y cuando dicen blanco debe leerse negro, estas consideraciones suyas son, a fin de cuentas, altamente gratificantes. Merecen un puesto de honor en los altares del perfecto idiota.

El mercado tiende a producir más artículos de lujo que los de primera necesidad. La producción de estos últimos será insuficiente y las necesidades no quedarán cubiertas. Las necesidades cuya satisfacción no se pueda pagar no existen para el mercado. Produce sólo lo que genera beneficio privado, independientemente del beneficio social.

JUAN FRANCISCO MARTÍN SECO,
La Farsa Neoliberal, Temas de Hoy, 1995

Después de producir semejante afirmación, el cerebro de don Juan Francisco debió quedar igual que su segundo apellido. Este caballero de la Madre Patria llegó con su panfleto contra el liberalismo mucho más lejos que nuestro modesto idiota latinoamericano. Merece ser su padrino. Según se lee en la solapa de su libro, es catedrático de Ciencias Económicas de la Universidad Autónoma y articulista de *El País* y de *Cambio 16*. Ha sido además funcionario del gobierno socialista español, lo cual tal vez nos explique su curiosa teoría sobre el mercado. Viviendo en Madrid, y advirtiendo en sus paseos cotidianos que en aquella ciudad no faltan los chorizos, las tortillas, las aceitunas, el jamón serrano, el café, el vino, el pan, la leche, el papel higiénico y otros artículos de primera necesidad, este ilustre crítico del liberalismo debe de estar convencido de que si no fuese por Felipe González y los correctivos que debe haberle aportado el

socialismo español a la bárbara economía de mercado, todo eso faltaría en España. Seguramente en el
Londres de los tiempos de la señora Thatcher, en los
Estados Unidos de Reagan, en Taiwan, Nueva Zelan-
da o Chile, donde el Estado no cumple la redentora
función prevista por su maestro, el señor Keynes, las
vitrinas de las tiendas sólo ofrecían u ofrecen perfu-
mes de Cartier, Rolls Royces, trajes de Armani o Va-
lentino y otros artículos suntuarios, pero nada de lo
esencial. El profesor Martín Seco ha desempolvado la
pintoresca teoría de que todo lo que signifique beneficio social no es rentable, y, por consiguiente, es
desdeñado por la economía de mercado y por su infame ley de la oferta y la demanda. Sólo el Estado se
ocupa de poner en las mesas el pan y la mantequilla,
y todo lo necesario para la subsistencia. Y si no, que
se lo pregunten a los cubanos.

Vale la pena recomendarle a nuestro amigo, el
idiota, la lectura de este libro. Puede ser otra biblia
tan convincente como la de Galeano. Allí se reiteran
todos sus dogmas. Verá cómo el Estado y sólo él «ha
asumido también como función propia la corrección
de las desigualdades producidas por el mercado al
distribuir la renta», y cómo «se responsabiliza al Estado de la buena marcha de la economía, por lo que
debe dirigirla a través de su política económica, y
aún más, intervenir directamente como empresario...» (Ya lo decía yo, dirá en este punto el idiota latinoamericano). Verá también cómo, según el autor
de este libelo, «el consumidor es el nuevo proletario
de nuestra era», despojado de su salario por una sofisticada publicidad de las multinacionales que lo
inducen a consumir chocolates, detergentes, aceites
vegetales, jabones, alimentos para perros, desodoran-

tes, caldos y otras futilezas. El inefable catedrático cabalga sobre su libro de sueños e improperios como don Quijote sobre *Rocinante*.

También en Francia llueven furibundas diatribas contra el liberalismo. A propósito de las huelgas que paralizaron a Francia en el mes de noviembre de 1995, el director del conocido periódico *Le Monde Diplomatique*, Ignacio Ramonet, escribe un artículo, publicado en diciembre de 1995 en el diario *El País* bajo el título «La chispa francesa», al cual pertenece la siguiente afirmación:

> *¿Qué significado tiene esta insólita revuelta? Es la primera protesta colectiva, a escala de todo un país, contra el neoliberalismo. Y esto es histórico.*

No es la primera vez, y obviamente no será la última, que las crisis provocadas por el Estado Benefactor (*L'État providence,* en francés) le son endosadas alegremente al liberalismo. La multitudinaria movilización de trabajadores y funcionarios, que dejó a Francia por dos semanas sin transportes ni correos, tuvo efectivamente el carácter de una protesta contra el plan de reforma de la Seguridad Social y de las pensiones del gobierno propuesto por el primer ministro Alan Juppé. Pero ni el señor Juppé, ni el presidente Chirac, ni la reforma propuesta, bastante cautelosa, por cierto, merecen el calificativo de liberales. Se trata, en el mejor de los casos, de una acción desesperada de primeros auxilios tributarios, perfectamente insuficientes, para salvar un sistema previsional cuya concepción integralmente estatista, al borde de la hecatombe financiera, no ha sido puesta en tela de juicio por el gobierno francés.

Considerado por una gran mayoría de los franceses como una conquista social inamovible, el sistema de Seguridad Social en Francia, igual que en muchos otros países del Occidente desarrollado, es cada vez mas oneroso, más complejo y voraz. Su déficit alcanza hoy la suma astronómica de cincuenta mil millones de dólares (doscientos mil millones de francos). La calidad de sus servicios se deteriora y deshumaniza. El sistema, que crece inconteniblemente generando una burocracia tentacular, abusos y despilfarro, sobrepasa sin cesar sus fuentes de financiación, obligando al Estado a imponer cada cierto tiempo nuevas tributaciones en base a la llamada masa salarial de las empresas. Ya de por sí la carga prestacional que genera cualquier nuevo empleo es tan alta para trabajadores y empresarios, que estos últimos, sobre todo cuando son propietarios de pequeñas y medianas empresas, lo piensan dos veces antes de enganchar un nuevo empleado u obrero. Las altas y rebeldes tasas de desempleo —ese espectro que alarma hoy con razón a las sociedades industriales con sus secuelas de inseguridad y delincuencia— no son en modo alguno ajenas al agobiante sistema impositivo de Francia y a otros factores que desalientan la actividad productiva y le restan dinamismo a la renovación tecnológica y a la competitividad de muchas industrias del país, con la consiguiente pérdida de mercados y el incremento de excluidos y marginales de la sociedad.

Los políticos franceses, sean de izquierda o de derecha, ofrecen en las campañas electorales algo virtualmente imposible como es reducir impuestos, combatir el desempleo y a la vez mantener y aun ampliar los beneficios de la Seguridad Social. Colocados ante la realidad de un déficit monumental, obligados a crear nuevas formas de tributación, desesperados ante la imposibilidad de frenar el desempleo que golpea particularmente a los jóvenes recién llegados al mercado del trabajo, están abocados a ver cómo su popularidad se erosiona vertiginosamente en el gobierno abriéndole opciones a sus opositores. El movimiento pendular entre la izquierda y la derecha, que nada resuelve, crea sólo fugaces ilusiones de cambio, rápidamente defraudadas, fomentando en la sociedad civil escepticismo ante el establecimiento político en su globalidad, y favoreciendo a veces aventuras xenófobas o ilusos movimientos ecologistas, sólo porque representan algo distinto a las formaciones partidistas tradicionales.

En suma, lo que analistas como el propio señor Ramonet no quieren ver es que el Estado Benefactor ha hecho metástasis y que sus sistemas de asistencia social no tienen cura posible, simplemente porque no hay cómo pagarlos. El «ogro filantrópico» produce más daños que beneficios: lo que entrega con una mano lo quita con creces con la otra, sacándolo del bolsillo del contribuyente e infligiéndole, además, el costo adicional de sus endeudamientos irresponsables y de sus copiosos aparatos burocráticos. El analista liberal José Piñera Echenique, autor de la exitosa reforma previsional en Chile, ha explicado muy bien la naturaleza de esta crisis: « La dualidad de criterios —ser liberal en lo económico y estatista en lo social— compromete tanto la eficiencia en la asignación de los recursos para combatir la pobreza como compromete la estabilidad de los avances en el plano económico al mantener una tensión permanente entre ambos criterios de conducción de los asuntos públicos. Quizás el mejor ejemplo de esta dualidad sea la existencia de sistemas de seguridad social estatales en franca decadencia en países con una larga tradición de economía de mercado.»

El señor Ramonet, y con él muchos detractores del liberalismo, tratan de situar este debate en el plano de la ideología y no de la realidad. En esa latitud ideológica, es muy confortable proclamar a los cuatro vientos que es un derecho de todos los ciudadanos recibir del Estado una total protección social, toda suerte de subsidios, inclusive el del paro o desempleo, y presentar al liberalismo como el lobo voraz que pretende desconocer semejantes beneficios juzgados como conquistas irreversibles de la masa laboral. La reiteración de este tipo de discurso termina por generar, en torno al Estado Benefactor, una cultura y una mentalidad colectiva, parecida a la de quienes viven de la asistencia pública. Quienes presentan las protestas sociales como una reacción contra el llamado neoliberalismo, nunca se toman el trabajo de presentar sus propias alternativas frente a este abanico de problemas insolubles dentro del marco del Estado Benefactor: déficit del sistema de seguridad, un despiadado sistema impositivo y creciente desempleo. Se limitan a levantar el altavoz para reclamarle al sordo «ogro filantrópico», en nombre de sus quimeras ideológicas, la cuadratura del círculo.

¿Cuál es, para ellos, la culpa del liberalismo, en países donde la verdadera opción liberal permanece inédita? Señalar estas verdades y no participar en el engaño de los que parten, como ellos, al asalto del cielo; es decir, en pos de las utopías sociales y de las fábulas del Estado Benefactor. Por culpa de cierto discurso político e ideológico, cualquier otra alternativa de signo liberal es objeto de escarnios. Y sin embargo ellas existen en otras latitudes. La reforma prestacional de Chile, por ejemplo, dejó en libertad a los ciudadanos de aquel país de escoger libremente el sistema de salud y pensiones que cada uno quisiera. Sólo un 10% de ellos permaneció con la vieja Seguridad Social del Estado dejando en manos del sector público el manejo de sus pensiones. El resto, o sea el 90% de trabajadores y empleados, optó por confiar este manejo a empresas privadas, con resultados notoriamente tan ventajosos que nadie quiere volver al viejo sistema, el que aún existe en Francia. Es una privatización irreversible. Así, para este problema, el liberalismo ha dado las soluciones que el Estado Benefactor es incapaz de dar. Una vez más: la realidad, y no las fábulas ideológicas de nuestro perfecto idiota, ha dicho la última palabra.

XIII

LOS DIEZ LIBROS QUE CONMOVIERON AL IDIOTA LATINOAMERICANO

Como regla general, todo idiota latinoamericano posee una cierta biblioteca política. El idiota suele ser buen lector, pero, generalmente, de malos libros. No lee de izquierda a derecha, como los occidentales, ni de derecha a izquierda, como los orientales. Se las ha arreglado para leer de izquierda a izquierda. Practica la endogamia y el incesto ideológico. Y, con frecuencia, no es extraño que estas lecturas lo doten de cierto aire de superioridad intelectual. Quienes no piensan como ellos es porque son víctimas de una especie de estupidez congénita. Soberbia que proviene de la visión dogmática que inevitablemente se va forjando en las mentes de quienes sólo utilizan un lóbulo moral en la formulación de sus juicios críticos. La literatura liberal, conservadora, burguesa, o simplemente contraria a los postulados *revolucionarios*, les parece una pérdida de tiempo, una muestra de irracionalidad o una simple sarta de mentiras. No vale la pena asomarse a ella.

¿Qué lee nuestro legendario idiota? Naturalmente, muchas cosas. Infinidad de libros. Sin embargo, es posible examinar sus repletas estanterías y espigar varios títulos emblemáticos que engloban y resumen la sustancia de todos los demás. Lo que sigue a continuación —en orden cronológico no riguroso— pretende precisamente eso: elegir la biblioteca favorita del idiota, de manera que si algún lector de nuestra obra desea incorporarse al bando de la oligofrenia política, en una semana de intensa lectura hasta podrá pronunciar conferencias ante algún auditorio prestigioso, preferiblemente del mundo universitario de Estados Unidos o Europa. Todavía hay gente que se queda boquiabierta cuando escucha estas tonterías.

Una última advertencia: tras la selección de los diez libros que han conmovido a nuestro entrañable idiota, pueden observarse tres categorías en las que estos textos se acoplan y refuerzan. Unos establecen el diagnóstico fatal sobre la democracia, la economía de mercado y los pérfidos valores occidentales; otros dan la pauta y el método violento para destruir los fundamentos del odiado sistema; y los últimos aportan un luminoso proyecto de futuro basado en las generosas y eficientes caracteristísticas del modelo marxista-leninista. Ilusión curiosa, porque en los años en los que el idiota alcanza su mayor esplendor histórico —desde mediados de los cincuenta hasta fines de los ochenta— ya se sabía con bastante claridad que los paraísos del proletariado no eran otra cosa que campos de concentración rodeados de alambre de espino.

La historia me absolverá. Fidel Castro, 1953

Según una muy conocida leyenda —difundida por la propaganda cubana—, se trata del alegato que en su propia defensa hizo Fidel Castro durante el juicio que se le siguió tras el fallido asalto al cuartel Moncada el 26 de julio de 1953. Quienes no han leído el texto suelen conformarse con la cita de su frase final «condenadme, no importa, la historia me absolverá», afirmación, por cierto, que también hiciera Adolfo Hitler en circunstancias parecidas durante la formación del partido nazi. Naturalmente, hay cientos de ediciones de la obra, pero para la redacción de esta reseña nos hemos guiado por la segunda de Ediciones Júcar, Gijón, España, de enero de 1978, obsequiosamente prologada por el inefable Ariel Dorfman, de quien hablaremos más adelante, pues él también es autor de uno de los clásicos justamente venerados por nuestros más cultos idiotas latinoamericanos.

Situemos al lector ante la historia real. La madrugada del 26 de julio de 1953 un joven abogado sin experiencia, de sólo veintisiete años, candidato a congresista en las frustradas elecciones de junio de 1952 —abortadas por un golpe militar dado por el general Fulgencio Batista en marzo, tres meses antes de los comicios—, dirige el ataque a dos cuarteles del ejército cubano situados en el extremo oriental de la Isla: Moncada y Bayamo. Sus tropas las integran 165 combatientes inexpertos, mal armados con escopetas de cartucho, rifles calibre 22, pistolas y alguna ametralladora respetable. En el asalto mueren 22 soldados y 8 atacantes —lo que demuestra el arrojo del grupo capitaneado por Castro—, pero el ejército y la policía de Batista logran controlar la situación, detienen a la mayoría de los revolucionarios, e inmediatamente torturan salvajemente y asesinan a 56 prisioneros indefensos. Fidel logra huir del lugar con algunos supervivientes y se refugia en las montañas cercanas. Sin embargo, el hambre y la sed lo fuerzan a rendirse. Previamente, el obispo de Santiago, monseñor Pérez Serantes, ha conseguido de Batista la promesa de que se le respetará la vida a Castro y se le someterá a un juicio justo junto al resto de sus compañeros.

En realidad no hay un juicio, sino dos, y ninguno de ellos puede calificarse como «justo». En el primero se permite que Castro, en su condición de abogado, actúe en defensa de sus compañeros, circunstancia que éste aprovecha para atacar muy hábilmente al gobierno y demostrar los crímenes cometidos. Ante esta situación de descrédito público, y para evitar mayores daños a su disminuido prestigio, declarándolo enfermo, Batista da la orden de juzgar a Castro en el Hospital Civil, a puertas cerradas, ante un Tribunal de Urgencia totalmente dependiente del Poder Ejecutivo. Esto sucede a mediados de octubre de 1953, y frente a ese tribunal Castro improvisa su defensa durante cinco horas. Cuanto allí dijo es lo que se supone que constituye el famoso discurso conocido como *La historia me absolverá*.

No es cierto. Entre lo que Castro realmente dijo y lo que más tarde se publicó hay un abismo, diferencia que no debe sorprendernos, pues estamos ante una persona que no tiene el menor escrúpulo en reescribir la historia según su conveniencia coyuntural. Lo que sucedió fue lo siguiente: una vez en la cárcel de Isla de Pinos, a donde fue condenado a quince años por rebelión militar, con toda la paciencia del mundo, Castro escribió una primera versión de su discurso y por medio de Melba Hernández, una compañera de lucha, se la hizo llegar al brillante ensayista Jorge Mañach —también opositor a Batista—, quien le ordenó las ideas y le perfeccionó la sintaxis, dotando al texto de citas eruditas, de latinismos, y hasta de pronombres totalmente extraños a la mayor parte de los cubanos, como sucede con el «os» a que don Jorge, cuya niñez transcurrió en España, era tan aficionado. Esos Balzac, Dante, Ingenieros, Milton, Locke o santo Tomás que desfilan por la obra no pertenecen a Castro sino a Mañach, así como las largas citas de Miró Argenter o los poemas de Martí intercalados en medio del alegato. Extremo que no pondrá en duda nadie familiarizado con la oratoria de Castro, popular y efectiva, pero siempre reiterativa, despojada de cultismos y carente de destellos intelectuales apreciables.

No es este libro, pues, lo que realmente Castro dijo en su defensa tras el asalto al Moncada, sino lo que le habría gustado decir si hubiera tenido la prosa de Mañach, aunque las ideas básicas —no la forma en que las expresa— sí le pertenecen totalmente. En todo caso, *La historia me absolverá*, tal y como se le conoce, no es una deposición ante unos magistrados, sino la presentación ante la sociedad cubana de un político y de un programa de gobierno. Fue, bajo el pretexto de una defensa jurídica, el «lanzamiento» a la vida pública de alguien que, hasta ese momento, era percibido como un mero revoltoso siempre vinculado a hechos violentos. Al fin y al cabo, ¿qué dijo (o escribió luego) en esta pieza «seudooratoria» el entonces aprendiz de Comandante que lo hace encabezar la pequeña biblioteca del idiota latinoamericano recogida en nuestra obra?

Dice varias cosas: explica, en primer término, las razones de su derrota, justifica la retirada y rendición, y revela lo que pensaba hacer si tomaba los cuarteles: armar a las poblaciones de Santiago y Bayamo para derrotar a Batista en una batalla campal. Luego, desde una perspectiva francamente pequeñoburguesa, define cuál es su clientela política —los pobres, los campesinos, los profesionales, los pequeños comerciantes, nunca los ricos capitalistas—, y en seguida proclama las cinco medidas que hubiera dictado de haber triunfado: 1) Restaurar la Constitución de 1940; 2) Entregar la tierra en propiedad a los agricultores radicados en minifundios; 3) Asignar el treinta por ciento de las utilidades de las empresas a los obreros; 4) Darles una participación mayoritaria en los beneficios del azúcar a los plantadores en detrimento de los dueños de ingenios, 5) Confiscarles los bienes malhabidos a los políticos deshonestos.

Tras este programa electoral disfrazado de discurso forense, Castro coloca sobre el tapete un cuadro de miserias terribles y ofrece un recetario populista para ponerle fin: nacionalizar industrias, darle un papel primordial al Estado en la gestión económica y desconfiar permanentemente del mercado, de la libertad de empresa y de la ley de la oferta y la demanda. Castro es ya el perfecto protoidiota latinoamericano imbricado en una vieja corriente populista. Es ese bicho tan latinoamericano que se llama a sí mismo, con mucho orgullo, un «revolucionario». Pero, además, es algo aún mucho más peligroso que pertenece a una muy arraigada y delirante tradición ibérica: Castro es también un *arbitrista*. Alguien siempre capaz de *arbitrar* remedios sencillos y expeditos para liquidar instantáneamente los problemas más complejos. A sus veintisiete añitos, sin la menor experiencia laboral —no digamos empresarial o administrativa—, puesto que no había trabajado un minuto en su vida, Castro sabe cómo resolver en un abrir y cerrar de ojos el problema de la vivienda, de la salud, de la industrialización, de la educación, de la alimentación, de la instantánea creación de riquezas. Todo se puede hacer rápida y eficientemente mediante unos cuantos decretos dictados por hombres bondadosos guiados por principios superiores. Castro es un revolucionario, y lo que Cuba y América necesitan son hombres así para sacar al continente de su marasmo centenario. Cuarenta y tantos años después de aquel falso discurso, es dolorosamente fácil pasear por las calles de una Habana que se derrumba, y comprobar —otra vez— cómo los caminos del infierno suelen estar empedrados de magníficas intenciones. Las intenciones de los revolucionarios arbitristas.

Por último, tras esta infantil retahíla de simplificaciones, medias verdades y solemnes tonterías, Castro termina con una emotiva descripción de la forma en que sus compañeros fueron asesinados y expone los fundamentos de Derecho que justifican y condonan su rebelión ante la tiranía. A estas alturas —finalizando el siglo XX— sabemos, al fin, que la historia no lo va a absolver, sino, como decía Reynaldo Arenas, lo va a «absorber», pero nuestros idiotas tal vez no se hayan dado cuenta del todo. Aman demasiado los mitos.

Los condenados de la tierra.
Frantz Fanon, 1961

La vida y la obra de Fanon encierran varias dolorosas paradojas. Este médico negro, nacido en Martinica en 1925 —muerto de leucemia en 1961, el mismo año en que apareció en París *Les damnés de la terre*—, de refinadísima cultura francesa, con esta obra, leída por toda la dirigencia política de los años sesenta y setenta, dotó al radicalismo revolucionario del ya entonces llamado Tercer Mundo de un evangelio antioccidental cuyos efectos todavía dan serios coletazos.

Tras escribir en 1952 un ensayo titulado *Piel negra, máscara blanca*, en el que ya se adelantan algunas de las tesis que luego defendería en *Los condenados de la tierra*, Fanon, que se había educado como siquiatra en Martinica y en Francia, en 1953 se trasladó a Argelia —entonces en plena ebullición nacionalista—, y desde el hospital en el que trabajaba se acercó a los movimientos independentistas, convirtiéndose en 1957 en editor de una de las publicaciones del grupo. En 1960, poco antes de su muerte, el gobierno argelino en armas lo nombró embajador ante la república africana de Ghana. Era la tumultuosa época en que comenzaba la descolonización de África.

Dos factores le dieron el gran impulso editorial que inicialmente tuvo este libro. El primero, fue su aparición en los momentos en que la guerra de independencia librada por los argelinos contra los franceses estremecía a ambos países, al punto de que la estabilidad institucional de Francia amenazaba con resquebrajarse. Argelia era noticia en todas partes, y las simpatías universales no estaban con París o con los *pied-noir*, sino con los árabes humillados y explotados. La segunda, es que la obra apareció bendecida con un prólogo laudatorio y coincidente de Jean Paul Sartre, entonces cabeza indiscutible de toda la *intelligentsia* occidental. Nuestra edición es la duodécima publicada por Fondo de Cultura Económica en México, en 1988, tras una primera versión que apareciera en 1963, ligeramente reformada por los traductores dos años más tarde, hasta fijar el texto definitivo.

El interés del prefacio de Sartre se resume en dos aspectos. El más interesante es a quién va dirigido. Sartre busca como interlocutor a los europeos que acaso lean este libro. Fanon, en cambio, se dirige a los no europeos, a los «condenados o malditos de la tierra». Sartre les habla a los victimarios; Fanon, a las víctimas. Sartre pudo llamar a su texto «prólogo para colonizadores», de la misma manera que Fanon pudo llamar al suyo «manual para colonizados en busca de una identidad auténtica». Sartre les advierte a los europeos que ha tomado cuerpo una justa revancha a cargo de los explotados del Tercer Mundo y se congratula de ello —o admite, por lo menos, las razones morales que les asisten—, mientras Fanon les dice a los suyos cómo y por qué la ruptura sangrienta es tan necesaria como inesquivable. Fanon hace la apología de la violencia anticolonialista. Sartre la legitima y asume su vergüenza de hombre blanco devorado por los remordimientos.

La primera y gran paradoja es que Fanon, tal vez de manera inexorable, nos entrega un análisis antieuropeo, esto es, antioccidental, basado en categorías occidentales. Su profunda reflexión sobre la identidad individual y colectiva remite, sin decirlo, al sicoanálisis y a Freud, algo perfectamente predecible en un siquiatra formado en los años cincuenta. Por otra parte, su defensa de la violencia como elemento exorcista, y como catalizador de la historia, hunde sus raíces en Marx y en Engels, mientras su exaltación del nacionalismo tiene ecos, sin duda, de la metrópoli a la que combate. Fanon quiere que los pueblos del Tercer Mundo se arranquen la falsa piel cultural con que los ha cubierto el invasor blanco y soberbio, pero ese deseo, al margen de los rechazos tribales casi instintivos, sólo logra racionalizarlo desde una perspectiva que termina por ser la del poder dominante.

Al mismo tiempo, hombre talentoso capaz de prever las consecuencias y el alcance de sus propuestas, al final de su libro, bello y dolorido, Fanon les dice a sus compañeros de lucha algo que no parece realizable: «el juego europeo ha terminado definitivamente, hay que encontrar otra cosa. Podemos hacer cualquier cosa ahora a condición de no imitar a Europa, a condición de no dejarnos obsesionar por el deseo de alcanzar a Europa». Y más adelante añade: «no rindamos, pues, compañeros, un tributo a Europa creando estados, instituciones y sociedades inspiradas en ella».

Cuando el idiota latinoamericano descubrió este libro, cayó de rodillas deslumbrado. Aquí estaba la clave ideológica para alzar con ira el puño frente a los canallas del Primer Mundo. «Nosotros» no teníamos que ser como «ellos». «Nosotros» teníamos que despojarnos de las influencias de «ellos». Sólo que nuestra amable criatura no se percató de que los únicos que podían esgrimir ese argumento en América eran los pocos quechuas, mapuches u otros pueblos precolombinos incontaminados que todavía y a duras penas subsisten en esta parte del mundo, pues sucede que «nosotros» —incluidos los mestizos y negros junto a los blancos—, a estas alturas de la historia, somos los colonialistas o sus descendientes culturales, y no los colonizados. Nosotros —o los canadienses o los norteamericanos— no somos los «condenados de la tierra» —como no lo era Fanon— sino los condenadores, los beneficiarios de una cultura helenística que desde hace casi tres mil años ejerce en el planeta una influencia unificadora que podrá ser brutal, lamentable o benéfica —según quien haga la auditoría—, pero de cuya fuerza centrípeta nadie parece poder escapar.

¿Qué les sucedió a los revolucionarios negros norteamericanos en la década de los sesenta cuando, borrachos de negritud, marcharon a África en busca de las raíces? Sucedió que en seguida descubrieron que nada tenían en común —salvo el color de la piel y los rasgos externos— con aquellos pueblos atrasados y distintos. ¿Qué les hubiera sucedido a Japón, a Corea o a Indonesia si en cada uno de esos países un Fanon local hubiera persuadido a la sociedad de las virtudes intrínsecas de la cultura autóctona? Singapur, que fue una pobre colonia inglesa hasta más o menos la fecha en que comenzó a circular el libro de Fanon, y que hoy es un inmaculado emporio con veintiún mil dólares per cápita, ¿en qué se hubiera convertido si renunciaba a la muy occidental idea del progreso como objetivo, a la ciencia y la tecnología como forma de alcanzarlo y a la economía de mercado como marco en el cual plasmar las transacciones? ¿Qué sería Estados Unidos, si en lugar de percibirse como la Europa que emigró al Nuevo Mundo dispuesta a mejorar, se hubiera empantanado en el rencoroso discurso indigenista antioccidental que nuestros idiotas no cesan de mascullar en Latinoamérica? Es verdad que las colonizaciones se han hecho a sangre y fuego, y nadie puede ocultar los enormes crímenes cometidos en nombre de culturas «superiores», pero una vez que se ha producido el arraigo de la cultura dominante, y una vez que predominan esos valores y esa cosmovisión, no es posible ni deseable intentar que la historia retroceda y la mentalidad social involucione a unos míticos orígenes que ya nadie es capaz de esclarecer y que, de reimplantarse, lo único que lograrían es condenarnos al atraso permanente y a la frustración.

¿Pensó alguna vez Fanon que esos árabes tristemente colonizados en Argel por los franceses fueron los crueles colonizadores del pasado? ¿Se daba cuenta de que la Guerra Santa islámica desatada a partir del siglo VIII contra los pueblos norteafricanos borró del mapa, subyugó y esclavizó a numerosas comunidades indígenas, y que ese crimen duró bastante más tiempo que el cometido por los europeos? ¿Le fue mejor a Etiopía, nunca colonizada por Europa —salvo un paréntesis italiano que apenas dejó huellas— que a Kenya o a Nigeria? Pero si el panorama africano pudiera ser borroso ¿no es capaz de comprender nuestro idiota latinoamericano que si su lengua, sus instituciones, su religión, su modo de construir ciudades o de alimentarse, todo su ser y su quehacer han sido moldeados por Europa, incluida su forma de interpretar la realidad, cómo puede soñar en escapar de ese mundo? ¿Hacia dónde, además, piensan huir? ¿Hacia el incanato? ¿Hacia la sangrienta teocracia azteca? ¿Hacia la frágil cultura arawaca perdida en la selva amazónica? ¿A qué están dispuestos a renunciar nuestros fanon de bolsillo? Es tan absurdo el *fanonismo* latinoamericano que da hasta pena tener que rebatirlo.

La guerra de guerrillas.
Ernesto («Che») Guevara, 1960

Ernesto Guevara, nacido en Rosario, Argentina, en 1928, y asesinado en Bolivia en 1967 —donde intentaba crear una guerrilla que convirtiera las selvas y las montañas latinoamericanas en un inmenso Vietnam—, fue un médico aventurero, cuya vida engloba la delirante visión política que encandiló a nuestros más ilustres idiotas a lo largo de treinta años, hasta quedar convertido en un *poster* definitivo, posado para el fotógrafo Korda, en el que aparece con una mirada fiera y romántica, como si fuera un Cristo revolucionario retratado tras la expulsión de los mercaderes del templo de la patria socialista.

En su juventud argentina coqueteó brevemente y sin consecuencias con el peronismo, y ahí, en medio del guirigay populista/nacionalista/antiimperialista de Perón, probablemente sin advertirlo, debe de haber adquirido sus primeras deformaciones conceptuales. Tras graduarse de médico, recorrió medio continente en motocicleta, y en 1954 lo sorprendió la caída de Arbenz en Guatemala, país al que había acudido por la atracción política que ejercían el coronel guatemalteco y su incipiente experimento revolucionario producto, eso sí, de las urnas democráticas.

De Guatemala pasó a México, donde conoció a Fidel Castro, un locuaz exiliado cubano que, tras salir de la cárcel, amnistiado por Batista después de cumplir menos de una quinta parte de la condena que le fue impuesta por asaltar dos cuarteles militares, preparaba una expedición para derrocar al dictador. Tuvo su primer contacto con el KGB soviético —la policía mexicana le ocuparía la tarjeta de visita de un «diplomático» de la URSS (hoy general retirado de la KGB)— y, en definitiva, se alistó en la expedición de Castro y desembarcó en Cuba a principios de diciembre de 1956.

Hombre valiente, metódico, e intelectualmente mejor formado que su jefe político, pronto se convirtió en el tercer comandante en importancia y mando. El segundo era Camilo Cienfuegos, y a los dos —Camilo y el Che— les encargó Castro que crearan otro frente guerrillero en la provincia de las Villas, en el medio de la Isla, no tanto para hostigar al gobierno, como para competir con otros grupos guerrilleros independientes de Sierra Maestra que ya operaban en esa zona: las tropas del Directorio Revolucionario Estudiantil que dirigían Rolando Cubelas y Faure Chomón, y el Segundo Frente del Escambray organizado por Eloy Gutiérrez Menoyo.

Cuando terminó la guerra —realmente una colección de escaramuzas, emboscadas y tiroteos sin gloria ni importancia— y Batista huyó del país la madrugada del 1 de enero de 1959, Guevara ya era uno de los hombres más cercanos a Castro. Tras los primeros meses lo hicieron director del Banco Nacional y luego ministro de Industrias, y en ambos cargos dio muestras, a partes iguales, de tanta abnegación como incapacidad, combinación que suele ser fatal en la gerencia de los asuntos públicos.

A mediados de la década de los sesenta —tras sus minuciosos fracasos administrativos—, Guevara hizo sus primeros pinitos guerrilleros fuera de Cuba, junto a los africanos que luchaban contra los portugueses, pero la experiencia (de la que casi nunca se habla) resultó desastrosa, aunque le abrió el apetito para otras aventuras más familiares. En 1965, decidido a crear «dos, tres, cien Vietnam en América Latina», desapareció de la circulación, y Castro anunció públicamente que el Che, de forma patriótica y voluntaria, se alejaba de Cuba para cumplir tareas revolucionarias *independientes* por esos caminos de Dios. Se trataba de buscarle una coartada exculpatoria al gobierno cubano. Entonces se dijo, en voz baja, que Fidel prefería al Che fuera de Cuba, pues entre ambos había serias discrepancias sobre la forma de conducir el país y sobre las relaciones con la URSS.

Poco después comenzaron los rumores de su presencia en distintos lugares de América —recorrió varios países con la cabeza afeitada y documentos falsos—, hasta que fue localizado en Bolivia. Al fin, una patrulla del ejército boliviano, al mando del capitán Gary Prado, lo capturó vivo al finalizar un breve combate, pero los jefes militares decidieron ejecutarlo sin juicio tras los interrogatorios de rigor. Al cadáver le cortaron los dedos para garantizar la identificación dactilar, y lo enterraron en una fosa sin nombre. Su *Diario* de campaña no fue destruido y el original acabó en las manos de Castro. A partir de entonces la leyenda del Che, y su iconografía, se han multiplicado incesantemente.

La importancia de *La guerra de guerrillas*, el libro de marras, radica en que se convirtió en un manual subversivo, práctico y teórico, del que se distribuyeron más de un millón de ejemplares en el Tercer Mundo. En su breve librito, con la prosa didáctica de quien redacta una cartilla para párvulos, el Che parte de tres axiomas extraídos de la experiencia cubana: primero, las guerrillas pueden derrotar a los ejércitos regulares; segundo, no hay que esperar a que exista un clima insurreccional, pues los «focos» guerrilleros pueden crear esas condiciones; tercero, el escenario natural para esta batalla es el campo y no las ciudades. El corazón de la guerra revolucionaria guerrillera está en las zonas rurales.

A partir de esos dogmas, el Che explica la estrategia general, la táctica de «muerde y huye», la formación de las unidades guerrilleras, los tipos de armamentos, la intendencia, la sanidad, el papel de las mujeres, y el rol de apoyo que deben desempeñar los guerrilleros urbanos. El Che —Clausewitz del Tercer Mundo— quiere que todos los comunistas del subdesarrollo puedan hacer su revolución casera sin grandes contratiempos. La edición que glosamos fue publicada por Era, S.A. de México en 1968, bajo el título de *Obra revolucionaria*. Lleva un prólogo hagiográfico de Roberto Fernández Retamar, un estimable poeta cubano que comenzó militando en las filas del catolicismo y termina su vida como comisario político en el terreno de la cultura oficialista y rígida del castrismo.

El gran error de este librito, que le costó la vida al Che y a tantos miles de jóvenes latinoamericanos, es que elevó a categoría universal la anécdota de la lucha contra Batista, ignorando las verdaderas razones que provocaron el desplome de esa dictadura. Castro y el Che —que quieren verse como los héroes de las Termópilas— nunca han admitido que Batista no era un general decidido a pelear, sino un sargento taquígrafo, encumbrado al generalato tras la revolución de 1933, cuyo objetivo principal era enriquecerse en el poder junto a sus cómplices.

Batista, por ejemplo, no quiso acabar con la guerrilla de Castro tras el desembarco del Granma, y dejó que los supervivientes se organizaran y abastecieran casi durante un año de poquísimas actividades militares, simplemente para poder aprobar «presupuestos especiales de guerra» que iban a parar a los bolsillos de los militares más corruptos. Al extremo de que, cuando en algún «combate» moría un pobre soldadito, ni siquiera se daba de baja de la nómina, de manera que los oficiales pudieran seguir cobrando el salario del muerto. Naturalmente, ante un grado de corrupción de esta naturaleza, los buenos oficiales del ejército y los soldados se fueron desmoralizando hasta el punto de la parálisis o de la conspiración con el enemigo. Así las cosas, y tras perder el apoyo de Estados Unidos —que había decretado un embargo a la venta de armas a Batista desde principios de 1958—, el dictador decidió escapar una madrugada, con su ejército aparentemente intacto y con sólo una ciudad en poder del enemigo (Santa Clara). No lo había derrotado la guerrilla. Se había derrotado él mismo. Esta experiencia, naturalmente, no se pudo repetir en ningún otro país, ni siquiera en Nicaragua, donde Somoza, en 1979, cayó por la secreta y combinada acción de Cuba, Venezuela, Costa Rica y Panamá, ayudada por el descrédito del dictador y la ingenuidad de Carter, pero no como consecuencia de un enfrentamiento «doméstico» entre la Guardia Nacional y la guerrilla. Sin la clara solidaridad internacional con la guerrilla —armas, combatientes, entrenamiento, dinero, santuario y apoyo diplomático—, aunada al aislamiento de Somoza, el manual del Che no hubiera servido absolutamente para nada.

¿*Revolución dentro de la revolución?*
Régis Débray, 1967

En la década de los sesenta, Régis Débray —nacido en París en 1941— era un joven periodista francés, licenciado en Sociología, increíblemente maduro para su edad, seducido por las ideas marxistas y —aún en mayor grado— por la revolución cubana y el fotogénico espectáculo de una paradisíaca isla caribeña gobernada por audaces barbudos que preparaban el asalto final contra la fortaleza imperialista americana.

Con buena prosa y una loca cabecita propicia para el análisis afilado, en La Habana lo recibieron con los brazos abiertos. Cuba era un vivero de hombres de acción, pero no abundaban los teóricos capaces de darles sentido a los hechos o, simplemente, pensadores aptos para justificarlos razonablemente bien. El Che —por ejemplo— había publicado su famoso manual *Guerra de guerrillas* y preparaba su puesta en práctica en el escenario sudamericano, pero la batalla que estaba a punto de emprenderse dejaba abierto un flanco peligroso: ¿dónde quedaban los partidos comunistas y las organizaciones tradicionales marxistas-leninistas? Incluso, desde una perspectiva teórica era necesario explicar la ruptura del viejo guión escrito por Marx en el siglo XIX y completado por Lenin en el siguiente. ¿No habíamos quedado en que el comunismo vendría como consecuencia de la lucha de clases, aguijoneada por la vanguardia revolucionaria de base obrera organizada por el Partido Comunista?

Es de esto de lo que trata *¿Revolución dentro de la revolución?*, pero no como un ejercicio intelectual abstracto, sino como una importantísima tarea revolucionaria absolutamente deliberada que se revela con toda candidez en un párrafo que dice lo siguiente: «Cuando el Che Guevara reaparezca [se había «perdido» para preparar el alzamiento en Bolivia], no sería aventurado afirmar que estará al frente de un movimiento guerrillero como jefe político y militar indiscutible» (Ediciones Era, S.A., México, tercera edición, 1976). Débray, sencillamente, era un soldado más de la guerrilla, aunque su encomienda no era emboscar enemigos sino justificar las acciones, «racionalizar» las herejías, escribir en los periódicos, difundir las tesis revolucionarias y abrirles un espacio a sus camaradas en los papeles del Primer Mundo. Era, dentro del viejo lenguaje de la guerra fría, un «compañero de viaje» totalmente consciente y orgulloso de su trabajo.

Alguna práctica tenía. En 1964, bajo el seudónimo de «Francisco Vargas» había publicado en París, en la revista *Révolution,* un largo texto («Una experiencia guerrillera») en el que describía su visita a los subversivos venezolanos que entonces intentaban destruir la incipiente democracia surgida en el país tras el derrocamiento de Pérez Jiménez (1958). Fue este largo artículo el que le ganó la confianza de Castro, autor intelectual y cómplice material de los guerrilleros venezolanos, a quienes les envió no sólo armas y dinero, sino hasta su más querido discípulo: el capitán Arnaldo Ochoa, fusilado muchos años después, en 1989, ya con el grado de general, cuando dejó de serle suficientemente fiel.

En todo caso, si el Che estaba a punto de iniciar su gran (y última) aventura, y si esta acción provocaría la ira, el rechazo o la indiferencia de los partidos comunistas locales, pendientes y dependientes de Moscú, había que adelantarse a los hechos con una especie de gramática revolucionaria cubana: *¿Revolución dentro de la revolución?* Tres cosas fundamentales viene a decir el francesito para solaz y beneficio de La Habana, así como para mayor gloria del Che: con la primera, advierte que las revoluciones en América Latina deben partir de un «foco» militar rural que, en su momento, desovará una vanguardia política. Es a esta tesis a lo que se llama «el foquismo»; con la segunda, afirma que, cuando se invierte el orden de los factores —creando primero la vanguardia política para tratar luego de generar el «foco» insurreccional— sucede que la organización política se convierte en un fin en sí misma y jamás alcanza a forjar la lucha armada; con la tercera, precisa el enemigo a batir: el imperialismo yanqui y sus capataces locales.

Ese galimatías —verdadera ampliación conceptual del manual de Guevara— no le sirvió para mucho. Una patrulla de inditos mal armados terminó a tiro limpio con la pomposa teoría del «foquismo». Débray fue capturado por el ejército boliviano tras una visita a la guerrilla organizada por Guevara y se le juzgó por rebelión militar, pese a sus protestas de inocencia, montadas en torno a la coartada periodística. Admitió —sin embargo— haber hecho alguna guardia nocturna, aseguró que no había disparado contra nadie, y solicitó las garantías procesales que, por cierto, nunca defendió para sus odiados adversarios burgueses. Afortunadamente, sus captores no lo maltrataron más allá de unas cuantas bofetadas, y, debido a las presiones internacionales, a los pocos meses lo indultaron y se le perdonó la larga condena que le fuera impuesta. Tras su regreso a París fue evolucionando lenta y gradualmente hasta convertirse, muy a su pesar, en un hombre profundamente odiado y despreciado por sus amigos cubanos. Débray había comprendido que dentro de la revolución no había otra revolución, sino un inmenso y sangriento disparate que llevaría a la muerte a miles de ilusionados muchachos enamorados de la violencia política.

Los conceptos elementales del materialismo histórico. Marta Harnecker, 1969

La gran vulgata marxista publicada en América
Latina apareció en 1969 de la mano de una escritora
chilena, Marta Harnecker, radicada en Cuba desde la
década de los setenta, tras el derrocamiento de Salvador Allende. En 1994 la editorial Siglo XXI de México publicó la quincuagesimonovena edición de *Los
conceptos elementales del materialismo histórico*, dato
que prueba la resistente vitalidad de esta obra (y la
heroica terquedad de los marxistas), pese al descalabro de los países comunistas y el descrédito predecible en que cayeron los estudios marxistas a partir
de 1989.

La autora llegó a Cuba por primera vez en 1960,
pero entonces no era una marxista convencida, sino
una dirigente de la Acción Católica Universitaria de
Santiago de Chile. Era lo que entonces se llamaba
una «católica progresista o de izquierda», imbuida
de ideales justicieros, lectora de Jacques Maritain y
de Teilhard de Chardin. Sin embargo, pese a la admiración que le despertó el proceso político cubano —como
a tantos intelectuales de Occidente—, su vinculación
afectiva e intelectual con el comunismo, su súbito
descubrimiento de la Gran Verdad, no le vino de esa
experiencia vital, sino de las lecciones que a partir de
1964 recibió de Louis Althusser en la École Normale
de París. Esta observación no es gratuita —y luego
volveremos sobre ella—, porque demuestra la gran
paradoja en la que incurren muchos intelectuales
marxistas: mientras aparentemente se aferran a una
interpretación marxista de la realidad extraída de los
libros, ignoran la experiencia concreta en la que viven.

El libro de marras no es otra cosa que una buena síntesis de la parte no filosófica del pensamiento de Marx. Es un texto pedagógico para formar marxistas en un par de semanas de lectura intensa. Es, en un tomo, «todo lo que usted quiere saber sobre el marxismo y tiene miedo de preguntar». Dado su carácter didáctico, trae resúmenes, cuestionarios, frases destacadas, temas de discusión y bibliografía mínima. Está claramente escrito, e intenta fijar la cosmovisión marxista en torno a tres grandes temas: la estructura de la sociedad, las clases que la integran, y la «ciencia» histórica. Quien digiera esas trescientas páginas de letra apretada ya está listo para la tarea que Marx y la señora Harnecker quieren que todos los marxistas emprendan: transformar el mundo. Transformarlo, claro, mediante una revolución violenta que haga saltar por los aires al estado burgués, instale la dictadura del proletariado y eche las bases de un universo justo, eficiente, luminoso y próspero.

En cierta forma, *Los conceptos...* complementa y mejora el conocidísimo *Principios elementales y principios fundamentales de filosofía*, lecciones dictadas en 1936 por Georges Politzer en la Universidad Obrera de París, posteriormente recogidas por sus discípulos en forma de libro, obra desde entonces mil veces reproducida como texto de cabecera para todos aquellos que se iniciaban en los vericuetos conceptuales del autor de *El Capital*. Sin embargo, el manual de Harnecker acaso forma parte de una nueva corriente, muy en boga en los sesenta y setenta: la de los *relectores* de los clásicos. Es decir, la de los intelectuales, encabezados por el propio Althusser, que fueron directamente a los textos sagrados para buscar una comprensión que no estuviera tamizada por anteriores intérpretes, aunque, a decir verdad, no hay en el texto de la chilena una sola variante novedosa que justifique el esfuerzo de haber deducido de algunos libros de Marx y de Lenin... exactamente lo mismo que otros exégetas anteriores.

No obstante, y pese a una cierta independencia de criterio que la autora quiere transmitir, la mencionada edición de *Los conceptos...* trae una entrevista en la que Harnecker, penosamente, sin revelar enteramente su propósito, intenta dejar en claro cuatro asuntos relacionados con su pasado que evidentemente la mortifican, o acaso le crean algunas dificultades en la Cuba ortodoxa en la que vive: primero, ya no es católica; segundo, tampoco es maoísta, algo de lo que fue acusada en el pasado por su defensa de las tesis insurreccionales del líder chino; tercero, no comparte las críticas a la URSS que, en su momento, hizo su maestro Althusser y, cuarto, quiere que se sobrentienda que está perfectamente alineada con los puntos de vista moscovitas (del Moscú de entonces).

Es curioso que la señora Harnecker, tan puntillosa en su deseo de alejarse de su maestro Althusser en lo tocante al antisovietismo, no hiciera lo mismo con la condición de uxoricida del filósofo francés, puesto que lo peor del autor de *Para leer El Capital* no es que le hiciera críticas a la dictadura soviética, sino que con sus propias manos estrangulara a su pobre mujer, Elena, episodio que no es posible pasar por alto en alguien que aparentemente se ha pasado la vida luchando por la liberación de sus semejantes.

En cualquier caso, ese divorcio entre la vida de carne y hueso y la visión intelectual que de ella se tiene, es una dolorosa contradicción que debe afectar a Harnecker, si es que su conciencia sufre las consecuencias de las disonancias que suelen afectar a las personas normales. En las dos décadas que ella ha residido en Cuba ha podido ver, ha constatado, la creciente degradación física y moral que padece esa sociedad, el fracaso de la planificación centralizada, el horror de la policía política, la falta de escrúpulos del gobierno, las mentiras constantes, la doble moral que practica el pueblo, el aumento galopante del hambre y la prostitución. Ha visto, en suma, las terribles calamidades que provoca el marxismo cuando se pone en práctica lo que su libro afirma que traerá la riqueza y la felicidad a las personas.

Y no puede, siquiera, la autora de *Los conceptos...* esconderse tras la justificación de que, pese a vivir en Cuba, no sabe cuanto ahí sucede, porque su esposo, el padre de su hija, es nada menos que el general Manuel Piñeiro («Barbarroja»), el hombre que durante más de tres décadas, desde el Departamento de América del Comité Central del Partido Comunista, dirigió hábilmente todas las operaciones subversivas realizadas por el castrismo en América Latina. Piñeiro, y presumiblemente su esposa, saben hasta el último detalle de los crímenes de Estado, del tráfico de drogas, y de cuanta violación de la decencia y de las normas internacionales ha realizado el gobierno cubano, siempre en nombre de una mítica revolución difícilmente defendible por ninguna persona medianamente informada.

¿Cómo se compadece esa biografía —la de Harnecker— con su obra de pedagoga de un método para implantar la felicidad en el mundo? Tal vez Elena, la mujer de Althusser, le hizo a su marido una pregunta parecida. Cualquiera sabe por qué la estranguló el maestro predilecto de la señora Harnecker.

El hombre unidimensional.
Herbert Marcuse, 1964

Si Fanon lanzó su ataque contra Occidente desde una trinchera del Tercer Mundo —lo que le restaba efectividad fuera de los países colonizados—, otra cosa muy diferente sucedió con la feroz crítica al capitalismo surgida dentro de las entrañas mismas de las sociedades avanzadas. Y dentro de esas críticas, ninguna tuvo más eco en las décadas de los sesenta y setenta —época dorada del idiota latinoamericano— que las vertidas por el filósofo alemán, avecindado en Estados Unidos, Herbert Marcuse.

Marcuse nació en Berlín en 1898. En 1934 abandonó la revuelta Europa del nazifascismo y se instaló en Estados Unidos, país en el que adquirió notoriedad como profesor de filosofía y pensador original. El primer libro que lo catapultó a la fama fue *Eros y civilización* (1955), pero el que lo convirtió en un verdadero *gurú* de la izquierda intelectual del último tercio del siglo XX fue *El hombre unidimensional,* aparecido en inglés en 1964, y en español en 1968 bajo el sello prestigioso de la editorial mexicana Joaquín Mortiz. Apenas un año más tarde, la imprenta daba a conocer la quinta y definitiva edición, esta vez ligeramente revisada. Marcuse murió en 1979, cuando Estados Unidos vivía una inflación de dos dígitos, la URSS estaba en el apogeo de su poderío, la sociedad americana expiaba el trauma de Vietnam, y no era muy descabellado pensar —como Revel advertía, con dolor, desde París— que la era de las democracias llegaba a su fin. Marcuse, a quien le regocijaba este fracaso, nunca supo que la historia venidera sería muy distinta.

Antes que Marcuse, y también con bastante efecto, dos analistas sociales habían hecho un feroz inventario del modelo occidental, aunque centrándose en Estados Unidos: el sociólogo C. Wright Mills y el inteligente divulgador de observaciones sociológicas Vance Packard. Tres libros de este último se habían convertido en verdaderos e instantáneos *best-sellers*: *The hidden persuaders, The status seekers* y *The waste makers*. Y los tres mostraban a una sociedad grotescamente manipulada por los poderes económicos, irracional en sus tendencias consumistas, y degradante por los valores que transmitía. Lo importante era triunfar a toda costa, aunque tuviéramos que participar en la *rat-race*, en la carrera de ratas de los que buscaban trepar por la ladera empresarial para adquirir los símbolos de la jerarquía social que les permitiera... seguir trepando.

A esa indignada familia ideológica —también visitada por economistas como el sueco Gunnar Myrdal o el norteamericano John Kenneth Galbraith— unió Marcuse dos monumentales influencias y métodos de análisis adquiridos de su primera formación europea: Marx y Freud. Marcuse era freudiano y marxista, herética combinación que ya se había observado, por ejemplo, en creadores de la talla de Erich Fromm. Y al conducir sus reflexiones por medio de esos dos lenguajes —el sicoanálisis y el materialismo dialéctico— creaba una verdadera música celestial, densa y seductora, para los intelectuales que deseaban crucificar el modelo de convivencia occidental y querían algo más que los burdos panfletos propagandísticos. Marcuse aportaba la filosofía del «Gran Rechazo».

Eso es *El hombre unidimensional*: la racionalización, desde el marxismo y el freudianismo, de

—como dice el subtítulo de su libro— un duro ataque contra «la ideología de la sociedad industrial avanzada». Una ideología que, aparentemente, desvirtúa la naturaleza profunda de los seres humanos, los aliena y los convierte en pobres seres conformistas, alelados por la cantidad de bienes que el sinuoso aparato productivo pone a su disposición, mientras secretamente lo priva de la libertad de elegir porque, finalmente, «la sociedad tecnológica es un sistema de dominación».

Marcuse, que vive en Estados Unidos, que llegó, precisamente, en medio de la Gran Depresión, y que ha visto la formidable recuperación económica del sistema en sus treinta años de residencia americana, no puede montar su crítica sobre el eje «pobres contra ricos» —es testigo de la prosperidad de las clases medias—, lo que lo precipita a reformular el ataque desde otra perspectiva: ya no se puede (como Marx profetizaba) esperar un enfrentamiento de clases que dé al traste con el sistema porque «el pueblo [ese rebaño unidimensional] ya no es el fermento del cambio social y se ha convertido [¡oh, desgracia!] en el fermento de la cohesión social». Es decir, lo que Marcuse advierte, melancólicamente, es que la sociedad tecnológica ha desquiciado el mecanismo de los cambios sociales —de cuantitativos a cualitativos, según la jerga marxista—, anestesiando a los trabajadores hasta convertirlos en el engranaje ciego de un sistema de avance científico y técnico que dicta su propia dinámica.

¿Cómo escapar a este *fatum* terrible? Admitiendo que el verdadero totalitarismo está en las sociedades avanzadas de Occidente, en donde prevalece la propiedad privada, divorciada de los intereses de los individuos, y buscando en el control estatal de los medios de producción la verdadera libertad moral que el capitalismo les ha quitado a las personas. Así dice la página 266 de su notable libro: «Dado que el desarrollo y la utilización de todos los recursos disponibles para la satisfacción universal de las necesidades vitales es el prerrequisito de la pacificación, es incompatible con el predominio de los intereses particulares que se levantan en el camino de alcanzar esta meta. El cambio cualitativo [el que Marcuse preconiza] está condicionado por la planificación en favor de la totalidad contra estos intereses y una sociedad libre y racional sólo puede aparecer sobre esta base.»

Y luego añade, para que no haya duda, en el más perverso razonamiento, la siguiente paradoja: «Hoy, la oposición a la planificación central en nombre de una democracia liberal que es negada en la realidad sirve como pretexto ideológico para los intereses represivos. La meta de la auténtica autodeterminación de los individuos depende del control social efectivo sobre la producción y la distribución de las necesidades (en términos del nivel de cultura material e intelectual alcanzado).»

¿Quiénes van a encabezar el Gran Rechazo al «totalitarismo» de las democracias liberales? Evidente: «el sustrato de los proscritos y los "extraños", los explotados y los perseguidos de otras razas y colores, los desempleados y los que no pueden ser empleados... Su fuerza está detrás de toda manifestación política en favor de las *víctimas* de la ley y el orden». Ésa es la simiente de una revolución que demolerá un sistema injusto que convierte en zombies a las personas. Sólo que, mientras Marcuse escribía su desesperada apología de la desobediencia y la protesta, una multitud horrorizada escapaba por debajo de todas las alambradas tendidas en los paraísos marxistas en busca de un destino unidimensional, o polidimensional, o lo que fuera, pero nunca el que les imponían los correligionarios de Marcuse. Es una lástima que Marcuse no hubiera vivido hasta 1989. Las imágenes del muro derribado de su Berlín natal tal vez le hubieran hecho repensar su obra.

Para leer al pato Donald. **Ariel Dorfman y Armand Mattelart, 1972**

En 1972 la idiotez política latinoamericana se vio súbitamente enriquecida con un libro fundado en una disciplina hasta entonces alejada de la batalla ideológica: la «semiótica», nombre con el que Ferdinand de Saussure designó a esa muy especulativa rama de la lingüística que se ocupa de descifrar los signos de comunicación vigentes en todas las sociedades. La obra en cuestión tenía el acertado nombre de *Para leer al pato Donald*, al que seguía un postítulo algo más rancio y académico: *comunicación de masa y colonialismo*. Sus autores eran dos jóvenes que apenas rozaban la treintena —Dorfman había nacido en Argentina y llegó a Santiago en la adolescencia, mientras que Mattelart era de origen francés—, y ambos trabajaban en el vecindario de la investigación literaria: Dorfman, como miembro de la División de Publicaciones Infantiles y Educativas de Quimandú, mientras Mattelart fungía de profesor-investigador del Centro de Estudios de la Realidad Nacional, vinculado a la Universidad Católica. En cierta forma, el libro era el resultado de un polémico seminario titulado «Subliteratura y modo de comba-tirla», extremo que prueba el viejo *dictum* tantas ve-ces escuchado: las ideas tienen consecuencias. Inclu-so las malas.

¿En qué consiste la obra? En esencia, se trata de una aguerrida lectura ideológica desde la perspecti-va comunista, aparecida, precisamente, en el Chile crispado y radicalizado del gobierno de Salvador Allende. Dorfman y Mattelart —marxistas— se pro-ponen encontrar el oculto mensaje imperial y capita-lista que encierran las historietas de los personajes salidos de la «industria» Disney. Más que leer al pato Donald, estos dos intrépidos autores, los Abbot y Costello de la lingüística, quieren desenmascararlo, demostrar las aviesas intenciones que esconde, des-cribir su mundo retorcido, y vacunar a la sociedad contra ese veneno mortal y silencioso que risueña-mente mana de la metrópoli yanqui. ¿Y para qué rea-lizar esa justiciera labor de policías semiológicos? No hay duda: «Este libro no ha surgido de la cabeza alo-cada de individuos, sino que converge hacia todo un contexto de lucha para derribar al enemigo de clase en su terreno y en el nuestro.» Dorfman y Mattelart, lanza en ristre, cantando la *Internacional* cogidos de la mano, rompen las cadenas del oprobio. Bravo.

¿Y qué encuentran? Donald, sin disfraz, elimina-dos los artilugios que lo encubren, es un canalla, na-turalmente, patológico. Incluso pervertido, porque en su mundillo fantástico no hay sexo, ni se procrea, ni nadie sabe quién es hijo de quién, porque sembrar esa confusión sobre los orígenes forma parte de las macabras tareas del enemigo: «Disney —dicen los dos horrorizados investigadores— masturba a sus lectores sin autorizarles un contacto físico. Se ha creado otra aberración: un mundo sexual asexuado. Y es en el dibujo donde más se nota esto, y no tanto en el diálogo.» Esos dibujos sexistas y —al mismo tiempo— emasculados, en los que las mujeres siempre son coquetas y reprimidas cuando no ligeramente tontas o poco audaces.

Donald, Mickey, Pluto, Tribilín, no son lo que parecen. Son agentes encubiertos de la reacción sembrados entre los niños para asegurar una relación de dominio entre la metrópoli y las colonias. El tío rico no es un pato millonario y egoísta, y lo que le acontece no son peripecias divertidas, sino que se trata de un símbolo del capitalismo con el que se inclina a los niños a cultivar el egoísmo más crudo e insolidario. Patolandia —metáfora del propio Estados Unidos— es el centro cruel del mundo, mientras los otros (o sea, nosotros) forman parte de la periferia explotada y explotable en la que habitan los seres inferiores. No hay lugar a dudas: «Disney expulsa lo productivo y lo histórico del mundo, tal como el imperialismo ha prohibido lo productivo y lo histórico en el mundo del subdesarrollo. Disney construye su fantasía imitando subconscientemente el modo en el que el sistema capitalista mundial construyó la realidad y tal como desea seguir armándola.» No, no se trata de historias lúdicas concebidas para entretener a los niños: «Pato Donald al poder es esa promoción del subdesarrollo y de las desgarraduras cotidianas del hombre del Tercer Mundo en objeto de goce permanente en el reino utópico de la libertad burguesa. Es la simulación de la fiesta eterna donde la única entretención-redención es el consumo de los signos aseptizados del marginal: el consumo del desequilibrio mundial equilibrado... Leer Disneylandia es tragar y digerir su condición de explotado.»

Como era de esperar, una tontería de ese calibre tenía por fuerza que convertirse en un *best-seller* en América Latina. En 1993, a los veintiún años de la primera edición, la obrita se había reproducido treinta y dos veces para satisfacción de la rama mexicana de Siglo XXI, y, aún en nuestros días de sano escepticismo, cuando no es de buen gusto succionarse el pulgar, no faltan los circunspectos revolucionarios que continúan recomendándola como la muestra inequívoca de la perfidia imperial y —por la otra punta— de la sagacidad intelectual de nuestros marxistas más alertas y avispados.

¿Por qué encajó este libro tan perfectamente en la biblioteca predilecta del idiota latinoamericano? Porque está escrito en clave paranoica, y no hay nada que excite más la imaginación de nuestros idiotas que creerse el objeto de una conspiración internacional encaminada a subyugarlos. Para estos desconfiados seres siempre hay unos «americanos» intentando engañarlos, tratando de robarles sus cerebros, arruinándolos en los centros financieros, impidiéndoles crear automóviles o piezas sinfónicas, intoxicándoles la atmósfera, o pactando con los cómplices locales la forma de perpetuar la subordinación intelectual que padecemos. Por otra parte, siempre resulta grato defender la cultura o el folclore autóctonos frente a la agresión extraña. ¿Para qué importar héroes y fantasías de otras latitudes cuando nosotros podemos producirlos localmente, como demostrara —por ejemplo— Velasco Alvarado con aquel imaginativo «niño Manuelito» de poncho y chullo con el que patrióticamente intentara sustituir al Santa Claus de los gringos y a sus malditos venados?

Es interesante que nadie les haya dicho a nuestros belicosos semiólogos que exactamente igual podían haber hecho una lectura ideológica de Mafalda, encontrándole tendencias lesbianas porque nunca se deja acariciar un pezón por Guillermito, o como se llame el niño de la cabeza rapada, acusando de paso a Quino de ser agente de la CIA, dado que su heroína ni una sola vez denuncia la presencia americana en el Canal de Panamá. ¿Qué ocurriría si nuestros sagaces intérpretes se enfrentan con la figura de Batman? ¿Será que en este imperfecto mundo yanqui sólo se puede defender la justicia con la cara tapada y desde el fondo de una cueva? Y Superman, nuestro casto héroe, defensor de todas las leyes —menos la de la Gravedad—, ¿no será un pobre *gay*, como ese Llanero Solitario permanentemente acompañado por el indio que, sin duda, lo sodomiza? ¿Qué saldría de una lectura revolucionaria y marxista de la *Bella Durmiente* o de *La Caperucita Roja*? ¿No hay en esa abuela comilona y desalmada que lanza a la niña a los peligros del bosque una demostración palpable de la peor moral burguesa? ¿Cómo se puede, ¡Dios!, ser tan idiota y no morir en el esfuerzo?

Dependencia y desarrollo en América Latina. Fernando Henrique Cardoso y Enzo Faletto, 1969

Este breve manual, de apenas 200 páginas, leído por muchísimos universitarios de América Latina, prescrito como «libro básico» por tantos latinoamericanistas, fue escrito en Santiago de Chile en los años 1966 y 1967 a la sombra de la Comisión Económica para América Latina, la famosa CEPAL, y se le ve perfectamente ese origen cepaliano. Sus autores son dos prestigiosos sociólogos, y uno de ellos, Fernando Henrique Cardoso, es hoy nada menos que el presidente de Brasil, aunque es muy probable —dado su programa de gobierno— que en los treinta años transcurridos entre la redacción del libro y su victoria electoral, se haya producido un cambio profundo en la manera de entender la realidad económica latinoamericana que sustenta este brasilero ilustre. Al fin y al cabo, lo primero que transpira el ensayo es una fría racionalidad muy alejada del panfleto dogmático. Es evidente que sus autores no estaban empeñados en probar a toda costa sus hipótesis, sino en encontrar una explicación razonable al pertinaz atraso relativo de América Latina. Sólo que lo que entonces plantearon —y todavía repiten demasiadas personas— era, sencillamente, erróneo.

Aparentemente el exitoso libro —en 1994 Siglo XXI de México había publicado veintiséis ediciones— apenas pretendía «establecer un diálogo con los economistas y planificadores para destacar la naturaleza social y política de los problemas de desarrollo en América Latina». Pero, en realidad, el propósito final tenía mucho más calado: averiguar por qué había fracasado la hipótesis principal de los economistas latinoamericanos más acreditados de los cuarenta y cincuenta. Había que encontrar alguna explicación al hundimiento de la teoría desarrollista del argentino Raúl Prebisch, escuela basada en dos premisas que la experiencia acabaría por desacreditar totalmente: la primera, era industrializar a los países latinoamericanos mediante barreras arancelarias temporales que les permitieran sustituir las importaciones extranjeras; y la segunda, que ese gigantesco esfuerzo de «modernización» de las economías tenía que ser planificado y hasta financiado por los Estados, puesto que la burguesía económica local carecía de los medios y hasta de la mentalidad social que se requería para dar ese gran salto adelante.

A mediados de la década de los sesenta, pese a algunos éxitos parciales en México y Brasil, ya se sabía que la receta cepaliana no había dado los resultados apetecidos, y era obvio que el desarrollismo no había conseguido disminuir la distancia económica que separaba a países como Estados Unidos o Canadá de sus vecinos del sur. Incluso, en ciertas naciones —Argentina es el mejor ejemplo— la aplicación de esa terapia había resultado contraproducente. ¿Por qué? ¿Dónde habían fallado las previsiones de los economistas? ¿No sería que el problema de fondo era de naturaleza política y resultaba conveniente examinarlo con instrumentos ajenos a la economía? Es en este punto en el que Cardoso y Faletto ofrecen algo que cae como lluvia de mayo sobre el moribundo pensamiento cepaliano de entonces: aportan una explicación «sociológica» que racionaliza de un solo golpe los dos problemas debatidos: por qué América Latina está considerablemente más atrasada que los países del Primer Mundo, y —sobre todo— por qué no funcionó como se había previsto la política industrializadora de sustitución de importaciones que supuestamente habría liquidado ese secular problema en el lapso de una generación febrilmente laboriosa.

Esa racionalización tiene un nombre mágico, *dependencia*, y consiste en lo siguiente: «La dependencia de la situación de subdesarrollo implica socialmente una forma de dominación que se manifiesta por una serie de características en el modo de actuación y en la orientación de los grupos que en el sistema económico aparecen como productores o como consumidores. Esta situación supone que en los casos extremos, las decisiones que afectan a la producción o al consumo de una economía dada se toman en función de la dinámica y de los intereses de las economías desarrolladas.» Los países subdesarrollados, en una economía global, constituyen la «periferia», siempre subordinados al «centro», los desarrollados, que determinan «las funciones que cumplen las economías subdesarrolladas en el mercado mundial».

Es a partir de esta visión *estructural* que Cardoso y Faletto intentan describir cómo se establece la «dependencia» entre el «centro» y la «periferia», método de análisis que los lleva a construir un modelo de comportamiento en el que prevalece en la sociedad una especie de concertación mecánica de voluntades, en donde no caben el azar, los individuos o las pasiones irracionales, ni se asoma el menor indicio de libertad individual en la toma de decisiones. Toda la obra está lastrada por esa manera mecanicista y reduccionista de entender el devenir histórico. Un párrafo típico podía ser éste: «Es posible, por ejemplo, que los grupos tradicionales de dominación se opongan en un principio a entregar su poder de control a los nuevos grupos sociales que surgen con el proceso de industrialización, pero también pueden pactar con ellos, alterando así las consecuencias renovadoras del desarrollo en el plano social y político.» Ahí no hay personas, sino máquinas.

No es extraño que dos sociólogos formados en los cincuenta adolezcan de esa concepción estructuralista, teñida de seudociencia marxista, porque a lo largo de casi todo el siglo dos tendencias académicas se disputaron la supremacía dentro de esa disciplina: los weberianos y los marxistas, y en esa época, y hasta los años ochenta, los marxistas habían sido hegemónicos. De donde puede deducirse que si Cardoso y Faletto hubieran escrito su libro en nuestros días, probablemente habría buscado en la *cultura*, como proponía Weber, las razones profundas que explican nuestros males, como muy bien demuestra Lawrence Harrison en su libro *El subdesarrollo está en la mente*.

Por otra parte, tras el éxito indiscutible de los «tigres» o «dragones» de Asia ya no es posible seguir pensando que las naciones desarrolladas, el mítico «centro», imponen la dependencia a las subdesarrolladas o «periferia». Sencillamente, hay sociedades que en un punto de su historia —Suiza, por ejemplo, a partir de 1848— comienzan a hacer las cosas de un cierto modo que conduce al crecimiento y al desarrollo progresivo. Y hay sociedades que se quedan atrapadas en sus propios errores. Esto puede comprobarse en el contraste del Chile de los denostados «Chicago boys» o el Perú de Velasco Alvarado o Alan García.

En 1959 —y éste es otro ejemplo adecuadísimo— había dos islas distantes que se parecían notablemente en sus circunstancias políticas: Cuba y Taiwan. Las dos vivían amenazadas por un vecino gigante y adversario. Las dos formaban parte del mundo subdesarrollado, aunque Cuba tenía un nivel de prosperidad, educación y sanidad infinitamente más alto que el de la isla asiática. ¿Qué ha sucedido casi cuatro décadas más tarde? Que los taiwaneses —que afortunadamente jamás oyeron hablar de la teoría de la dependencia—, trabajaron, ahorraron, invirtieron e investigaron hasta convertirse en una potencia económica de importancia mundial sin que nadie pretendiera impedirlo. Lo demás —nunca mejor dicho— es puro cuento chino.

Hacia una teología de la liberación. Gustavo Gutiérrez, 1971

La década de los sesenta fue marcada por la rebeldía y el «compromiso» en prácticamente todas las naciones de Occidente y en la casi totalidad de las actividades sociales. Los cantautores «protestaban» contra las injusticias; los pacifistas contra la guerra; los hippies contra la sociedad de consumo; los estudiantes contra las adocenadas universidades. Cada grupo, cada estamento, cada gremio, alzaba el puño fiero y amenazante contra el poder general, vago y abstracto, y contra el poder específico del ámbito en el que desempeñaba sus tareas particulares. Fue la era de la primera eclosión de las guerrillas y la del «mayo» francés de 1968. Desde un siglo antes, desde 1848, el mundo no había sentido un espasmo revolucionario semejante.

Naturalmente, la Iglesia católica no era ajena a esta atmósfera, y mucho menos en América Latina, continente sacudido por la pobreza, la inestabilidad política y frecuentísimos actos de violencia. Percepción que comenzó a trascender desde el momento mismo —1959— en que Juan XXIII convocó al Concilio Vaticano II, gran congreso de príncipes y pensadores de la Iglesia del que saliera un cambio sustancialísimo en la orientación de la Institución. Cuando comenzó el Concilio la principal función de la Iglesia era *guiar* a la grey hasta la pacífica conquista del

Cielo; cuando terminó, varios años y numerosos documentos más tarde, la Iglesia se había declarado *peregrina,* esto es, compañera de la sociedad en la lucha por construir un mundo más justo y equitativo. En 1967 el Papa proclama la encíclica *Populorum progressio.* Roma, de alguna manera, había secularizado sus objetivos inmediatos. Poco antes de esa fecha, pero ya dentro de ese combativo espíritu, moriría peleando el sacerdote Camilo Torres junto a una guerrilla colombiana castrocomunista.

Tras Vaticano II, en agosto de 1968, se produjo en Medellín la segunda reunión plenaria del Consejo Episcopal Latinoamericano (CELAM) y el consecuente *aggiornamento* de la misión pastoral. Para ese magno evento se pidió la colaboración de las mejores cabezas intelectuales con que contaba la Iglesia en el continente, grupo al que sin duda pertenecía el entonces joven sacerdote peruano Gustavo Gutiérrez (Lima, 1928), licenciado en Sicología por Lovaina, doctorado en Teología por Lyon y profesor de la Universidad Católica de Lima. Es para esa ocasión que Gutiérrez comienza a organizar sus reflexiones en un documento en torno a lo que ya llamó «teología de la liberación», texto que fue enriqueciendo posteriormente hasta su definitiva publicación en 1971 bajo el título de *Hacia una teología de la liberación.* Desde entonces, pocos libros de pensamiento aparecidos en América Latina han alcanzado el grado de influencia y penetración de esta obra.

Para entender este libro es muy importante retener cuál es su propósito: darle un soporte teológico, basado en los propios libros sagrados del catolicismo, a una determinada nueva forma de actuación. La Iglesia, sencillamente, no podía cambiar sus objetivos pastorales, no podía darle un giro de 180 grados a su misión en el mundo, sin explicarse a sí misma y a sus creyentes por qué pasaba de la complacencia y —con frecuencia— la complicidad con el poder, a la contestación y a la rebeldía. Al fin y a la postre, toda la legitimidad de la Institución estaba basada en el carácter de «revelación divina» atribuido a las Escrituras, de manera que los actos de quienes suscriben estas creencias tienen necesariamente que conformarse a una lectura de esos textos, so pena de incurrir en la mayor incongruencia.

Gustavo Gutiérrez armó ese rompecabezas. Buscó los libros sagrados y encontró la lectura adecuada para convertir a *los pobres* en el sujeto histórico del cristianismo. Estaba en los orígenes, en los salmos, en diferentes pasajes bíblicos, en anécdotas del Viejo y del Nuevo Testamentos. Resultaba perfectamente posible, sin incurrir en herejía, afirmar que la misión principal de la Iglesia era redimir a los pobres, pero no sólo de sus carencias materiales, sino también de las espirituales. El concepto *liberación* era para Gutiérrez mucho más que dar de comer al hambriento o de beber al sediento: era —como «el hombre nuevo» del Che y de Castro, a quienes cita— construir una criatura solidaria y desinteresada, despojada de viles ambiciones mundanas.

El problema se complica cuando Gutiérrez pasa de la teología a la economía y propone a su Iglesia el análisis convencional de la izquierda marxista para lograr el cambio. Dice el cura peruano: «Los países pobres toman conciencia cada vez más clara de que su subdesarrollo no es sino el subproducto del desarrollo de otros países debido al tipo de relación que mantienen actualmente con ellos. Y, por lo tanto, que su propio desarrollo no se hará sino luchando por romper la dominación que sobre ellos ejercen los países ricos.» Lo que inmediatamente precipita a Gutiérrez a apoderarse de una concepción marxista-leninista de los conflictos sociales y a proponer una solución drástica, acaso violenta: «Únicamente una quiebra radical del presente estado de cosas, una transformación profunda del sistema de propiedad, el acceso al poder de la clase explotada, una revolución social que rompa con esa dependencia, pueden permitir el paso a una sociedad distinta, a una sociedad socialista.»

Se eliminaba, pues, la vieja definición de León XIII —«el comunismo es intrínsecamente perverso»— y tácitamente se alentaba a los cristianos a que mostrasen su compromiso con los pobres aliándose con los comunistas en las universidades, los partidos políticos, y las guerrillas. Si había que combatir con las armas un modelo degradante de sociedad, la Iglesia no iba a organizar ese empeño, pero se sumaría o apoyaría a quienes lo hicieran. Era frecuente, incluso, que de los seminarios religiosos o del magisterio pastoral surgieran movimientos que pronto evolucionaban hacia la lucha armada y el terrorismo. Sucedió con la ETA vasca y con los tupamaros uruguayos. Se vio claramente en Nicaragua y en el Salvador, países en los que la influencia de la teología de la liberación, irresponsablemente administrada por ciertos jesuitas y maryknolles, llevó a muchos jóvenes a la violencia, y a algunos religiosos al martirio, asesinados por militares o paramilitares fanatizados por el odio.

La rectificación de este sangriento disparate —algo que el Papa Wojtyla parece desear— no es fácil, porque, además de estimular la lucha armada y de conferirle legitimidad moral a una buena porción de terroristas y asesinos parapetados tras la causa de la justicia social, en el proceso de «liberar» a los pobres se crearon numerosas «comunidades de base» (especialmente en Brasil), muy radicalizadas, que ya no responden como antes a las orientaciones de la Iglesia, sino a las prédicas de teólogos semiheréticos como Leonardo Boff, inútilmente censurado por el Vaticano en 1985. La rebelión también ha acabado por afectar la disciplina de la propia institución.

Veinticinco años después de publicar su famoso libro, Gustavo Gutiérrez, fiel a sus palabras, se mantiene como párroco humilde de una barriada pobre de Lima, asistiendo con sus pocas fuerzas a quienes le solicitan ayuda. Quien lo conozca, no puede dudar de su honradez e integridad fundamental. Quien lo haya leído con cuidado, no puede ignorar su inmenso, doloroso y —seguramente sin proponérselo— sangriento disparate. Al final, su teología no ha servido a los pobres ni a la Iglesia.

Las venas abiertas de América Latina. Eduardo Galeano, 1971

Toda bibliografía mínima (o máxima) que se respete, dedicada a reseñar la biblioteca básica del idiota latinoamericano, tiene que concluir con *Las venas abiertas de América Latina,* del escritor uruguayo Eduardo («el Trucha», para sus amigos) Galeano, nacido en Montevideo en 1940. No existe un mejor compendio de los errores, arbitrariedades o simples tonterías que pueblan las cabecitas de nuestros más desencaminados radicales. No hay, además, un libro de su género que haya tenido tantas ediciones, traducciones y alabanzas. No se conoce en nuestra lengua, en suma, una obra que —como ésta— merezca ser considerada como *la biblia* del idiota latinoamericano o, por la otra punta, como el gran culebrón del pensamiento político.

El título, perdidamente lírico, es ya una elocuente muestra de lo que viene detrás: América Latina es un continente inerte, desmayado entre el Atlántico y el Pacífico, al que los imperios y los canallas a sus órdenes le succionan la sangre de las venas, esto es, sus inmensas riquezas naturales. Es tan plástica y tan melodramática la imagen, que hasta un grupo *progre* de músicos argentinos ha compuesto una canción protesta bajo su advocación, mientras la edición de Círculo de Lectores de Colombia, ilustrada por Marigot, exhibe en su cubierta una enorme bandera norteamericana en forma de cuchillo que destripa sin compasión a una Sudamérica que se desangra. Precioso.

¿Qué diablos es este *vademecum* del idiota latinoamericano? Es un libro didáctico. Es el libro definitivo para explicar por qué América Latina tiene unos niveles de desarrollo inferiores a los de Europa occidental o Estados Unidos. Y cada afirmación *importante* que va haciendo, su autor la anota en letra cursiva, con el objeto de que el lector perciba, por un lado, la sutil inteligencia de quien la ha escrito, y —por el otro— para que retenga la sustancia de la reflexión o el dato exacto, y así consiga alcanzar las bondades de esta ciencia infusa que se nos administra en párrafos arrebatados y certeros.

La estructura del libro también delata su condición de cartilla revolucionaria. En el prólogo se resume el contenido de la obra. Se puede leer el prólogo e ignorar el resto, pues todo queda atropelladamente dicho en las primeras veinte páginas. A partir de ahí, lo que se hace es poner los ejemplos para apuntalar las afirmaciones que se han ido vertiendo. Y esos ejemplos se organizan en torno a las riquezas naturales que nos roban los imperialistas desde el momento mismo en que los depredadores españoles pusieron un pie en el continente: el oro, la plata, el caucho, el cacao, el café, la carne, el plátano, el azúcar, el cobre, el petróleo, y cuanto vegetal, animal o mineral puede servir para alimentar al insaciable Moloch extranjero.

La segunda parte del libro intenta describir las razones que explican los fracasos latinoamericanos en sus esfuerzos por escapar de la miseria tradicional que embarga a las masas. Unas veces los culpables son los ingleses, otras los norteamericanos, siempre los traidores locales. El libro es un constante memorial de agravios montado desde el victimismo y la identificación de los villanos que nos martirizan cruelmente: los que importan nuestras materias primas; los que nos exportan objetos, maquinarias o capitales; las multinacionales que invierten y las que no invierten; los organismos internacionales de crédito (FMI, BID, BM, AID). La ayuda exterior es un truco para esquilmarnos más. Si nos prestan es para arruinarnos. Si no nos prestan es para estrangularnos: «las inversiones que convierten a las fábricas latinoamericanas en meras piezas del engranaje mundial de las corporaciones gigantes no alteran en absoluto la división internacional del trabajo. No sufre la menor modificación el sistema de vasos comunicantes por donde circulan los capitales y las mercancías entre los países pobres y los países ricos. América Latina continúa exportando su desocupación y su miseria: las materias primas que el mercado mundial necesita y de cuya venta depende la economía de la región. El intercambio desigual funciona como siempre: los salarios de hambre de América Latina contribuyen a financiar los altos salarios de Estados Unidos y de Europa».

¿Hay buenos en esta película de horror? Por supuesto. Y es muy significativo quiénes son los héroes de este pilar de la bobería ideológica latinoamericana. En el pasado, nada menos que las Misiones jesuitas de Paraguay, los creadores de un sistema totalitario en el que los pobres guaraníes hasta tenían que hacer el amor al sonido de una campana. Y luego, en el mismo desdichado país, el enloquecido Gaspar Rodríguez de Francia, un dictador que, literalmente, cerró su nación a toda influencia extranjera, al extremo de sólo permitir dos bibliotecas, la suya y la del padre Maíz. ¿Por qué lo aprecia? Por sus esfuerzos de desarrollo autárquico, por su fiero nacionalismo, por no aceptar el librecambismo, por la militarización que impuso, por el inmenso papel que le asignó al Estado como productor de bienes, por la disciplina de palo y tentetieso con que sujetó a los paraguayos durante casi tres décadas, por su odio al liberalismo. ¿A quién más estima? Al estanciero Rosas, otro tirano, y por razones parecidas, a Fidel Castro, que ha hecho lo mismo que Rodríguez de Francia, pero con mayor torpeza administrativa, aunque Galeano es capaz de afirmar la siguiente falsedad sin el menor rubor: «En Cuba la causa esencial de la escasez es la nueva abundancia de los consumidores: ahora el país les pertenece a todos.

Se trata, por lo tanto, de una escasez de signo inverso a la que padecen los demás países latinoamericanos.»

Naturalmente, ese discurso sólo puede conducir a la violencia más insensata, como la desatada por sus compatriotas tupamaros. Veamos el párrafo con que termina su libro: «El actual proceso de integración no nos reencuentra con nuestro origen ni nos aproxima a nuestras metas. Ya Bolívar había afirmado, certera profecía, que los Estados Unidos parecían destinados por la Providencia para plagar América de miserias en nombre de la libertad. No han de ser la General Motors y la IBM las que tendrán la gentileza de levantar, en lugar de nosotros, las viejas banderas de unidad y emancipación caídas en la pelea, ni han de ser los traidores contemporáneos quienes realicen, hoy, la redención de los héroes ayer traicionados. Es mucha la podredumbre para arrojar al fondo del mar en el camino de la reconstrucción de América Latina. Los despojados, los humillados, los malditos tienen, ellos sí, en sus manos, la tarea. La causa nacional latinoamericana es, ante todo, una causa social: para que América Latina pueda nacer de nuevo, habrá que empezar por derribar a sus dueños, país por país. Se abren tiempos de rebelión y de cambio. Hay quienes creen que el destino descansa en las rodillas de los dioses, pero la verdad es que trabaja, como un desafío candente, sobre las conciencias de los hombres.»

No hay duda: existe algo que Galeano odia con mayor intensidad aún que a los propios gringos, que a las multinacionales, que al liberalismo: la verdad, la sensatez y la libertad. No las soporta. No cree en ellas. No le merecen el menor respeto. Su única y más firme devoción es alimentar de errores y locuras a los latinoamericanos más desprovistos de luces hasta perfeccionar la legendaria idiotez ideológica que los ha hecho famosos. Por eso su libro le pone punto final al nuestro. Se lo ha ganado a pulso.

INDEX EXPURGATORIUS
LATINOAMERICANUS

«Lo malo no es haber sido idiotas,
sino continuar siéndolo.»

Yo creo en la libertad política, pero la libertad de mercado en economía es el zorro libre con las gallinas libres.

RAÚL ALFONSÍN (ex presidente de la Argentina)
Buenos Aires, 1983

En los noventa la dignidad campesina se está imponiendo de nueva cuenta sobre la arrogancia tecnocrática, y a pesar de tener las apuestas en contra, los indios de las Cañadas van arriba en el marcador y están vapuleando a los yuppies de Harvard.

ARMANDO BARTRA (antropólogo mexicano)
México, 1995

Las reformas económicas, sobre todo la adopción de medidas que promueven una economía de libre mercado, han exacerbado las tensiones sociales y atizado las protestas [en Colombia] en los últimos años.

AMNISTÍA INTERNACIONAL (organización de
derechos humanos) *Madrid, 1994*

No estamos solos. Los países de la comunidad socialista patentizan su fraternal solidaridad con nosotros. Esto se refiere especialmente a la Unión Soviética, a la que nosotros denominamos nuestro hermano mayor.

Presido un Gobierno que no es socialista, pero que abrirá sin vacilaciones el camino al socialismo.

SALVADOR ALLENDE (ex presidente de Chile)
Moscú, 1972 y Ciudad de México, 1972

No somos ni de izquierda ni de derecha: nuestro lema es el Perú como doctrina.

El notable impulso que alcanzó el antiguo Perú tiene su explicación en el alto grado de desarrollo que ha adquirido el planeamiento, que ha dejado pruebas irrefutables. Acción Popular se ha propuesto aprovecharlas.

FERNANDO BELAUNDE TERRY
(ex presidente del Perú) *Lima, 1980 y 1994*

Mi carta de intención no es con el Fondo Monetario Internacional, sino con el pueblo venezolano.

RAFAEL CALDERA (presidente de Venezuela)
Caracas, 1993

Cuándo querrá el Dios del cielo
que la tortilla se vuelva;
que los pobres coman pan
y los ricos coman mierda.

Qué culpa tiene el tomate
de haber nacido en la mata
si viene un gringo hijo 'e puta
lo mete en una lata
y lo manda pa' Caracas.

(Canciones anónimas cantadas por los grupos
de izquierda en América Latina.)

Rechacemos la enajenación de la electricidad, la petroquímica básica y la comunicación por satélite, elementos fundamentales de la seguridad y soberanía de la Nación.

CUAUTHÉMOC CÁRDENAS (líder del Partido Democrático Revolucionario de México) *Ciudad de México, 1995*

El neoliberalismo es intrínsecamente inmoral, porque tiene como base un positivismo sin Dios, que pone como bien supremo la ganancia y el dinero... «Ave, Caesar, morituri te salutat» (¡Salud, neoliberalismo, te saludan los que van a morir).

BARTOLOMÉ CARRASCO BRISEÑO (arzobispo emérito de Oaxaca, México) *Oaxaca, 1996*

La relación entre una parte de este proceso industrializador [ocurrido en el Tercer Mundo] y los transnacionales, ocasiona serias preocupaciones ante la comprobación de que a nuestros países se les impone una nueva forma de dependencia para convertirlos en exportadores de manufacturas simples, atrapados en las redes de sistemas transnacionales de producción y comercialización, en tanto continúan importando los bienes de equipo y capital que deciden el curso del desarrollo.

Primero la Isla se hundirá en el mar antes que abandonar los principios del marxismo-leninismo.

Señores empresarios, yo los invito a invertir en Cuba. Después de todo, lo peor que les puede pasar aquí ya pasó: que el país se vuelva comunista.

FIDEL CASTRO (dictador cubano) *La Habana, 1988, 1989 y 1990*

La paz es un derecho y un deber de obligatorio cumplimiento.

Todos los colombianos tienen derecho a una vivienda digna.

Se reconoce el derecho de todas las personas a la recreación, a la práctica del deporte y al aprovechamiento del tiempo libre.

CONSTITUCIÓN POLÍTICA DE COLOMBIA.
Bogotá, 1991

...Así yo sé que un día volveremos a vernos/buenos días, Fidel, buenos días, Haydée, buenos días, mi Casa/mi sitio en los amigos y en las calles/mi buchito, mi amor, mi caimancito herido y más vivo que nunca/yo soy esta palabra mano a mano como otros son tus ojos o tus músculos todos juntos iremos a la zafra futura/al azúcar de un tiempo sin imperios y esclavos.

JULIO CORTÁZAR (escritor argentino)
París, 1971

Cuando la Unión Soviética se ha visto obligada, en uno que otro caso, a mandar tropas fuera de su territorio, lo ha hecho siempre, no para exportar la revolución, sino para impedir la contrarrevolución.

LUIS CORVALÁN (ex secretario general del partido comunista chileno) *Santiago de Chile, 1986*

La venta de nuestras empresas estatales como forma de salvar al país no puede ser aceptada por la izquierda. No podemos dejarnos llevar por las tesis del neoliberalismo. El Estado tiene un papel importante y preponderante.

LUIS IGNACIO (Lula) DA SILVA (presidente del Partido de los Trabajadores del Brasil)
La Habana, 1993

Pobre México, tan lejos de Dios y tan cerca de Estados Unidos.

PORFIRIO DÍAZ (ex dictador mexicano)
México, fines del siglo XIX

Incapaz de satisfacer a sus constituyentes, el Estado latinoamericano sucumbió a las dictaduras militares primero, a las reformas neoliberales después. El sofoco del alto proteccionismo, el consumo y la producción subsidiados, los marcados cautivos y la ausencia de competividad debían ser y fueron revisados. Pero en su lugar, se procedió a la satanización de los Estados nacionales, a la quimera de esperarlo todo del libre juego de fuerzas del mercado, a la cruel complacencia del darwinismo social en tierras de hambre y necesidad extremas.

El Ejército Zapatista es la primera guerrilla del siglo XXI.

CARLOS FUENTES (escritor mexicano)
Ciudad de México, 1994 y 1995

No debemos ser dogmáticos y adoptar el así llamado sistema democrático, que en muchos países ha degenerado en pseudo-democracia, por eso tuvimos que arreglarla con un machete.

Me encantaría que tuviéramos varios Shanghais en el Perú.

ALBERTO FUJIMORI (presidente del Perú
y autor del golpe de Estado de 1992)
Cartagena de Indias, Colombia, 1994

Es mucho más importante para América Latina que yo sea amigo de Fidel que el que yo rompa con él.

Si no fuera por Cuba, Estados Unidos ya habría llegado hasta la Patagonia.

GABRIEL GARCÍA MÁRQUEZ (escritor colombiano)
Bogotá, 1992 y La Habana, 1996

Otros gobiernos, otras ideologías y otros sectores sociales postularon que si el Gobierno recibe 100 sólo deba gastar 100. Nosotros decimos que si el Gobierno recibe 100, puede gastar 110, 115, porque con esos quince habrá crédito para el campesino.

Señores, confieso aquí que sólo tengo un par de zapatos, no porque quiera pecar de pobre o exagerado, sino que no necesito más.

No soy ocioso, no soy un hombre que haya vivido nunca de la política ni de su sueldo parlamentario.

Necesitamos que el Estado participe decisoria y protagónicamente porque falta mucho aún para que el Estado alcance una tasa de saturación en la economía nacional.

Vamos a industrializar nuestra industria, defendiéndola de la invasión de recursos y mercaderías extranjeras.

ALAN GARCÍA PÉREZ (ex presidente del Perú)
Lima, 1990; Bogotá, 1992

En la Argentina lo que hace falta es un poco más de inflación.

BERNARDO GRINSPUN (ministro de Economía
del Gobierno de Raúl Alfonsín en la Argentina)
Buenos Aires, 1984

Debemos dejar de ser los momios [señoritos] del marxismo, dejar de lado lo obsoleto de la letra y quedarnos con la esencia.

LUIS GUASTAVINO (ex diputado comunista,
actualmente en la Plataforma Democrática
de Izquierda) *Santiago de Chile, 1990*

La tasa de crecimiento que se da como una cosa bellísima para toda América, es 2,5 % de crecimiento neto... Nosotros hablamos de 10 % de desarrollo sin miedo alguno, 10 % de desarrollo es la tasa que prevé Cuba para los años venideros... ¿Qué piensa tener Cuba en el año 1980? Pues un ingreso neto per cápita de unos tres mil dólares. Más que Estados Unidos.

Nosotros afirmamos que en tiempo relativamente corto el desarrollo de la conciencia hace más por el desarrollo de la producción que el estímulo material y lo hacemos basados en la proyección general del desarrollo de la sociedad para entrar al comunismo, lo que presupone que el trabajo deje de ser una penosa necesidad para convertirse en un agradable imperativo.

La culpabilidad de muchos de nuestros intelectuales y artistas reside en su pecado original; no son auténticamente revolucionarios... Las nuevas generaciones vendrán libres del pecado original... Nuestra tarea consiste en impedir que la generación actual, dislocada por sus conflictos, se pervierta y pervierta a las nuevas... Ya vendrán los revolucionarios y entonces el canto del hombre nuevo con la auténtica voz del pueblo.

ERNESTO «CHE» GUEVARA (ex guerrillero argentino-cubano). *La Habana, 1961, 1964 y 1965*

Stalin, Capitán,
a quien Changó proteja y a quien resguarde Ochún...
A tu lado, cantando, los hombres libres van:
el chino que respira con pulmón de volcán,
el negro de ojos blancos y barbas de betún,
el blanco, de ojos verdes y barbas de azafrán...
¡Stalin, Capitán,
los pueblos que despierten, junto a ti marcharán!

NICOLÁS GUILLÉN (poeta cubano) *La Habana, 1947*

Es importante por lo significativo que es toda lucha que ha dado Cuba contra la gran potencia imperialista. Hay un pequeño espacio para decir que la utopía socialista no ha muerto.

> Tomás Harris (poeta chileno) *Pronunció esta frase en Santiago de Chile, en 1996, al ser informado de que había ganado el Premio Casa de las Américas otorgado por Cuba*

El imperialismo es la inferior o primera etapa del capitalismo moderno en los países precapitalistas o industrialmente subdesarrollados.

Con las clases medias antiimperialistas, unidas a las masas obreras y campesinas —conductoras éstas del verdadero movimiento de transformación económica política y social que el APRA ha organizado—, se configura la alianza popular de los trabajadores manuales e intelectuales, indeficiente protagonista de nuestra segunda revolución emancipadora continental que no habrá de ser por la acción de una lucha de clases sino de una lucha de pueblos.

> Victor Raúl Haya de la Torre (fundador del APRA y del Partido Aprista Peruano) *Lima, 1977*

Fidel aparece sentado al borde de un trepidante tanque que entra en La Habana el día de Año Nuevo... Las muchachas arrojan flores al tanque y corren a tironear juguetonamente la negra barba del líder. Él ríe alegremente y pellizca algunas nalgas. El tanque se detiene en la plaza. Fidel deja caer su fusil al suelo, se palmea el muslo y se yergue. Parece un gigantesco pene que entrara en erección, y cuando se acaba de erguir cuan alto es, la multitud se transforma en el acto.

> Abbie Hoffman (activista norteamericano) *Estados Unidos, 1967*

El Estado lo va a cruzar todo.

RICARDO LAGOS (líder del Partido Socialista de
Chile y ministro de la coalición de su partido con
la Democracia Cristiana) *Santiago, 1991*

La privatización es, entre nosotros, más que un cambio
jurídico de lo estatal a lo privado, el cambio en el usufructo
de lo colectivo a lo individual.

JUAN MANUEL LÓPEZ CABALLERO (ensayista
colombiano) *Bogotá, 1994*

Tanto el liberalismo como el marxismo son la misma
gata pero con distinto moño.

JAVIER LOZANO BARRAGÁN (obispo de Zacatecas,
México, y presidente del Comité Económico del
Consejo Episcopal Latinoamericano) *Zacatecas, 1996*

Yo apoyo a Fidel Castro.

DIEGO ARMANDO MARADONA (futbolista
argentino) *Madrid, 1992*

El neoliberalismo se ha propuesto impulsar un proceso
de reconquista de la tierra. Eso sí: la conquista de la tierra no
va a seguir el proceso de conquista española. Va a seguir el
proceso de la conquista del oeste norteamericano. Implica
el aniquilamiento físico, cultural e histórico del campesinado.

SUBCOMANDANTE MARCOS (líder del Ejército
Zapatista de Liberación Nacional de México)
Chiapas, 1995

El dinero con el que se ha financiado la guerrilla ha
sido donado por los campesinos y obreros en forma voluntaria.

MANUEL MARULANDA VÉLEZ, alias «Tirofijo»
(jefe de las Fuerzas Armadas Revolucionarias
de Colombia) *En la clandestinidad, 1995*

Liquidado el mito de la burguesía nacional y la posibilidad de un tránsito reformista con la colaboración de esta clase, toda auténtica revolución en América Latina tiene necesariamente que situarse en una perspectiva socialista. Parafraseando palabras de Teodoro Petkoff, la revolución en América vencerá como socialista o será derrotada como revolución.

PLINIO APULEYO MENDOZA (escritor
colombiano) *París, 1971*

Los estamos esperando, traigan al Principito.

GENERAL MENÉNDEZ (comandante militar de
las islas Malvinas) *Buenos Aires, 1982,
en pleno conflicto con el Reino Unido*

El fin de la dictadura batistiana y el comienzo de esta revolución hermosa les traerá a los cubanos una etapa de libertad y prosperidad, como la Isla nunca ha conocido. ¿Quién puede dudar de ese feliz destino?

CARLOS ALBERTO MONTANER (escritor cubano)
La Habana, febrero de 1959

Esclavo por una parte, servil criado por la otra, es lo primero que nota el último en desatarse. Explotando esta misión de verlo todo tan claro, un día se vio liberado por esta revolución.

PABLO MILANÉS (cantante cubano)
*La frase pertenece a su «Canción
por la unidad latinoamericana»*

Si me ven rico, llámenme ladrón.

Yo no aspiro a que me lleven a [el palacio de] Miraflores; lo que ambiciono es que me saquen en hombros.

CARLOS ANDRÉS PÉREZ (ex presidente de
Venezuela) *Caracas, 1977 y 1988*

He viajado por Europa; allí todas son antigüedades. El futuro está en la Argentina de Perón.

Mañana, San Perón, que labore el patrón.

EVA PERÓN (ex primera dama de la Argentina)
Buenos Aires, 1947

El tema del cálculo económico no nos interesa; nosotros proclamamos los derechos sociales de la jubilación del ama de casa; las cuestiones actuariales que las arreglen los que vengan dentro de cincuenta años.

El hombre es bueno pero si se lo vigila es mejor.

Primero la patria, después el Movimiento y luego los hombres.

En la comunidad organizada cada uno tendrá bien definido su papel social por el Estado.

Antes de firmar un decreto de radicación de capitales extranjeros me cortaré las manos.

Para los amigos, todo. A los enemigos, ni justicia.

JUAN DOMINGO PERÓN (ex presidente
de la Argentina) *Buenos Aires,
1952, 1950 1949, 1954 y 1955*

Derechos humanos, no: derechos humanoides.

AUGUSTO PINOCHET (ex dictador chileno) *La frase,
originalmente pronunciada por el almirante Merino,
miembro de la junta chilena, fue adoptada
por Pinochet a lo largo de su régimen*

El Perú tiene dos clases de problemas: los que no se solucionan nunca y los que se solucionan solos.

MANUEL PRADO (ex presidente del Perú)
Lima, años cincuenta

No comparto la tesis de la apertura neoliberal, que es la más conservadora de todas, y por ello en mi gobierno adelantaremos una apertura a la colombiana.

La única certificación que acepto, que pido y que buscaré como presidente de Colombia es que al terminar mi Gobierno digan: Samper está certificado porque cumplió las promesas de desarrollo social que les hizo a todos los colombianos.

ERNESTO SAMPER (presidente de Colombia)
Bogotá, 1993 y 1995

Oí cerrarse la puerta detrás de mí, y perdí por igual el recuerdo de mi vieja fatiga y la noción del tiempo. Entre estos hombres completamente despiertos, en plenitud de facultades, dormir no parece una necesidad natural, sino una simple rutina en la que en mayor o menor medida se han liberado... todos han borrado de su agenda diaria la habitual alternancia al almuerzo y la comida... De todos estos serenos, Castro es el más despierto. De todos estos ayunantes, Castro es el que más puede comer y el que puede ayunar durante más tiempo... [Todos ellos] ejercen una verdadera dictadura sobre sus necesidades personales... hacen retroceder los límites de lo posible.

JEAN PAUL SARTRE (filósofo francés) *París, 1961*

Debemos aplastar la tendencia neoliberalista. No podemos permitir que el partido [liberal] se plinioapuleyise.

HORACIO SERPA URIBE (ministro del Interior del Gobierno colombiano presidido por Ernesto Samper) *Bogotá, 1993*

La Unión Soviética es hoy día el país más libre del mundo.

> VOLODIA TEITELBOIM (secretario general
> del Partido Comunista chileno)
> *Santiago de Chile, 1989*

El bastante pobre y muy rapaz neoliberalismo continental fundamentado en un dogmatismo obnubilante parece estimular la noción de que en Washington se ubica una suerte de «estrella polar» no sólo total sino también perpetua e implacable para Latinoamérica.

> JUAN GABRIEL TOKLATIAN (politólogo
> y catedrático argentino radicado en
> Colombia) *Bogotá, 1992*

Estados Unidos debe sacar inmediatamente las manos de El Salvador y dejar respirar libremente a ese país. *US out of El Salvador! US out of El Salvador!*

> ALVARO VARGAS LLOSA (periodista peruano)
> *Washington, 1984, frente a la Casa Blanca*

Dentro de diez, veinte o cincuenta años habrá llegado a todos nuestros países, como ahora a Cuba, la hora de la justicia social y América Latina entera se habrá emancipado del imperio que la saquea, de las castas que la explotan, de las fuerzas que hoy la ofenden y repriman.

> MARIO VARGAS LLOSA (escritor peruano)
> *Caracas, 1967*

El Gobierno revolucionario de las Fuerzas Armadas no es capitalista ni comunista sino todo lo contrario.

Campesino, el patrón no comerá más de tu pobreza.

*Juan Velasco Alvarado (ex dictador de Perú),
Lima, 1970; la segunda frase fue adoptada
por Velasco como lema de la reforma agraria en 1970,
tras atribuirla, falazmente, al líder indígena
del siglo XVIII Tupac Amaru*

ESTE LIBRO HA SIDO IMPRESO
EN LOS TALLERES DE
LITOGRAFÍA ROSÉS, S. A.
PROGRÉS, 54-60. GAVÀ (BARCELONA)